GRAND REPORTAGE

MICHÈLE MANCEAUX

GRAND REPORTAGE

ÉDITIONS DU SEUIL
27, rue Jacob, Paris VIᵉ

ISBN 2-02-005432-9

Aux femmes de Gennevilliers.

Et à François, Caroline, Nathalie.

« Vous savez, dit Banaka, le roman est le fruit d'une illusion humaine. L'illusion de pouvoir comprendre autrui. Mais que savons-nous des autres ?

— Rien, dit Bibi.

— Tout ce qu'on peut faire, dit Banaka, c'est présenter un rapport sur soi-même. Un rapport chacun sur soi. Tout le reste est mensonge. »

Milan Kundera

Itinéraire Avallon

1
Feuillets de l'aube

Les dates sont interchangeables. De multiples feuillets ont été écrits aux mêmes heures, dans cette même période.

« Je l'ai encore fait
Une fois tous les dix ans
Je m'y emploie
Mourir
Est-ce un art comme toute autre chose
Je le fais exceptionnellement bien
Je le fais de telle sorte qu'on dirait l'enfer
Je le fais de telle sorte qu'on y croirait
Je crois que vous pourriez me dire que j'ai mes raisons. »

Sylvia Plath

Quelle heure est-il? Je ne veux pas ouvrir les yeux. Je ne veux même pas regarder ma montre. Je ne veux surtout pas penser. Je cherche la fraîcheur des draps. Au moins deux ou trois secondes pendant lesquelles mon corps est à l'aise. Que ma tête me laisse tranquille. Mais non, ça monte. Des sueurs froides, le souffle qui manque. Comment continuer chaque jour? Même si je franchis la barre du réveil, l'angoisse rôde encore dans la journée.

De ces yeux fermés qui ne veulent pas s'ouvrir, de ces mains crispées sur l'oreiller, de ce cœur serré à éclater, il faut que je tire la vie, que j'écrive, que je consigne au moins ce passage quotidien de la mort à la vie qui va se payer, une nuit prochaine, par un vrai passage de la vie à la mort.

Je fais glisser sur mon lit le papier et le stylo que j'ai placés avant de m'endormir au plus près de moi. Pour que le geste, au moins, ne soit pas trop difficile. Le bloc de papier est sur mes genoux. J'ouvre les yeux. Déjà ce que je vais écrire n'est plus ce qui roule dans ma tête.

Milieu de la nuit. Il fait trop chaud. J'ai oublié de baisser le thermostat des radiateurs. Je descends l'escalier. Je suis étonnée de mon calme. Après tout, chacun perd son temps. Quelques rares génies laisseront des traces. Pas moi. Aucune importance. J'éprouve une sorte de joie. Je n'attends rien. Je ne souffre pas. Il suffit de vivre, d'apprécier les gestes simples. Je remonte l'escalier, déjà moins sûre de ces évidences. L'équilibre bascule. Je me recouche. Vite que je me rendorme avant que l'angoisse ne gagne tout à fait. Je me débats dans le lit, me tourne dans tous les sens. Ça gronde. On n'a pas le droit de vivre sans produire. Je ne produis rien. Mon drame est de croire encore au travail et même au bonheur. Si j'admettais, une bonne fois, que rien ne sert à rien. Mais non, increvable optimisme qui fait désespérer. Étouffement. Je cherche ce qui pourrait m'apaiser. Je cherche l'air, l'R, l'alphabet. Réapprendre à parler. Pour dire quoi, au fait ? Je suffoque. A chaque aube, la mort.

Chaque nuit est un voyage au long cours entre les lames de fond. Il faut arriver au port de la nouvelle journée. Un port fantôme sans quai et sans bordel. Je n'ai personne à saluer. Les heures passent. Je déambule, errante, traînant mon ballot, avant de repartir sur le vaisseau nocturne qui me ramènera au même port. Ce matin, j'aurais bien crié en débarquant, mais je savais que personne ne m'entendrait. Je descendais la passerelle, cherchant à m'appuyer, mais il n'y avait aucune rambarde. Je titubais. Je me suis raccrochée au papier. Je me suis mise à écrire comme on envoie une carte postale. Je me donnais à moi-même de mes nouvelles. Destinataire inconnue.

Cinq heures du matin. Comme si le réveil sonnait pour que j'aille à la mine. J'en pleurerais. Je pourrais encore dormir. J'ai le temps. La menace m'arrive :

« Si tu ne dors pas, tu vas mourir. »

C'est une menace un peu moins brutale que d'habitude. On me laisse une chance. Celle de dormir. Mais justement je ne peux pas.

Ce hurlement que j'ai envie de pousser dès le moment où je sens frissonner ma conscience encore engourdie par le sommeil, ce hurlement d'où vient-il ?

De quelle affreuse et ancienne souffrance. Ce hurlement devant la journée à vivre alors que la mort commande. J'étouffe. J'ai besoin de toucher un corps chaud. J'aurais peut-être simplement besoin de parler. Douce parole contenue qui se transforme en ce cri dont je sais d'avance qu'il ne servira à rien de le faire entendre.

Silence, désert. Personne n'est là. Comment font chaque matin les gens qui se réveillent seuls ? Comment n'entend-on pas chaque matin s'échapper des fenêtres un long hurlement général ?

Comment se lèvent-ils, comment préparent-ils leur café ? Automates de la vie. Moi aussi, je l'ai été. Maintenant, je cane. Mon estomac se serre, mon cœur cogne contre la cage trop étroite. Qui me donnera la main, me massera la nuque ? Je voudrais avaler un autre somnifère. Dormir encore. Toujours. Quelle autre issue ?

Injonction mortelle. Maintenant, tu dois mourir. Assez gémi en vain. Tu vois bien que cela ne sert à rien de lutter. Rien ne changera. Si, ce sera pire. Ton visage perdra ce qui lui reste d'éclat, tu n'auras plus d'argent, tes enfants s'en iront. Tu es folle de poursuivre cet inutile calvaire. Vaguement, parfois, tu espères écrire. Tu penses que tu sauveras ta peau en chantant, de la voix la plus ténébreuse et la plus cristalline, cette découverte du gouffre. Ce chant aux notes aiguës sera si émouvant qu'hommes et femmes pleureront en t'écoutant enfin.

15

C'est ton hurlement que tu transformeras en cantique. L'église débordera de fidèles. Ton angoisse est la leur.

Mais non, tu rêves encore. Ce chant est une ritournelle tant il a été fredonné sur tous les tons. N'est-ce pas Pascal? « Je n'approuve que ceux qui cherchent en gémissant. »

N'est-ce pas Kleist qui comprend en lisant Kant que la vie ne s'organise pas rationnellement et qui se tue un après-midi d'été dans le jardin d'une auberge où il buvait du vin blanc? N'est-ce pas Malher, ce chant des enfants morts? N'est-ce pas Van Gogh, n'est-ce pas Nicolas de Staël? N'est-ce pas tous, avant moi, la liste est infinie de ceux qui ont flotté entre les eaux poisseuses du lac empoisonné. Les radeaux de l'Art ou de la Grâce accueillent les rescapés. Les autres se noient sans bruit, très poliment, dans ce hurlement muet du matin. Ce hurlement est-il le cri de ma naissance? Jusqu'à présent quel langage ai-je tenu? Celui qui a été mis de force entre mes lèvres. Langage du devoir et du respect : « Tu dois, tu ne dois pas. » Langage de l'effort : « Il faut, il ne faut pas. » On me dit : « Tu t'es trop forcée. Laisse-toi aller. » Mais si je me laisse aller, je me laisse couler. Si je n'avale pas ces somnifères, c'est encore parce qu'il ne faut pas. La morale a tué le plaisir. Enfoui, le plaisir, sous des tonnes de commandements, perdu au-delà de la mémoire, comment le retrouver? Il paraît que l'on peut se réveiller gaiement. Cela m'est arrivé aussi quand je croyais exister.

C'est au moment où ça fait le plus mal, au moment où je ne vois plus l'utilité du mouvement, au moment où je délire de désespoir, que je dois m'arracher l'écriture. Mais ce n'est jamais assez près. Dès que je m'empare des mots, ils trahissent. En passant par la formulation, les fantasmes prennent une autre tonalité. Ils se brouillent. La photographie de l'angoisse est impossible. Même pas intéressante. L'angoisse doit être transposée, transcendée sinon elle ne crée rien. Je ne pousserai qu'un long gémissement, un délire moins vrai que celui qui m'assaille puisque déjà tenu en laisse par le stylo. F. m'a dit : « Ce n'est pas un hasard si nous sommes dans un temps, en France, où l'on n'écrit plus de grands romans. »

Je me jetterais volontiers sur cet os-là. Un roman de plus, à quoi ça sert ?

« Ce n'est pas comme cela qu'il faut penser, me dit G. qui est peintre. Moi aussi, je sais que personne n'attend mes tableaux. Seul mon désir de peindre compte pour moi. Je m'appuie sur la peinture pour me créer un monde qui ne dépende que de moi. Si l'écriture te passionne, le reste n'aura plus d'importance. » Les peintres ont parfois des intuitions qui font peur. G. me dit : « Tu es une personne excessive, dramatique. Tu demandes trop. Tu crois trop au bonheur. Même si tu ne parles pas, ta présence est intense. »

Cette image de moi m'affole. Je déteste les gens excessifs et dramatiques. Je ne croyais pas donner cette impression mais je sens que son portrait est ressemblant. J'y vois ma condamnation.

17

Ce que j'écris doit tuer. Je ne veux pas devenir écrivain. Je veux devenir meurtrière, assassiner une bonne fois la chaîne des sorcières qui m'ont jeté leurs maléfices, crever les yeux de ce père qui ne m'a jamais regardée.

L'écriture doit mettre en danger. Je prends le risque du cachot, de la basse-fosse où croupissent les parricides, les matricides, les infanticides. Je tuerai une bonne fois la petite fille trop avide, son père absent et ses mères qui n'ont jamais pris le temps de la mettre au monde, ses mères vides qui ne lui ont légué que le vide.

Géniteurs irresponsables, vous serez fusillés. Petite fille qui ne peux accepter la perte d'un amour jamais donné, jamais reçu, tu regarderas enfin, en face, ta tête hagarde tomber. Cette tête éclatée sur le papier, ce sera toi.

Je crois chaque nuit avoir touché le fond, mais le fond est toujours plus profond. Discipline monastique de la méditation nocturne. Regarder sans frémir la privation absolue. Je suis une moniale dans sa cellule, mais je ne peux même pas me soulager en célébrant Dieu dans un office commun où je retrouverais les autres sœurs. Pour la première fois, le couvent m'apparaît comme un paradis. J'y serais mieux que dans mon isolement sans cloître et sans matines. Je comprends désormais la folie. Je comprends désormais que l'on entre au couvent. Je comprends de plus en plus mais plus je comprends, plus je sens mes limites. Plus je touche les murs. Mon bras, hors du lit, se glace en écrivant. Membre engourdi, la mort gagne déjà mon bras. La mort. Nous sommes chaque matin, elle et moi, face à face.

Non, face à face, ce serait trop beau. Elle est en moi. Je m'étais jurée de ne plus y penser puisque le projet suicidaire est de nouveau momentanément ajourné. Ridicule de jouer à se faire peur. Francis Ponge s'accroche aux pierres, aux œillets, aux objets quotidiens. Au bord des abîmes, dit-on, on s'agrippe à la simplicité des choses. Sa poésie refuse la plainte, la caresse des gouffres. Il cherche avec des mots très lisses un chemin peu emprunté. A soixante-dix-sept ans, il s'en porte bien. Et pourtant, précise-t-il avec un clair sourire, moi aussi, je suis vertigineux.

R. racontait que la seule lecture que pouvait faire un de ses amis, mortellement atteint par la maladie, était celle des poèmes de Francis Ponge.

Si j'avais moins d'amis, je serais déjà devenue folle. Les amis surgissent pour m'étourdir et je saisis leur main. Ils se relaient. Ce ne sont pas les mêmes qui me tirent à chaque fois. Ils en perdraient leur force et leur élan. Je m'adapte à chaque main tendue même si la main est maladroite. Je saisis tout ce qui se présente. Hier soir, je suis allée à Boulogne pour retrouver des amis qui n'étaient pas au rendez-vous. Alors, j'ai pris l'autoroute, j'ai roulé à tombeau ouvert. Quelle belle expression. Jusqu'à Neauphle et je suis revenue. Je ne voulais pas m'écraser contre un arbre. J'avais trop peur de me rater. Pourtant, je cherchais l'accident. La voiture vibrait, prête à exploser. Cela m'excitait. Je ne pouvais plus me supporter que dans cette approche de l'explosion.

Quatre heures du matin. Je rêve que ma tante me persécute en me téléphonant à l'aube. Je lui en veux de cette sonnerie qui me tire brutalement du sommeil. Elle me décommande à déjeuner alors que je n'ai rien d'autre à faire. Je me réveille pour de bon. Je n'arrive pas à écrire. Je sais que cette écriture n'est qu'un vomissement. Je cherche une histoire à travers laquelle se glisseraient mes fantasmes. Je ne peux les accrocher à rien. La réalité de ma vie surgit à chaque effort de l'imagination. J'ai trop de mémoire.

Ce matin, je me réveille normalement mais en quelques minutes je suis dans le délire. J'organise tout. J'écris mes lettres. Ce sera pour dimanche soir ou lundi. Tout s'y prête bien puisqu'il n'y a personne ici pour les vacances de Pâques. Je vais dire à ceux qui restent, F. et M. que je pars en Normandie avec V. J'inventerai autre chose pour V. Je me sens soulagée à l'idée que cette affreuse souffrance va enfin cesser. Je n'arrive pas à m'accrocher aux enfants. Ce serait lâche d'ailleurs de m'y accrocher. Et comme je ne peux plus rien leur donner... C'est dommage, ma santé était meilleure mais je n'ai plus de prise sur rien. Une vie sans objet est presque la mort. L'approche de la mort ne rend pas intelligent.

Cette nuit est passée et je ne me suis pas tuée. Il faudrait comprendre par là que je n'en ai pas la force, que la vie l'emporte et éliminer au moins pour un temps cette obsession ravageuse. Il faudrait sortir de moi, de cet enfermement, essayer d'écrire autre chose. Je ne suis ni Rilke, ni Bataille. Mes cris résonnent dans le désert. Inutile de crier.

Comment tenir jusqu'à l'été, comment passer l'hiver ? Depuis deux ans, chaque heure, chaque jour, chaque nuit me met au défi. Je me fixe des buts saisonniers. L'approche des vacances me panique. Le retour aussi. J'entends les craquements. Je fais le tour des agences de voyages. Depuis cet avril 75 où je suis partie brûler mes dernières armes au Mozambique, j'ai traîné à Cuba, au Maroc, en Espagne, en Asie. Je n'ai respiré nulle part. Je ne veux même plus aller dans les agences de voyages.

Qu'ai-je rapporté de Cuba ? L'obsession de la noyade. Du matin au soir, près de la mer, la pierre au cou. Les drogues pour envelopper de coton le cerveau en éclats. Je rencontrais sur les terrasses de La Havane illuminée des écrivains muselés, je me mêlais à la masse des Cubains qui acclamaient Fidel, je ne prenais part à rien.

Du Maroc, des souvenirs de nausées. Je vomissais. L'ombre de l'amour flottait sur ces sables où nous avions souvent marché ensemble. Je devenais parfois folle dans l'odeur des orangers. Tant de douceurs et d'effluves pour quelqu'un qui ne pouvait plus rien sentir.

D'Espagne, la découverte de la cocaïne aux descentes funestes. Je planais et je retombais encore plus bas. Je me réfugiais dans un petit lit froid où je tremblais tranquille.

D'Asie, quelques surprises. Exotisme encore gagnant. L'hôtel Colonial à Kuala-Lumpur. Les néons, les peintures écaillées, les douches communes, la chaleur. Ces deux filles qui me plaisent. Elles

24

s'aiment, se défoncent et se déchirent. Je les accompagne dans les fumeries. L'une d'elle est tatouée. Un dragon autour du nombril. Un crocodile sur le bras. Elle parle la langue malaise. Elle cherche la drogue dans les bas-fonds. Elle m'enchante parce qu'elle joue avec la mort. Tantôt tendre, tantôt cruelle au rythme de sa belle qui se fait les ongles et se met des bracelets. La belle reste dans la pénombre de la chambre moite. Odalisque frêle. On voit surtout ses seins blancs à travers la moustiquaire. Les deux filles ensemble se complètent et me fascinent. Nous partons pour l'Indonésie. Suma-tra, Samosir, une île au milieu d'un lac volcanique. Pas d'eau, pas d'électricité, pas de nourriture. Nous dormons sur des planches dans une cabane en bois.

Cet éloignement de toutes les habitudes, cette vacuité des journées correspondent au vide que je trimbale. Les semaines filent sans repère. Des enfants chantent des mélopées sans fin. Pas un touriste. Nous nous mêlons aux fêtes, aux sacrifices, aux transes des Indonésiens bataks. Nous fumons de l'herbe dans une semi-torpeur. Nous glissons sur le lac dans de vieilles barques pleines de paniers. Nous nous lavons dans l'eau du lac. Nous attrapons la dysenterie. Nous sommes très maigres, évanescentes. Nous partons pour une autre île. Une couturière thaïlandaise nous confectionne des costu-mes de soie. Nous marchons nues sur la plage. Nous nous allongeons des heures à la fumerie. Pipe sur pipe avec deux ou trois vieux Chinois. Nous dormons toujours sur des planches de bois mais le jardin déborde de plantes étranges. Éden retrouvé. Nous rions enfin en lavant notre linge dans des baquets en bambous. Je ne me demande plus ce que je fais là. Je ne me demande plus si je suis coupable ou victime, je me fous enfin de tout. Au diable, les gloires et les défaites passées. Comme chante Piaf, non, je ne regrette rien. Ni mes misères, ni mes luxes. Je ne me reproche rien. Cet opium-là vaut bien celui des autres.

Que l'on ne me dise surtout pas que j'ai de la chance de voyager, que je pourrais crever de faim dans un gourbi. J'aimerais mieux pouvoir travailler. Il paraît qu'en France le chômage sévit. La France est loin, la France est la terre de mon exil. C'est ici que je suis bien. Évidemment, cela ne dure pas. Sur les routes de Birmanie, la pourriture m'étreint. Rangoon, rongée par la jungle, tombe en poussière comme moi. Cette décrépitude est la mienne mais, ici, j'en ai de nouveau honte. De vrais enfants meurent vraiment de faim. Je souffre de nouveau de mes fièvres occidentales. J'entends cette femme de Gennevilliers qui me rassure : « Les douleurs morales des ouvriers ne sont pas pires que les douleurs bourgeoises. J'aime mieux ma vie que la tienne. J'ai plus de sécurité. » Pourtant, dans toute sa vie, elle n'aura été que quatre jours à Bucarest en autocar avec un groupe où l'on paye son voyage en un an, par mensualités. Elle n'aura jamais vu Pagan et ses milliers de temples en ruine au coucher du soleil, cette vaste vallée emplie d'une prière millénaire où les hommes fourmis sont montés jusqu'au ciel.

Pagan, dans la campagne birmane, je rêve que j'y suis déjà, au ciel, désincarnée. Que je cesse enfin de courir.

Il faut mastiquer. J'avale tout rond. Deux, trois coups de dents mais c'est déjà garder trop longtemps la nourriture dans ma bouche. Même quand j'ai faim, cela m'ennuie de manger. Je cherche ce qui pourrait glisser tout seul. Des aliments prédigérés. Des purées, des crèmes caramel. Des petits pots pour bébés.

En revanche, j'aime les gens qui mangent, qui en reprennent, qui se réjouissent à la vue de leur assiette pleine. Plus agréables à regarder que ceux qui picorent, qui font la moue.

La sobriété semble même un reproche. Je bois de l'eau transparente alors que le vin est rouge et riche. Les autres convives prennent du plaisir. Mon refus de les suivre les agace. Ils versent quand même du vin dans mon verre. J'y trempe les lèvres. Parfois je le bois, quitte à subir, après, les vertiges, les bouffées de chaleur, les nausées. Quitte à défaillir, je veux montrer que moi aussi je suis une bonne vivante.

L'effort pour manger est particulièrement fatigant parce que sans cesse à recommencer.

Je cherche à qui dire bonjour.

Je voudrais dire bonjour à mes parents. C'est la première fois que j'emploie ce terme « mes parents ». Jusqu'à présent j'ai une mère et un père, jamais des « parents ». Le demi-rêve se poursuit. Non, je ne peux pas dire bonjour à mes parents. Je n'en ai plus. Je pourrais dire bonjour à mes enfants. Mais cela ne m'intéresse pas. Ils ne peuvent rien pour moi.

Plonger, partir, s'évanouir, terminer. Le noir. Panique pour tout. Je dois aller pointer au chômage aujourd'hui. Cela devient question de vie ou de mort. Si j'oublie le pointage auquel, justement, je pense, je vais mourir. La représentation de ma mort me surprend à chaque instant.

Hier soir, Nathalie, qui sourit toujours, s'est effondrée en me voyant sur mon lit. Elle a dit : « Je n'en peux plus de ta tristesse. » Elle pleurait. J'ai ravalé mes larmes. Itinéraire Avallon. Elle m'a fait avaler des raviolis en boîte. Je n'aurais pas mangé si elle n'avait pas préparé ce plat. Je n'arriverai plus du tout à manger quand ma dernière enfant aura quitté la maison.

Je lis dans un journal l'interview d'une romancière à succès. Elle dit qu'elle ne supporte plus les femmes pleurnichardes, la mode de l'écriture féminine, le délire féminin. Je me sens encore une fois condamnée. Je suis une femme, je pleure et je délire. Heureusement, elle ajoute qu'Emma Bovary lui semble le personnage le plus ennuyeux de la littérature. Cette romancière a choisi la désinvolture mais n'est-ce pas pour elle le moyen de se cacher ses troubles et ses opacités ? Tous les moyens sont bons. Le cynisme l'aide à surmonter l'absurde. Je n'ai plus la force du cynisme et de l'humour. Je souffre de plein fouet. Je m'empoigne pour rire encore parfois, pour paraître légère aux proches qui ne me supportent plus. Comment être dupe de mes pirouettes ? Je sais maintenant ce que signifie « se taper la tête contre les murs », essayer de percer les murs. Je suffoque. Je prends un somnifère. Je gagne du temps. Infatigable

29

espérance. Mes trois enfants me pressent. Si je les quitte, je les condamne aussi à cet abandon qui vient du fond des âges. Cet abandon, ils l'ont déjà subi mais se consolent comme la plupart des hommes et des femmes. Je crains de les laisser encore plus démunis si je ne leur donne plus l'exemple. Non seulement ils veulent ma vie mais ils veulent mon sourire. Je m'accable de ne pouvoir répondre à leur demande. Je me trouve des alibis. Ils m'oublieront. Ma douleur ne les contaminera plus. Ils affronteront la vie sans le poids de mes peines. Mais de toute manière, présente ou pas, je ne peux être qu'un poids. C'est le rôle immonde des mères, filles éternellement insatisfaites qui prennent des revanches pourries.

Ma grand-mère hurlant de rire à la mort de sa fille, ne supportant pas la perte et glissant dans la folie, ma mère fuyant dans le mensonge, masque sur masque, forcenée jalouse et ma tante s'étouffant dignement sous les lieux communs, ne respirant qu'à travers sa progéniture.

Toutes ces femmes dont je ne suis que le prolongement, vais-je en transmettre l'horrible héritage à mes pauvres enfants ?

Vivre malgré tout serait peut-être rompre la transmission. A condition de vivre apaisée, mais si cette paix n'est que feinte, leurre, autre masque, je ne les tranquilliserai pas. On ne trompe pas ses enfants.

Dans la gorge, ce cri qui empêche l'air de passer, l'eau de couler, me laissant assoiffée.

Implacable réveil, je m'entends prononcer : « Non », je me sens souhaiter l'engourdissement de mon corps. Pourquoi si peu de sommeil alors que je pourrais encore dormir ? Pourquoi cette tête qui se remet si vite dans la machine broyeuse ? Rien ne presse. Mon cerveau malade aurait pu se reposer plus longtemps mais chaque nuit se raccourcit — trois ou quatre heures, pas davantage. J'ai envie de pleurer. Qu'on me laisse en paix, qu'on ne me fatigue plus.

Qui est ce « on » qui tire brutalement les couvertures en grondant : « Allez, debout. » Ma tante se dresse devant moi. Elle est déjà sortie de la chambre quand j'éprouve le froid de mon corps dénudé. Tiens, ce dénuement quotidien et ce corps de petite fille mise à nu, arrachée à sa chaleur, violée par sa tante, par les surveillantes des pensionnats :

« Allez, debout, mesdemoiselles. »

Entre mes lèvres surgit aujourd'hui le refus, le premier « non ».

31

2
Premier frémissement

En 1649, une religieuse, Catherine Ranquet écrivait à César de Bus, son directeur de conscience :

« Autrefois, j'exprimais mes désirs avec beaucoup de contentement par le silence, par les soupirs, par les larmes que l'amour exigeait avec une suavité non pareille. A présent, je ne sais plus me taire, je voudrais non seulement parler mais aussi crier, si j'ose dire, et si je n'étais retenue par la crainte et le respect des créatures, je pense que je me ferais entendre comme une personne insensée. »

Ce qui me maintient en vie, c'est de considérer cette psychanalyse, entreprise en novembre 1976, comme un travail. Sept mois plus tard, qu'y ai-je donc découvert ?

Des personnages ignorés de mon histoire familiale : mon oncle, ma grand-mère maternelle, sa fillette morte à neuf ans, la petite Annie-Rose, surnommée Nini, dont ma naissance devait la consoler.

Je suis née pour remplacer Annie-Rose. Je ne le savais pas, comme je ne savais pas l'élan qui me portait vers le mari de ma tante. Élan dont la culpabilité éclate dans un rêve libérateur qui lève un fameux refoulé.

Le poids de ma grand-mère frivole, de ses deux filles fêlées, ma mère et ma tante, entre lesquelles j'ai grandi coupée en deux, m'inscrit dans une chaîne qui me détermine lourdement.

On prétend que l'on sort de son déterminisme rien qu'en le considérant. Voire... Thèse difficile à avaler. J'ai l'impression d'être *marquée* même si Bachelard, entre autres, affirme le contraire. « Avaler », le mot est venu vite sur le papier comme dans ce rêve dont je ne retiens que deux mots : « Itinéraire Avallon », qui pourrait servir de titre à ce texte. « Avallon », « Avalons », je n'arrive pas à manger. Je ne garde pas ce que je mange. Avalons les avanies. Ma mère m'a bouffée, elle qui se pèse chaque jour, se met au régime, grossit contre son gré. Moi, je la vomis. J'ai du mal à comprendre comment l'on peut vomir ce qui vous bouffe. Pour l'analyste, c'est un mouvement logique. On digère mal ce qui

« reproche ». Bien sûr, comme dans toute vie, le reproche est partout. L'analyste déculpabilise à tour de bras. L'action a été ma ligne de fuite. Sans agir, je n'existe pas. On m'indique une voie possible où je pourrais accepter de n'avoir rien à prouver. On me rassure : « Écouter », c'est déjà « faire ». La psychanalyse est un travail. Je m'endors, comme je peux et pas longtemps, chaque soir, sauvée par cet acquittement. Je me réveille sans place sur cette terre. Je cherche l'air pour respirer. L'angoisse qui m'étreignait dès le premier instant de conscience met, petit à petit, plus de temps à m'encercler. Le temps gagné me permet de reprendre pied plus vite mais chaque jour, il faut franchir le Rubicon. Nager, se noyer, remonter. L'eau coule beaucoup dans mes fantasmes. Baignoires, salles de bains, naufrages.

Quatre séances par semaine, cela fait des millions de mots. Des milliers d'abord pour décrire mes maux, d'une façon compulsive et répétitive. Patience de l'analyste qui caresse avec d'autres mots le front bouillant de l'analysant : « Vous n'avez jamais fait l'aveu du manque. Vous ne vous êtes pas encore assez plainte. »

Je retombe en enfance. Régression qui va loin. Je défèque dans mon lit. Je crie : « Maman, maman », tout en éloignant cette mère, jeteuse de sorts, que je ne peux plus me forcer à supporter.

Les parents en prennent toujours un vieux coup, au début d'une analyse. Rejetés et violés, ils détestent l'enfant qui tente de s'échapper et le guide qui l'aide à se dégager.

L'analyste est immédiatement devenue la mère choisie. Celle qui doit, avec moi, accoucher de moi et qui peut donc être aussi mon père. Elle est à la fois ma mère, mon père, mon mari. C'est trop pour une seule personne. Elle n'est peut-être rien qu'un lieu où je rassemble les morceaux brisés, les pièces éparses. Un lieu qui me sert de centre de gravité.

Au cours de ces sept mois, je découvre la bataille qui se livre en moi entre celle qui veut vivre et celle qui veut mourir. Mon corps est comme un terrain labouré par les sabots des chevaux. C'est un combat du Moyen Age, un duel, un corps à corps. Je suis à la fois Clorinde et Tancrède. Ou plus simplement un corps épuisé, inutile puisque sans amour, que je porte en pleurant chez une dame gymnaste qui me pousse à exécuter des mouvements très sensés sans aucun sens pour moi.

Le sens, le non-sens, je n'en sors pas. Je voudrais justement n'être plus qu'un corps. Un corps libre et spontané, un corps fêté et caressé. Mes propres caresses me déplaisent parce qu'elles n'assouvissent rien. Je reste une tête à la fois creuse et bouillonnante. Une tête qui, de plus en plus souvent, explose, s'enflamme. Je découvre la folie, la perte de toute identité. Je marche sur le Causse comme, sur la lande, les sorcières que décrivait Michelet.

L'idée de la mort me taraude. L'analyste repousse l'échéance. Elle dit : « Vous n'êtes pas joueuse. Donnez-vous le temps de voir ce que tout cela (tout cela = moi ?) peut devenir. Vous avez fait un pari, tenez-le. »

Un pari sous-entend que l'on peut gagner quelque chose. Je perds de vue ce que je peux gagner. La vieillesse n'est pas le gros lot. Il faut que je gagne sur tant de terrains à la fois. Il y a trop de vies derrière moi, des vies si bien remplies que tout me semble déjà avoir été misé.

Prendre ce temps de désert et de larmes comme une expérience de plus, comme une investigation dans un champ inconnu. Par moments, je peux y trouver un intérêt mais la douleur, trop forte, dissipe l'intérêt.

Je préfère n'avoir rien à écrire et rien à dire que de traverser les journées comme des épreuves. Sortir du coma matinal pour retrouver le berceau de la nuit. S'endormir en souhaitant des nuits sans fin.

Chanson de Charles Trenet qui me revient :

« Je n'ai pas aimé ma mère (...)
Je n'ai pas aimé la guerre. »

Avec la psychanalyse, tout se retourne. Dès que l'on énonce : « Je n'ai pas aimé », on peut être sûr que le magicien va tirer du haut-de-forme : « J'ai aimé. » Donc, j'ai aimé ma mère. J'ai peut-être même voulu sa mort. (On verra ça plus tard. Peut-être quand

elle a brûlé mon journal, rageuse de lire que je préférais ma tante.)
J'ai aimé la guerre. Me battre pour la vie me prouvait que j'étais
vivante.

Me battre pour la vie dans ce boudoir analytique manque d'allure.
Je n'ai plus les moyens d'accomplir d'autres exploits. Peut-être
parce que je n'ai plus personne à séduire.

Mon père est au ciel et mes amants, mes maris se sont évanouis.
Non pas vraiment évanouis. Ils ont laissé des traces. Des blessures
de jouissance et de perte. Des successions d'abandon. Il me semble
être née sous le signe de l'abandon. Je le sens si fort sur le divan que
je refuse de m'y étendre. « A quoi bon s'infliger cette souffrance »,
murmure la voix douce de l'ange-analysateur.

Au cours d'une première expérience de psychanalyse, il y a treize
ans, j'avais cru déceler que le « truc » était, au contraire, de
s'habituer à la frustration. En acceptant de la revivre, on l'acceptait
une bonne fois. J'avais constaté que je reproduisais toujours des
relations semblables en voulant toujours séduire des hommes qui ne
voulaient pas me reconnaître. Ainsi m'étais-je située par rapport à
mon père.

En me laissant séduire par un homme qui me reconnaissait,
j'avais cru opérer un renversement radical. Succès de l'analyse, me
disais-je, que je cessais à partir de cette nouvelle position satisfai-
sante.

Onze ans plus tard, j'avais remis à la place initiale les protagonis-
tes de mon scénario favori : cet homme (le même) allait de nouveau
m'abandonner, ne plus me reconnaître.

Arrêt mortel, abandon qui résume tous les autres, impossible à
avaler celui-là. Je vomis celui qui me rejette. Cette fois la coupe
déborde, l'estomac se bloque. Je veux tuer celle qu'on tue. Elle est
si faible qu'elle peut à peine marcher. Je la regarde se débattre, se
vider. Elle n'est plus qu'un souffle. Je la traîne chez l'analyste où je
l'observe. Dédoublée, elle tient encore mais voilà qu'elle se
morcelle, qu'elle est comme un cheval emballé et que je n'ai plus
assez de rênes et de muscles dans les avant-bras pour retenir son
galop affolé.

Voilà que l'image du cheval s'impose dans mon paysage. Est-ce parce que ma tante en avait fait son « dada », son « ailleurs ». Elle aimait les chevaux avant de se dévouer sans retenue à ses enfants, à ses petits-enfants. Ma tante, absente et brutale, me fait toujours peur. Son puritanisme rigide s'est opposé aux débordements passionnés de ma mère. Ma tante n'osait rien prendre. Ma mère voulait tout prendre.

Je me vois dans un taxi entre leurs deux maisons. A l'aise chez aucune d'elles, j'ai continué à ne me sentir à ma place que le cul entre deux chaises, entre deux hommes, deux métiers, deux classes. Je n'appartiens à aucune famille. Parfois, je souhaite en avoir une, parfois, je n'y vois que l'enfermement.

Au cours de ces sept mois apparaît mon origine juive. Sans doute parce que je me cogne contre ce Mur des lamentations que j'avais toujours voulu éviter. Cette errance des exilés, cette non-appartenance, cette résistance sourde et tenace, cet humour vaille que vaille forment les traits des juifs et les miens. Pourquoi nier ? J'en veux à ma mère de ses mensonges. De cacher son sang juif, son âge, ses amants. Elle dissimule jusqu'à son nez busqué qu'elle fait opérer. Je n'arrête pas de fouiller dans ses tiroirs, dans ses carnets, dans ses chambres vides où flotte l'odeur du sexe, et l'habitude me reste. Une curiosité sans limites qui s'accorde bien avec le métier de journaliste que j'exerce de manière caustique. Je critique, par peur d'être dupe, parce que les vanités me crèvent les yeux. Surtout parce que c'est commode.

De mon perchoir, je prends de la hauteur et de l'assurance. Je juge enfin au lieu d'être jugée. J'arrive même à acquérir une certaine autorité. Aujourd'hui, la feinte ne tient plus. Chute en roue libre, sans filet, dans un puits sans fond où l'analyste me jette une cordelette.

Son sauvetage lui procure quelque plaisir. Parfois, elle en oublie de me faire payer. Je n'en profite pas. La perversité ne me fait pas jouir. J'aurais tendance à payer plutôt deux fois qu'une. A dire « pardon », à m'excuser simplement d'être là. Ou bien, par esprit de revanche, à braver l'interdit, à rompre le contrat, à transgresser la loi. J'hésite à la rouler, cette analyste supposée savoir, même si elle ne sait rien. Au contraire, j'ai envie de lui conserver un pouvoir envoûtant, puisque je ne peux plus croire qu'aux miracles. « La psychanalyse ne fait pas de miracles », prévient-elle prudemment. Mais là encore, à quoi servent les avertissements, surtout quand l'inconscient entre en piste, vedette de la prestidigitation.

Mon analyste, qui n'est pas qu'une diseuse de bonne aventure, mais aussi une intellectuelle au vocabulaire spécifique (doublée d'une femme sensible qui doit avoir la peau douce, aimer les fleurs et la musique), a écrit dans la bible de son École : « L'analyse est un acte poétique en ceci qu'elle met en œuvre le langage pour une subversion du langage par les signifiants du désir. » Il me semble que l'on pourrait se faire comprendre plus concrètement. Exemple : d'un rêve je ne retiens qu'un « signifiant » (pour employer les termes du métier). Deux mots : « Liza Minelli. » Or Liza Minelli est une jeune chanteuse dont la mère, également chanteuse, s'est suicidée. Dans mon histoire personnelle, ma mère est chanteuse, j'ai tenté de me suicider. Ma tante s'appelle Lise.

Petite anecdote journalistique, illustration distrayante de ce que le langage peut charrier. De ce que mon analyste décrit d'une manière plus ésotérique en ajoutant : « Les poètes, eux aussi, rôdent autour de la chose primordiale dans une transgression du discours où ils risquent leur raison. Ce sont toutes les traces des inscriptions primaires qu'ils arrachent avec des métaphores au vide angoissant laissé par la perte. »

Bravo, Madame. Ne devient pas poète qui veut. « Itinéraire Avallon », c'est de la poésie, c'est une métaphore arrachée au vide angoissant laissée par la perte et produite par mon inconscient.

Alors que, allant et venant seulement dans la consciente banalité quotidienne, j'aurais titré mon hypothétique œuvre future d'une banale sentence, du genre : « Ne laisse rien dans ton assiette. »

C'est toute la différence entre quelqu'un qui vous dit : « Je ne comprends pas que cet homme t'ait quittée. Il donnait l'impression que ça allait durer toujours », et Marguerite Duras qui ne parle jamais qu'à elle-même et dit : « Il présentait l'éternité. »

Sur ce « Il présentait l'éternité », je médite des heures, je rêve, j'entrevois l'au-delà, la chose primordiale.

Je dis à ma mère : « Tu sais, parfois, je deviens folle. Je perds la tête. J'aimerais être, par exemple, Marguerite Duras ou Virginia Woolf ou Henry James ou Kafka. » Je ne suis pas fixée. Je ne sais même pas ce que j'aimerais puisque je ne sais pas qui est « je ». Ma mère, qui a réponse à tout, ponctue : « Tout le monde a envie d'être quelqu'un d'autre. Moi, j'aurais eu envie d'être Beethoven. » Ma mère a chanté à l'Opéra. Elle jouait du piano à quatre mains avec sa grand-mère qui est morte d'un cancer quand elle avait neuf ans. Elle m'a avoué cet hiver, pour la première fois, que cela avait été le grand chagrin de sa vie. Ma mère a fui, sans s'en apercevoir, dans la musique, les hommes et la recherche épuisante de l'éternelle jouvence. Ça fait une vie, pas plus mal qu'une autre, quand on se bande les yeux. Elle répète inlassablement : « Je n'ai jamais connu l'angoisse. Je ne me suis pas écoutée. Si tu t'écoutais un peu moins... » Pour une musicienne, elle n'a pas beaucoup d'oreille.

La bonne dame analyste me fait entendre que moi, je n'ai pas de voix. Je suis traversée par tous les discours, celui des femmes opprimées, celles de mon ascendance et celles autour de moi qui poussent ces temps-ci les mêmes hurlements pathétiques. Parce que je suis incapable de tenir les discours abstraits et conceptualisés des hommes, ils me fascinent comme l'insaisissable fascine les hystériques. Je suis traversée par les discours des penseurs et par les vers des poètes. Ouverte à tous les vents. Que soufflent Marx, Foucault, Lacan et je suis emportée sur leurs coquilles de noix. Que souffrent Pascal, Rilke ou Blanchot et leurs vertiges sont les miens. Tous les échos s'entrechoquent dans ma tête qui n'est plus qu'une caisse de résonance.

Je rêve beaucoup de ma tête. Elle devient tête de poisson mort que justement j'offre à Marguerite Duras, elle devient garniture de table de nuit chez un amant qui avait pourtant aimé mon corps. Mais, je l'ai déjà mentionné, je n'ai plus de corps. Dernièrement encore, un rêve : je conseillais à ma mère d'aller au théâtre voir *l'Aigle à deux têtes*.

Cela signifierait-il qu'enfin nous nous séparons ? Non, c'est trop d'espoir. Il s'agit plutôt de ma tête qui n'arrête pas de se diviser.

Je me suis aperçue aussi que j'avais passé beaucoup de temps de mon enfance dans les cuisines et dans les loges des concierges. Comme une révélation, m'est arrivée cette formulation : « J'étais du côté de l'office. » Il m'a semblé qu'une lumière scintillait, expliquait tout à coup mon goût pour le marginalisme et mon engagement politique du côté de ceux de l'office. Mon père aussi traficotait dans la politique, mais du côté des maîtres. Beaucoup d'éléments bien sûr entrent en ligne de compte dans ces choix où il est finalement décourageant de ne trouver aucun hasard.

Cet engagement politique, le mien et celui de mes camarades, tous bourgeois et presque tous juifs, je suis obligée de le considérer sous un autre éclairage. Toute activité humaine n'est donc qu'un règlement de comptes personnel. Aucun dévouement, aucun sacrifice, aucune cause ne se soutient pour un idéal non contingent. Le combat ne peut être net que pour la survivance. Écrire pour exister, voler pour manger, tuer quand on est nègre dans un pays raciste.

Angela Davis a appris le tir au pistolet et ne dort qu'une heure par jour, tant son combat la requiert. Elle a appris en prison comment discipliner son esprit et son corps. Chaque fois qu'un Noir tombe, elle relève la tête.

La psychanalyse peut-elle mettre en doute ce combat-là ? Évidemment, puisque tout est doute. Éternel objet perdu qui n'arrête pas de nous faire courir. Quête infinie qui rend l'homme si grand et si petit, comme dirait l'homme de Port-Royal.

Une fois qu'on a dit ça, on n'a encore rien dit. Le circuit dans le boudoir analytique n'est pas le tour du monde. Cependant j'ai tellement cherché, du Japon au Mozambique, de Birmanie à Cuba, des barricades de Paris aux fumeries d'Asie, où pouvait se cacher ma raison de vivre, que maintenant je m'accroche à ce travail de détective infatigable entre les quatre murs d'un rectangle.

Infatigable ? Il ne faudrait pas trop présumer de mes forces. Je sais aussi que lorsqu'on a trouvé la réponse, la boucle est bouclée et la vie finie. Ce n'est peut-être pas une raison de vivre que je cherche en fouillant, comme dans l'enfance, les chambres vides de ma mère. Ses mystères. ses absences, j'apprends à cesser de les scruter.

C'est, paraît-il, un grand deuil qu'il faut accomplir à raison de trois ou quatre séances par semaine. De ce deuil inconsolable, Balzac a fait *les Illusions perdues*, Proust *A la recherche du temps perdu*, Rimbaud *Une saison en enfer*. A force de porter les voiles noirs, il faudrait bien que j'en fasse aussi quelque chose. Autre chose que de me rendre ponctuellement, quatre fois par semaine, dans ce refuge, dans ce cocon qui me permet de vivre en dehors de la vie, de respirer alors que l'air se raréfie.

Je m'aperçois en relisant ce que je viens d'écrire que je n'ai même pas évoqué mes enfants. Ils comptent pour moi comme une obligation supplémentaire. Je dois vivre pour eux. Je ne me sens pas leur mère parce que je n'ai jamais été enfant moi-même. Il me semble n'avoir été l'enfant de personne. Je demandais à celui qui m'a quittée de m'appeler : « Mon bébé ». Je sais que je ne peux plus être le bébé de personne et qu'il faudra bien un jour que mes enfants soient mes bébés. Pour cela, il faudra apprendre à vivre pour moi, à ne pas m'excuser d'être là. Alors seulement, ils pourront être mes enfants.

Touchante dans son effort pour m'aider quand la mort est trop proche, la sœur-analyste me dit : « C'est en vivant que maintenant vous les mettez au monde. » Je renifle là un fumet de couvent. La foi, le don de soi effleurent à l'horizon. Méfiance. Non, la psychanalyse ne propose aucun recours divin. Son ciel est vide, immense. Comme sur les tableaux de Ruysdael ou comme dans les îles scandinaves où Bergman tourna *Personna*.

Vivre pour vivre... D'autres arrivent à tirer leur plaisir d'une promenade, d'un repas, d'un spectacle. Les jeux de cartes, la télévision, un travail routinier emplissent largement bien des séjours de soixante-dix ans.

Pour moi, la vie ne vaut la peine que si elle n'est pas connue d'avance. Inlassable curiosité. Il me faut découvrir. Et conquérir. Toujours gagner cet « ailleurs », meilleur qu'ici-bas où ça coince.

Se résigner à ce qu'il n'y ait pas d' « ailleurs », ou plutôt prendre

goût au rythme régulier de la nature, peut constituer un but, une
« guérison ».

Une vie végétative vaut-elle mieux que la mort ? Question stupide
puisque question de tempérament.

Aller vers la mort en ligne directe sur un tortillard de banlieue
m'ennuie plus qu'un bel accident. Je veux aller vers autre chose
avant. Ou bien y aller, vers la mort, sans m'ennuyer encore trop
longtemps.

Que me reste-t-il à visiter ? Le domaine réservé de l'écriture mais
ma main tremble en prenant le stylo.

A force d'inventer des obstacles à franchir pour égayer le
parcours, j'ai mis la barre très haut. Envol ou explosion. Tout ou
rien si féminin, la passivité ou la révolution. Mon analyste a avancé
le mot de « réformisme » que je n'ai pas fini de repousser. Encore
une fois, cela n'a aucune importance, ce qui se passe me dépasse.

Personnellement, je connais mes limites et ce n'est pas la
psychanalyse qui m'étouffera. J'y suis arrivée étouffée.

Si je ne sais plus écrire, c'est que j'ai fait le tour de ce que je savais
écrire et que cela ne m'intéresse plus de recopier ou de transcrire les
paroles des autres.

Il me faut sortir de l'office, écrire autrement (ou me taire... tout
ou rien ?). Écrire quoi ? Roman, essai, autobiographie ? Les arguments se bousculent pour ou contre tel projet. Sans compter que je
n'ai peut-être pas réellement l'envie d'avoir un projet.

Écrire, c'est toucher la mort, c'est suffoquer. J'y répugne parce
que je cherche des bulles plus irisées, des respirations qui me sortent
justement de mes suffocations. Je sens que mes résistances sont
multiples. Même si je tentais d'en établir la liste, je ne verrais pas
plus clair. Pour l'instant, tout est bouché, par un immense : « Je ne
suis pas capable », qui signifie peut-être : « Je ne veux pas être
encore jugée. »

Un rêve surgit : « Quelqu'un me demande ce que je fais en ce
moment. Je n'ose pas dire que je ne fais rien. Je réponds : " Je fais
une enquête sur les juges. " »

Pourvu que cette enquête ne dure pas des siècles. Abattra-t-on

Freud un jour comme on veut aujourd'hui abattre Marx ? L'humanité se gratte pour trouver des solutions mais l'inconscient comme l'exploitation de l'homme par l'homme sont nos données de base. A partir de là, on peut creuser sans fin. Interroger sans fin. Si l'on est de bonne humeur, si l'on admet une bonne fois qu'il n'y a de solution à rien, ce jeu d'échecs peut devenir une excitante course au trésor. Un trésor fantôme, évidemment.

De ce trésor, Virginia Woolf parle aussi : « Pour survivre, chaque phrase doit avoir en son cœur une petite étincelle et celle-ci, le romancier doit la tirer du feu avec ses mains quel que soit le risque encouru. Sa situation est donc précaire. Il doit s'exposer à la vie, risquer d'être embarqué fort loin et trompé par sa fausseté ; il doit lui prendre son trésor et la débarrasser de ses scories. Mais à un certain moment, il doit abandonner la compagnie et se retirer, seul, dans cette chambre mystérieuse où son corps s'endurcit et se place en dehors du temps par des transformations qui, tout en échappant au critique, exercent sur lui une fascination très profonde. »

Dans la chambre mystérieuse, j'ai peur. Pourtant cette chambre est l' « ailleurs » où réside l'inconnu qui me plaît. Je m'y hasarde. Je ne peux y rester. Cette chambre est l'antichambre de la mort.

Virginia, déraisonnante au bord des étangs, se rattrape aux roseaux avant de sombrer, petit à petit, dans l'eau. « Les vagues » ont déferlé sur son âme exténuée.

La psychanalyse peut-elle faire avaler tous nos deuils ? Avaler le moment qui s'estompe où dans un torrent en crue, Alexandra, aujourd'hui, s'est baignée jeune et nue.

Poème à Nini

« *Le vide, c'est cela ?*
— On ne sait rien du vide
— D'où vient-il ?
— De cette petite fille morte à neuf ans ?
— C'était un vide immense
— Sa mère en est devenue folle
— Ses sœurs en ont perdu la parole
— On a dit que la petite avait la danse de Saint-Gui
— La petite s'appelait Nini
— Et à celle qui a suivi, on a donné le même prénom
— On lui a demandé de remplacer l'enfant morte à neuf ans
— La seconde Nini était blonde. Elle ne pouvait pas remplacer celle
qui était brune
— Elle ne pouvait pas ?
— Et si c'était ça, le vide, l'écart entre la blonde et la brune. »

3
En plongée

« Vous savez aussi, presque mieux que personne,
comment je gis depuis deux ans sans rien faire
qu'essayer de me redresser, m'accrochant tantôt
à l'un, tantôt à l'autre passant, et vivant d'écouter
ceux que j'oblige de s'arrêter un temps devant
moi. Il est dans la nature de cet état de devenir, à
la longue, parfaitement anormal, et je me
demande chaque jour s'il n'est pas de mon devoir
d'y mettre fin à tout prix. »

Rainer Maria Rilke

J'ai donné à la dame au bon sourire ce vague bilan de sept mois d'analyse. Elle a dit : « Je comprends que vous soyez essoufflée. » Je ne pouvais plus parler. Comme si l'écriture et la parole se contrariaient l'une l'autre. Si je parlais, je ne pourrais plus écrire. Ou bien l'écriture avait épuisé mon désir.

Je finis par dire : « J'ai l'impression d'avoir compris l'essentiel, de ne plus pouvoir que me répéter.

— Vous vous répétez autrement, dit-elle. Ne vous relisez pas. »

Tout ce flot de mots déversé dans l'oreille analyste ne laissait-il pas sans voix pour s'exprimer ailleurs ? Écrirais-je davantage si je parlais moins du côté de Grenelle ? Non, le peu que j'écris prend sa source dans cet appartement provincial et y aboutit pareillement. Circuit fermé et enfermant, diront certains, sans considérer que j'étais déjà muette.

J'espère un jugement sur ce que j'ai écrit. J'avance timidement : « Ce texte a dû vous amuser.

— Ce n'est vraiment pas ce que j'en dirai. »

Un autre silence s'installe entre nous, qu'elle rompt elle-même.

« Vous attendez que je vous dise quelque chose ?

— Oui, bien sûr. »

Elle réfléchit longuement avant de prononcer une phrase où elle sait que je la guette. Sa réflexion se prolonge. Elle finit par lâcher : « Vous y manifestez tant de curiosité ! »

Elle a choisi de souligner mon élan vital. J'aurais préféré une remarque sur ma perspicacité, sur une intelligence que je mets tellement en doute.

Parce que dès ma prime enfance, j'ai étouffé ma sensibilité par peur de la souffrance, pas d'images ou très peu, pas de sensations ou très peu de ce passé dans lequel tout écrivain fouille à l'infini. Sensibilité, synonyme de douleur, je répugne à y plonger. J'ai l'impression d'avoir besoin, au contraire, d'un peu de joie pour aller vers la feuille inerte à laquelle je devrais donner un élan.

Prendre un stylo est une lutte pour exister alors que je ne suis pas sûre de vouloir (pouvoir) exister.

Une part de moi refuse l'écriture parce que c'est approcher la mort. L'autre part de moi refuse l'écriture parce que c'est y trouver une existence, un monde où je pourrais avoir une place alors que mon inconscient répétitif me souffle que je n'ai de place nulle part. Que je suis toujours en exil.

Comme cette grand-mère allemande, tendre et frivole, coureuse de salons de thé et de garçonnières, qui faisait élever ses filles, ma mère et ma tante, par des *Gretchen* nattées, musclées, dont les portraits demeurent sur des photos cartonnées.

Comme ce grand-père américain, d'origine allemande lui aussi, qui habita cinquante-deux ans en France sans parler un mot de français. (Est-ce pour cette raison que je veux dominer les mots ?)

On parlait anglais dans cette distinguée famille juive, installée au plus chic de Paris, pignon sur l'avenue Foch que l'on appelait encore l'avenue du Bois et où les jeunes filles en fleurs, ma mère et ma tante, se promenaient sous les acacias tandis que le chauffeur, Germain, les suivait en limousine.

Mon grand-père fournissait en diamants le tsar de toutes les Russies et autres altesses. Élégant et raffiné, il n'était cependant qu'un « fournisseur ». Un monsieur « *Will you buy ?* », comme il disait, paraît-il, lui-même, avec cet humour juif qui me sert, à moi aussi parfois, de troisième poumon. Aurait-il souhaité une autre destinée ? Quand ma grand-mère mourut, il émigra à l'hôtel. Un palace près de l'Étoile, le Royal Monceau, son luxueux port d'attache entre Amsterdam et l'Afrique du Sud.

Il passait ses vacances à Versailles, au Trianon Palace. Rien n'était assez royal pour le vieux juif sans racines, qui s'habillait place Vendôme et se serait peut-être volontiers fait broder des armoiries sur ses chemises de chez Sulka.

On me déposait près de lui pendant les vacances, nantie d'une nurse qui notait chaque jour ma conduite et ma tenue à table. Je m'ennuyais. Je m'enfuyais. J'allais mendier dans les rues ou bien je passais des heures chez les concierges qui m'aimaient bien et me laissaient remettre les clefs aux clients et ranger le courrier dans les casiers appropriés.

Parfois les chasseurs m'accordaient le droit d'ouvrir les portières des Delage, des Talbot, des Delahaie, des Hotchkiss. Je connaissais toutes les marques. Les chasseurs s'amusaient de mon manège et n'en pâtissaient pas. Les clients les gratifiaient en même temps que moi, souriant du spectacle insolite de cette petite fille en robe à smocks qui leur faisait des révérences, en empochant leurs pourboires.

Plus amusant encore que les voitures, il y avait l'ascenseur. On n'appuyait sur aucun bouton pour indiquer l'étage. Les ascenseurs n'étaient pas encore équipés de commande automatique.

Les liftiers tiraient la porte grillagée et me permettaient de tenir le manche de bois qui se dressait hors de la boîte ronde en cuivre poli. Selon que le manche était dirigé vers la droite ou vers la gauche, l'ascenseur marchait ou s'arrêtait. La difficulté consistait à viser l'étage à l'avance, à faire osciller le manche comme le gouvernail d'un bateau afin que le sol de la cabine coïncidât, sans décalage ni brusquerie, avec le sol du palier. Je m'appliquais à filer de plus en plus doucement mes arrivées aux étages. J'aurais volontiers piloté l'ascenseur des journées entières.

Les liftiers me faisaient confiance, mais les nurses interdisaient ce que les liftiers autorisaient. Elles me couraient après. Mon plaisir était extrême quand je les voyais grimper l'escalier pour rattraper l'ascenseur dans lequel je leur échappais. Elles me disaient : « Vous n'êtes pas un groom », et me reconduisaient devant les tas de sable poussiéreux ou dans la carriole qu'un âne tirait, du matin au soir, dans les allées autour des pelouses. Je me demandais lequel de l'âne ou de moi, s'ennuyait le plus fort.

Trianon-Palace à Versailles, pavillon Henri-IV à Saint-Germain-en-Laye, hôtel Royal à Aix-les-Bains, hôtel Westminster au Touquet-Paris-plage, partout les mêmes parcs silencieux, les mêmes ânes somnolents, les mêmes portiques pour enfants sages qui ne se salissent pas.

Tous les parcs sont les mêmes, mais à l'office, avec le personnel, c'est chaque fois la vie qui revient. Nous échangeons, les valets et moi, des sourires blagueurs. Grand-père porte des panamas et des pantalons blancs.

Je traînais aussi près des standardistes, attrapant des bribes de confidences téléphoniques. J'écoutais les potins, les commentaires des employés, les ragots qui circulaient d'un étage à l'autre, transmis par les femmes de chambre. Par le bout de cette lorgnette ancillaire, j'observais l'univers plein d'intrigues des adultes et des riches, persuadée que là au moins il se passait quelque chose. Souvent, je ne comprenais pas. Il fallait tout le temps surveiller, être à l'affût.

Une enfance épiante en somme, qui devait se prolonger par une activité jamais en sommeil.

De cet œil entraîné à guetter, de cette oreille tendue, peut-on déjà déceler un don pour le journalisme? De ce mirador de l'office, peut-on déjà situer un goût pour cette position mitoyenne d'où l'on tire un pouvoir sournois?

L'exercice que j'ai du métier de journaliste me porterait à voir là l'origine même de ce que l'on appelle pompeusement une vocation. Métier qui s'apprend sur le tas, j'aurai débuté très tôt.

Dans ce palace cosmopolite, un orchestre joue des valses à l'heure du cocktail. Le bar résonne de tous les accents. Je baragouine polyglotte. Au fait, quelle est ma langue maternelle?

Quand je reviens d'un voyage à l'étranger, il me semble reconnaître le français comme mon seul lien social. J'éprouve un plaisir à comprendre les commerçants : « Tiens, c'est le pays dont je parle la langue. Mon pays, le seul groupe auquel j'appartienne. »

Appartenir. Personne ne veut appartenir à personne. Moi, si. Je ne rêve que d'être revendiquée, adoptée, peut-être même achetée (les pourboires...). Assignée à résidence.

Un jour, pour convaincre un camarade, militant révolutionnaire, de mon intégration possible dans la classe ouvrière, je tentai de lui expliquer la satisfaction que j'éprouvais à faire partie d'une équipe de travail, à saluer chaque matin les mêmes gens unis dans un même creuset et solidaires d'une même exploitation.

« Pointer à l'usine, précisai-je, ne me serait pas pénible puisque ce que j'aime, avant tout, dans le travail, c'est le sentiment d'appartenir à une communauté. »

Le camarade s'indigna : « Tu représentes ce qu'il y a de pire. De la graine d'ouvrière zélée, de celles qui défendent leur usine et la production. »

Le camarade, un intellectuel, savait tout sur tout. Intimidée par ce spécialiste de la lutte de classes, je ne répliquai pas. Aujourd'hui, j'avance que l'intégration permet aussi de savoir où se battre.

Aujourd'hui, sans place, je me bats contre moi-même. En désespoir de cause. En désespoir de place. Je répète, chez l'analyste : « Je suis une personne déplacée. Même dans le temps, je suis déplacée. Il me faut aujourd'hui commencer ma vie alors que je n'ai plus vingt ans. » Elle concède : « L'âge rend le déplacement encore plus vertigineux. Cependant vous avez une place. Vous ne la connaissez pas encore. »

Confiance oblige à l'analyste. Si elle n'a pas raison, je ne peux que radoter. Chercher en vain. Même si l'analyste joue les madame Soleil, je n'ai pas le choix. Je ne peux qu'y croire si je ne veux pas étouffer.

Quelle place inconnue ? Celle, bien individualiste, de l'écriture, quand je n'aurai plus besoin d' « appartenir », de « faire partie ».

La place de l'écriture ? Je ne peux pas l'attendre comme l'arrivée du Prince charmant. On me conseille : « Mets-toi chaque jour devant la page blanche. Même si tu n'écris rien, discipline-toi, cela viendra. » Mais cela ne vient pas.

L'analyste, envie de la nommer l'ange du péché, absout sans

infliger de pénitence : « Inutile de vous forcer. Pourquoi, comme on dit dans le métier de journaliste, pisser de la copie ? »

Donc, j'attends, suspense quotidien, la venue du Messie-écriture, ce jour où je me lèverai avec un irrépressible désir de mettre enfin au clair tout ce que je trimbale d'informe, de multiforme, de vide, de dense, d'oubli, de mémoire, tout ce qui tournoie dans ma tête, tout ce qui déborde, qui va éclater. Je n'ose pas écrire, peut-être simplement parce que je veux plaire. Risque insurmontable de recevoir une blessure supplémentaire dans mon état de fragilité.

Il me faudrait un médiateur, un interlocuteur qui encouragerait mon effort et éloignerait le jugement général. S'exprimer, c'est élever la voix, la sienne enfin. C'est annuler les autres, mais là encore, par un mouvement contraire, c'est aussi souhaiter leur approbation.

Je lis frénétiquement tout ce que les écrivains ont pu livrer de leurs tâtonnements comme si j'allais y trouver une recette, le secret qui me délivrera. Je réunis d'une manière adolescente des citations qui confirment mes propres difficultés ou qui, sur le moment, me paraissent éclairantes même si elles se contredisent.

Faut-il se laisser aller au plus près de l'inconscient ou maîtriser son cri ? Inspiration, toutes vannes ouvertes ou précision, les dents serrées. Ridicules questions. On écrit en écrivant.

J'aimerais m'y mettre le matin. Je n'ai jamais pu écrire que le matin quand je n'ai encore parlé à quiconque, quand je suis neuve et loin du quotidien, mais depuis des mois, j'arrive au matin déjà épuisée. Ce n'est pas le jour qui commence mais une nuit de cauchemar qui se traîne et dont il faut s'arc-bouter pour sortir.

Ce n'est pas le cerveau lavé par le sommeil calmant, mais l'esprit embrumé pataugeant dans ses boues, qui ne peut que gémir. Certainement pas élaborer. Alors, c'est le silence. Puis l'horreur du silence. Jusqu'à la nuit qui s'annonce à nouveau.

Je ne peux écrire que lorsque je ne m'en aperçois pas. Ainsi ces feuillets de l'aube, bouts de textes jaillissant sans destination et qui me surprennent quand je les relis.

Je pourrais multiplier les raisons que j'ai de ne pas écrire. Elles m'ont déjà servi en 1968. A quoi bon fabriquer de légers romans bourgeois alors que des millions de gens sur la terre ont tout à dire et ne savent pas le dire. Je préférais mettre mon style, ma « technique », à leur service et cesser de me complaire à regarder mon nombril.

Maintenant, je mets en doute tous les alibis, tous les engagements. Si je n'étais pas Rimbaud, autant mourir sur les barricades. Si je n'étais pas Proust, autant affirmer que l'époque ne suscitait plus d'œuvre romanesque. Si mes ruses ne valaient pas une autobiographie, autant, dans une apparente modestie, m'effacer derrière une profession de foi : les autres, les sans-grades sont plus intéressants que moi. Je continue à vouloir écouter les autres mais je les trouve repliés, apeurés. Ce sont eux qui maintenant n'ont rien à dire. Ou bien est-ce moi qui n'entend plus ? Le besoin m'apparaît, urgent, de m'entendre moi-même.

Je m'énerve de ne pas avancer. Je propose de m'étendre sur le divan qui déclenchera peut-être une parole différente. Pourtant, ce divan me fait peur. La seule fois où je m'y suis allongée, j'y ai revécu si fort l'abandon que j'ai été terrassée, dans la soirée, par une crise de tachycardie. L'analyste m'avait rassurée : « Vous ne venez pas ici pour exaspérer votre mal. Nous pouvons tout aussi utilement poursuivre notre travail, en face à face. » Je m'étais assise à nouveau mais j'entendais des analystes réputés prononcer formellement : « Il n'y a pas de psychanalyse sérieuse hors du divan. » « Une séance doit durer quarante-cinq minutes. »

Je vacillais. Que faisions-nous, elle et moi ? Une psychanalyse pas sérieuse ? Si je me dérobais au divan, je n'affrontais pas le lieu de la révélation, je fuyais l'obstacle, je constituais un système de défenses, de résistances à l'analyse, comme ils disent, dans la corporation.

Mon analyste gardait le sourire : « Laissez courir. Ne vous inquiétez pas. Il s'agit bien ici, en face à face, entre vous et moi, d'une psychanalyse. »

Je plaidais coupable : « Non, vous êtes trop gentille avec moi. Vous me parlez trop. Je fais, tout au plus, une psychothérapie. » Je finissais par rire de vouloir tant me faire souffrir. Elle riait aussi.

Parfois les séances duraient trente minutes, parfois une heure. Je me souviens d'un dimanche de Pâques où elle me reçut pendant deux heures. Je lui fis part de ma décision d'en finir. Elle me parla d'elle, de son propre vide qui l'avait conduite, à un âge déjà mûr, à devenir analyste.

Pas très orthodoxe, cette analyste qui parlait comme une amie. Elle m'étonnait. Je lui demandais ce que je venais faire chez elle alors que j'avais déjà organisé ce suicide, que mon projet ne pouvait être reporté, les circonstances étant, si on pouvait rire encore, absolument favorables. Cette fois-ci, je ne me raterais pas. Mon fils, retenu à dix mille kilomètres de Paris, n'aurait pas à s'occuper des formalités. Mes belles-filles, absentes elles aussi, étaient maintenant sorties de l'enfance et pourraient s'appuyer sur leur père.

« Je ne sais pas pourquoi je viens vous voir. Ma décision est prise.

— Vous venez me demander d'être l'avocat de vos enfants », dit-elle avec une simplicité qui me bouleversa.

Je prétendais que mes enfants portaient lourdement le déchet que j'étais devenue et que ma disparition les soulagerait. Elle brouilla mes pistes.

Après deux heures de conversation, je savais que je mentais. Que ma mort tuerait mes enfants, comme me tuait cette sorte d'anathème jeté par les femmes qui m'avaient précédée. Elle avait intelligemment utilisé deux arguments qui convenaient à ma nature.

Primo, le défi à relever. Contre cette horde de femmes dont le vœu de mort inconscient se portait sur moi.

Secundo, le pari à tenter. Si j'avais entrepris une psychanalyse, je devais être plus curieuse, tenir l'enjeu et voir ce que la mise pouvait rapporter.

Arguments où il fallait admettre à la fois la damnation et la mutation, où il fallait croire, en gros, à la psychanalyse, mais encore une fois je n'avais pas le choix. Puisque j'avais dirigé mes pas, ce dimanche-là, vers cette dame-là, c'est que je ne demandais, au fond, qu'à être convaincue.

Le lendemain, je lui dis : « Vous avez gagné du temps. » Elle sut ne pas savourer sa victoire. J'ajoutai : « Votre malice a été couronnée de succès mais je ne veux pas vivre pour mes enfants dans le sacrifice et la mortification. Je veux vivre pour moi. » Elle sourit, l'ange de Reims, et ponctua : « Je n'en attendais pas moins de vous. » Le transfert marchait comme file un bateau, toutes voiles gonflées.

Je la regardais dans l'attendrissement. Ses jambes musclées avaient dû escalader des montagnes, en été, quand elle était jeune fille. Ses seins ressemblaient à ceux de ma tante, contre lesquels j'aimais blottir ma tête. Des seins qui pouvaient former un pli en se serrant l'un contre l'autre. Pas des seins presque pubères et écartés comme les miens. J'aimais la regarder et j'aimais son regard mais je décidai de m'en priver pour progresser.

Je me couchai. Elle accompagna de très près mes paroles, intervenant souvent, afin que je sache bien qu'elle était tout aussi présente derrière moi que devant.

Elle précisa : « Rien ne vous enjoint de rester sur le divan. Si vous préférez vous asseoir, nous pouvons changer de position même au cours de la séance. »

Je restai sur le divan. J'arrivais encore à plaisanter, quoi que ce fût plus acrobatique sans la récompense de la complicité qui se marquait parfois sur son visage.

Sur ce divan, avais-je régressé jusqu'à la nuit des temps, jusqu'à ma première nuit de nourrisson ? Photo : une nurse en uniforme portant un voile d'infirmière monte la garde devant un berceau de mousseline où repose un bébé princier. Ce même bébé qui, après une séance sur le divan, se retrouve le matin suivant, baignant dans son urine. Je suis horrifiée, réduite à appeler ma nounou, à cacher, honteuse, mon pipi au lit. Je me rendors légèrement, me réveille à nouveau, mouillant mon lit. Je crie : « Maman, maman. » Je suis sidérée, infirme. Vais-je désormais mouiller mon lit toutes les nuits ? Je suis trop petite, trop faible. Tout m'échappe. Même pas pisse-copie, pisse-au-lit. Comment exiger de soi une œuvre quand on fait pipi au lit ? C'est fou tout ce qui se passe dans mes nuits. J'enlève vite les draps. J'ai si peur de recommencer la nuit prochaine.

Je cours chez l'analyste : « Je n'ai jamais eu d'énurésie quand j'étais enfant. » Elle me dit : « Justement. » Comme si ce pipi était le refoulé de tous les pipis retenus. Je pleure toutes les contraintes subies. Je me sens misérable. Je suis la petite Cosette en laquelle tant d'enfants se reconnaissent.

Qu'ai-je revécu sur le divan ? Peut-être ce pipi a-t-il été provoqué par une autre cause ? Une amie devait partir en week-end avec moi et m'a décommandée, au dernier moment, parce qu'elle a rencontré un nouvel amant. Cette amie, par son ardeur à séduire, par son dynamisme écrasant, me rappelle souvent ma mère. Déjà l'année dernière, j'avais réagi bizarrement lorsqu'en voyage, ensemble, elle m'avait quittée pour aller faire l'amour avec un touriste. Je n'étais pas jalouse. Son aventure m'amusait même mais j'avais vomi toute la nuit.

Pourvu que je ne recommence pas à mouiller mon lit. Histoire de grandir tout à coup, de n'être plus une enfant, je me force à faire l'amour avec un ami passant. Fornication médicale. Increvable instinct de conservation. Ma vitalité me pousse à toute extrémité mais le réveil à côté de cette ombre ressemble à un enterrement. J'encaisse le choc mais je ne veux plus retourner sur le divan.

L'ange tutélaire n'y voit aucun inconvénient. Je me souviens de lui avoir dit au début de nos séances : « Je ne peux pas vous raconter tous mes hommes, je me perdrais dans un labyrinthe. » Elle avait ponctué : « Ariane » et je l'avais trouvée très sotte. Associer Ariane et labyrinthe, c'était tellement évident, connu et plat qu'elle n'aurait pas dû se le permettre.

Pourtant, j'y reviens. Cette Ariane m'a travaillée. Je relis Racine. Stupéfiante splendeur et je dis : « Finalement, c'est vrai, je suis Ariane. »

> « Ariane, ma sœur, de quel amour blessée
> Vous mourûtes au bord où vous fûtes laissée. »

Et j'ajoute : « Thésée m'a terrassée. »

Elle demande : « Qui est Thésée ? » Je réponds aussitôt et sans hésitation, étonnée même de sa question. « C'est lui, bien sûr. Celui qui m'a quittée, qui m'a laissée sur le rivage de cette île qui n'était pas Naxos mais qui était une île de bonheur. »

Elle fait la finaude : « Dans " Thésée ", il y a " taire ". » Elle m'agace avec ses jeux de mots et sa subtilité préfabriquée. Pourtant, je sors dans la rue et l'injonction : « Taisez-vous » s'impose à mon oreille. Cet homme qui m'a quittée se taisait. On remarquait même à quel point il se taisait. On murmurait qu'il était mystérieux, parce qu'on devinait en lui une violence qu'il devait lui-même redouter et qu'il cachait sous une exceptionnelle tolérance. Se méfier des doux et des muets. A force de se taire, il étouffait. Il lui fallait une explosion pour reprendre de l'air. Dans l'explosion, j'ai volé en éclats.

Mais arrêtons vite ce tracé trop rapide. On n'élucide rien par des explications. Tout vient de si loin, d'un inconnu qui se dérobe dès qu'on l'approche.

Thésée recouvre tout ce qui a été tu.

Le silence est partout. A la pension. J'allais écrire : à la maison aussi. Mais il n'y a pas de maison. Je navigue entre ma mère et ma tante. Je n'ai de lit attitré que dans le dortoir de la pension. Je suis souvent punie. Privée de sortie. J'erre solitaire pendant les week-ends, dans le grand collège, quand les autres internes rejoignent leurs familles. Je n'arrête pas de blaguer, de voler les tickets de chocolat, de perquisitionner dans le bureau de la surveillante générale pour la surveiller à mon tour, pour épier tout ce qui se trame derrière le dos des pensionnaires. Le dimanche, dans la cour désertée, je rêvasse au pied d'un tilleul centenaire. Le dimanche soir, les internes reviennent. Je les prends pour des moutons, bêtes et disciplinés. Je tire gloire d'avoir été consignée. Fière de ne pas subir le destin commun. La punition couronne ma rébellion.

Pour m'extraire de ce troupeau, je préfère m'acoquiner avec les femmes de ménage. La parole, là encore, je ne la trouve que dans les lingeries, les buanderies, les cuisines. A défaut d'autres privilèges, je suis la « chouchoute » de la valetaille. Les jardiniers m'offrent des bonbons. Les cuisinières me gardent des desserts. Je me fais inviter dans les communs. Je me bâtis un domaine parallèle où je disparais en douce. Les surveillantes me cherchent. Elles vont m'infliger de nouvelles tracasseries mais je m'en moque. Je prends un plaisir extrême à me rendre indomptable.

Dans cette pension de jeunes filles, il y a mille élèves, externes et internes. Le jeudi, nous allons en promenade, à travers la forêt. Nous cueillons des jacinthes sauvages. Je me rappelle les bouquets que nous en faisions, dans des verres à dents. Je me rappelle le prénom, Suzanne, de la « grande » qui m'envoûtait. Elle enduisait son corps de crème au citron. J'allais respirer ses armoires et j'y découvrais la volupté.

Pas d'attouchements cependant. Parfois, je joue à opérer les filles de l'appendicite. Je suis le chirurgien et je leur fais baisser leur culotte. Je m'amuse parce que je sens leur trouble. Elles se livrent au jeu, à moi, en rougissant.

Je récupère le pouvoir. Je suis le maître, le chirurgien qui coupe. Avec ce bistouri, j'accomplis mille vengeances. J'aime aussi voir couler le sang, celui des cochons que l'on égorge à la campagne, quand j'ai dix ans. J'entends : « Cette petite est sadique. » Je ne comprends pas l'adjectif mais je devine l'opprobre. Je regarde quand même longuement la viande chez les bouchers pour voir ce qui se cache sous la peau, comment c'est fait à l'intérieur.

Je rêve que j'accouche d'un morceau de viande, d'un demi-lapin sanguinolent. Je le regarde sortir entre mes cuisses. Mon attendrissement devient si intense que je ne peux supporter d'en voir davantage. Je me réveille étourdie.

L'accouchement se poursuit à chaque séance. J'apporte à l'analyste ce « Journal de Bébé » (déjà un journal), où mon père a écrit quelques pages gâteuses sur le miracle de ma venue au monde. Trois pages où il s'extasie sur mon poids et sur ma ressemblance avec « ma jolie maman ». A chacun son cinéma. Il disparaît six mois plus tard et ne me revoit que seize ans après, contraint par ma mère et bien embarrassé.

Néanmoins, ces trois pages marquent sa présence. Ma mère a déchiré ses photographies et découpé sa tête sur celles où il figure au milieu d'un groupe. Je ne connais donc de lui que ces trois pages, trop conjugales et paternelles pour être honnêtes, mais son écriture me plaît.

Ma mère, elle, dessine de trop grosses lettres. Sa signature bouffe un papier considérable quand elle donne des autographes à la sortie de la Gaieté-Lyrique où elle chante des opérettes viennoises que je connais par cœur : *Rêve de valse, les Trois Valses, Valse de Vienne.* La vie de ma mère est une valse. Je ne sais toujours pas danser.

Elle possède des coffrets pleins de bijoux en strass, joyaux de duchesse autrichienne, costumes de taffetas mordoré et de velours rubis, escarpins à boucles. Quand j'ai la chance d'être malade, assez malade pour que l'on ne me traite pas à l'infirmerie de la pension, je suis renvoyée chez elle où je peux me parer de ses diadèmes. Mais toujours je la gêne et elle m'envoie chez ma tante où j'arrive en pleurant. Furieuse que je pleure d'aller chez elle, ma tante est furieuse contre moi. Elle me soigne en bougonnant. Autant ne plus être malade et retourner au dortoir. Donc, je guéris au plus vite et finalement j'entends : « Ma fille a une santé de fer. Elle n'est jamais malade. » C'est toujours vrai. Je ne suis malade que dans la tête. Ce qui, bien sûr, aux yeux de tous n'est pas une maladie. Pas de cobalt pour l'angoisse. Pas d'amputation. Non, rien que du langage, de l'insensé. La voilà bien, la maladie imaginaire. « Tu n'as qu'à te secouer. De quoi te plains-tu ? Tu n'es pas à la rue. Tant de gens sont plus malheureux que toi. Toi, tu inventes le malheur. »

OK, j'insiste, je souffre pour rien et ma souffrance ne figure pas au catalogue. Je devrais m'en faire une raison, de cette folie, admettre une bonne fois que l'on ne saura jamais comment les autres souffrent, ni comment ils jouissent, que l'on ne saura jamais rien et qu'il n'y a pas de quoi en faire un drame. Le langage ne sert qu'à noyer la raison. Mais si je me tais, je meurs et si je vis, je parle. Pas moyen d'annuler le langage.

L'écriture, moyen de communication ? Quel optimisme. On écrit parce que l'on ne peut pas s'en empêcher. Je ne connais pas de motif plus sérieux. On écrit n'importe quoi, n'est-ce pas papa ? Cela aussi n'a aucune importance. Ça laisse une trace et c'est déjà quelque chose. Ce graphisme gracieux sur le « Journal de Bébé », cadeau offert par la Maison de Blanc à tout acheteur d'une layette, je tends à le reproduire. J'écrirai, moi aussi, n'importe quoi. Pour séduire mon papa.

Vers l'âge de douze ans, je suis opérée d'une hernie, ma mère me dit : « J'ai prévenu ton père que tu étais à l'hôpital. Je pense que cette fois, au moins, il se dérangera pour te voir. » A chaque fois que la porte s'ouvre, j'espère voir apparaître son visage inconnu, mais je suis toujours déçue.

Je sors de l'hôpital. Ma mère martèle : « Tu auras ainsi compris par toi-même que ton père est bien un salaud. » Je ne réponds rien. Je pense que je dois encore attendre pour en décider. Je veux pouvoir juger par moi-même. Le rencontrer d'abord. Ma mère m'énerve à me coller ce père salaud. Et si mon père était admirable ? Si simplement, il en avait eu marre de la sale gueule de ma jolie maman, comme j'en ai marre moi-même ? J'ai pour lui toutes les indulgences. Dieu ne peut pas m'avoir abandonnée. Du mystère là-dessous, réserve la foi. Je veux croire en mon papa.

Des années plus tard, il me faudra bien déchanter (pas comme maman, la cantatrice qui continue toujours à roucouler à Schoenbrunn), non, déchanter, vraiment : entonner d'une voix blanche le refrain féministe anti-mecs :

> « Ce sont des salauds
> Ils ont le pouvoir
> On le leur prendra
> Puisqu'ils nous la coupent (la parole)
> On la leur coupera (la queue) », etc.

Et puis en revenir. Parce que, après tout, le malheur des hommes au malheur des femmes ressemble, parce que c'est à nous tous, hommes, femmes, que le langage la coupe.

Sur le Journal de Bébé, ma mère compte les visites et les cadeaux qu'elle a reçus à l'occasion de ma naissance. Quelques pages sur ce thème puis plus rien jusqu'à ce qu'une nurse prenne le relais pour commenter ma conduite et la noter : « Michèle s'est bien tenue à table. Elle a mangé toute une sardine. 8 sur 10. » (Tiens, j'avais déjà peu d'appétit.) Les notes pleuvent : « Michèle a fait une comédie pour ne pas mettre ses bottines. Elle veut porter des sandales, 4 sur 10 », « Michèle a ronchonné pendant la promenade, 3 sur 10 ». La nurse se lasse, elle aussi, après quelques pages. Plus loin dans ce bizarre album qui comporte des têtes de chapitre, je constate que j'ai moi-même écrit, sous le titre « Maladies d'enfants » : « Varicelle, oreillons, rougeole. » Lisant cette page, je me rappelle aussitôt, étrangement, la table pliante sur laquelle j'ai mentionné ces trois mots. Je devais avoir huit ou neuf ans. Je me rappelle mon hésitation. Avais-je le droit d'écrire dans ce livre tenu par des grandes personnes ? Que pouvais-je bien y écrire qui ne soit pas contestable ? Rien, sinon mes maladies. J'osai ainsi marquer ma propre trace. « Varicelle, oreillons, rougeole. »

Après la séance où je montre ce Journal de Bébé à l'analyste, je fais un rêve où elle brode une couverture de berceau. Cette couverture étincelle de mille couleurs. Je la félicite d'un si bel ouvrage. Je m'aperçois que cette couverture est destinée à un bébé couché dans la pièce. Ce bébé me convoque à une manifestation où les enfants doivent revendiquer leurs droits à avoir des maladies d'enfants. Je refuse en déclarant qu'il s'agit là d'une manifestation trop gauchiste, et toujours dans mon rêve, je me tourne vers l'analyste pour lui demander quel âge a ce bébé qui s'exprime déjà si clairement. Elle me répond : « Quatre mois. » Je m'étonne alors de tant de précocité.

Moment amusant de l'analyse, rébus gratifiant pour les deux joueurs. Mon analyste écoute le récit du rêve, épisode d'un feuilleton rocambolesque qui rebondit là où on ne l'attend pas. Elle demande : « Depuis combien de temps venez-vous me voir ? » Je calcule rapidement. Je réponds : « Quatre mois. »

Nous rions ensemble. J'ai l'impression qu'elle vient d'exécuter un tour de magie. Tout de suite, cependant, je grommelle :

« S'il faut que je vous voie pendant vingt ans pour avoir vingt ans, je n'ai pas le temps. » Elle me calme : « Le temps de l'analyse n'est pas le temps réel. »

J'insiste : « Même pour une longue analyse, je n'ai pas le

temps. » Elle tente de me rassurer : « Les analysants mettent souvent plusieurs années pour parvenir où vous en êtes. Quand vous êtes venue chez moi, vous étiez déjà dans ce vide où les patients refusent d'aller voir. On comprend qu'ils résistent à une si terrible douleur, mais vous, vous y êtes. Vous êtes au fond. »

Je dis : « Le fond est sans fond. »

Elle ne répond pas. C'est bien ainsi. Je m'enfuirais si elle avait réponse à tout.

Je veux lui faire peser ma vie sur les épaules : « Vous savez que ma vie ne tient qu'à un fil. Ne tient d'ailleurs qu'à vous. »

En même temps, je la décharge : « Quoi qu'il advienne, vous n'êtes pas responsable. J'étais déjà morte en arrivant chez vous. Vous m'aurez permis de vivre cet hiver. »

Est-ce un cadeau ? Sûrement pas, quand il faut, à chaque aube, s'extraire du coma. Mais parfois, quand l'étau se relâche, je peux entrevoir le plaisir, un plaisir différent, né du désespoir et non plus opposé à lui.

Il n'y aurait plus la joie et la douleur. Il y aurait au sein de la douleur un certain parti pris joyeux. Une distance (l'itinéraire Avallon ?) que j'aimerais pouvoir parcourir pour proclamer que sur cette route-là, enfin, il y a une vie possible.

Une ambition énorme se dévoile sous mes gémissantes modesties. La seule valeur qui reste quand on a tout perdu. Tirer de la perte son autorité. Je proclamerai au monde que tout commence quand on a tout perdu. Je me moque de ma naïveté. Je découvre la lune. Depuis qu'il y a des hommes et qu'ils pensent, ils n'ont jamais rien trouvé d'autre que cette vieille lune pourrie.

« Je suis foutue. Je ne comprends plus rien. Je ne sais plus rien. Je n'ai rien à dire à personne. »

L'analyste se tait, habituée à mon couplet. J'ai pitié de sa patience. « Quel lourd travail que le vôtre. — Mais non, mais non. »

Nous nous faisons des politesses japonaises : « Quel ennui, ces rabâchages. — Je suis payée pour ça. » Sa désinvolture m'enchante. Parfois, je commence la séance par des formules du genre : « Vous êtes d'attaque aujourd'hui ? Ce que je vais vous dire n'est pas marrant. — Allons-y », dit-elle, bien calée dans son recul.

Nous reprenons le rêve du bébé et de cette couverture de berceau qu'elle brodait. Lors d'une précédente séance, j'avais dit : « Si je devais aller sur le divan, je voudrais une couverture. » Une couverture pour quoi ? Pour me cacher ? Pour avoir chaud ? Cela reste à découvrir. Processus même de l'analyse. Un jour, cette couverture conduira à une autre piste. Pour l'instant, je ne vois que l'envie de transformer ce divan en lit, de me coucher sur ce divan comme dans mon lit, quand j'ai mal le matin. Mais j'ai peur de ressentir la même hideuse souffrance. Pourquoi s'imposer deux matins dans la même journée ?

Fuir cette souffrance au lieu de la ressusciter est peut-être le signe bénéfique du déplacement d'un symptôme. Au contraire, est-ce une défense ?

Ma tante me réveillait brutalement, le matin, en tirant la couverture. Tout à coup, j'avais froid.

Est-ce la même sensation de dépouillement qui me revient, chaque matin ? Couverture de mohair orange sur mon lit actuel que je retrouve dans un autre rêve, sur un lit d'enfant à barreaux où je me masturbe. Ce lit se trouve dans une chambre minable à Deauville, ville où dans la réalité je devais, vers l'âge de dix-huit ans, passer des vacances avec mon père et loger dans une chambre de palace dont la somptuosité m'éblouissait.

Histoire de couverture qui peut mener à Deauville aussi bien qu'à Constantinople. Pourquoi Constantinople ? Qui peut mener à la masturbation. Pas une psychanalyse où l'on ne fasse l'économie de ce truc-là. La psychanalyse mène à hue et à dia, du coq à l'âne. Ce récit ne peut en être autrement.

Pourquoi donc ne pas passer par la masturbation, nager dans cette pauvreté qui me ramènera à la pension où j'ai déjà fait un détour.

Je serrais mon oreiller entre mes jambes jusqu'à ce que je ressente une sorte de frisson mais je ne me souviens pas d'avoir porté la main sur mon sexe. Il me semble ne m'être jamais masturbée. Se cache-t-il là un gros méchant loup ? Dans ma vie sexuelle adulte, je ne me suis jamais non plus livrée à ce plaisir solitaire. Tout ce qui est solitaire me paraît triste.

Dans cette pension, ma grand-mère, l'oiseau du Rhin, vient, paraît-il, me rendre visite chaque jeudi. Aussi légère qu'une nymphe, elle ne me laisse aucun souvenir, aucune parole. Encore une qui doit se taire. Je m'étonne d'avoir tellement oublié ses traits alors que je me souviens du dessin bleu de la porcelaine sur les nappes damassées de la salle à manger sombre de l'avenue Foch. Je ne garde de ma grand-mère qu'un attrait pour de minuscules jeux de cartes avec lesquels elle faisait des « patiences ». Je ne la vois même pas faisant ses « patiences », je ne vois que les cartes en colonne sur l'abattant du secrétaire. Des cartes brillantes où les rois, les dames et les valets portent des perruques à rubans. Ces cartes miniatures constituent son seul legs apparent mais cette grand-mère qui s'inscrit en creux dans mon enfance, projette son histoire. Elle est devenue folle, elle a poussé des hurlements, elle a éclaté de rire, elle est tombée en prostration quand son dernier enfant, Nini, la sœur cadette de ma mère et de ma tante, est morte à l'âge de neuf ans. Ma mère n'eut alors de cesse, dit-elle, de donner à ma grand-mère un autre enfant. Un enfant-prothèse qui devait remplacer l'autre, aider ma grand-mère à sortir du trou où elle était tombée. Ma mère resta neuf mois au lit, accoucha avec une fièvre qui inquiéta plus pour sa vie que pour la mienne et m'attribua en second prénom celui de la petite morte : Annie-Rose. Ma grand-mère mourut quand j'atteignis l'âge de neuf ans, l'âge même où Annie-Rose décédait.

L'analyste se délecte, bien sûr, de ces coïncidences auxquelles je n'ai jamais prêté attention.

Elle me laisse entendre que je n'accepte pas le deuil parce que cette grand-mère déjà ne l'acceptait pas. On aurait tout nié dans cette famille et je continuerais.

Comme s'il y avait des gens qui acceptaient les deuils. Je m'insurge contre ces déterminismes et ces fatalités : « Ce serait trop facile. Je voudrais mourir parce que la mort de la petite Nini n'a pas été digérée, parce que je ne serais jamais arrivée à combler la perte de cette enfant, parce que je n'aurais jamais exaucé le vœu de ma mère ? »

L'analyste se tait. Elle a lancé son cerf-volant. Elle verra bien si je titille la ficelle.

Je me précipite en boudant. Je n'accepte pas que la mort de Nini me soit restée en travers de la gorge mais je déclare pompeusement que je vais cerner le « rapport à la mort » dans cette préhistoire de mes mères dont j'ai l'intuition que je paye la facture.

J'interroge ma mère qui se met en colère : « Je déteste le passé. C'est dégoûtant, ça fait vieillir. Je n'aime que l'avenir parce que le présent, c'est déjà du passé. Tu m'emmerdes avec tes questions. Qu'est-ce que ça peut te foutre de savoir si ta grand-mère mangeait des gâteaux ? Ce n'est pas ça qui va te faire grossir. Tu ne vas quand même pas croire que tu es déprimée aujourd'hui parce que tu as reçu une gifle quand tu avais quatre ans. C'est obscène de fouiller dans le passé. C'est comme fouiller dans la merde. » Elle poursuit ses vaticinations. « Si tu espères guérir grâce à cette dame, on n'est pas sorties de l'auberge. »

Que répondre ? J'attends que s'épuise son bon sens : « Tu me prends pour une imbécile, je sens bien, mais moi je ne me laisse pas dépérir sous la cendre. Secoue-toi. Ça suffit. »

« Dépérir »... Si on dé-périssait parce que l'on manque de père, si on avait inventé ce mot pour désigner cet état de misère orpheline observé, dans des temps anciens, dans les campagnes d'Auvergne ou du Berry...

Les mots m'entraînent ailleurs tandis que ma mère m'assène ses vérités. « Qu'est-ce que j'ai fait au ciel pour que tu sois si pessimiste alors que je suis si optimiste ? Bats-toi, bon Dieu. On ne meurt pas d'un chagrin d'amour. » Ma mère me désire à son image. Elle ne connaît pas le doute. Elle ne connaît pas d'autre cause au tourment que le chagrin d'amour. Amour d'un homme, bien entendu. « Tu te complais dans tes voiles de veuve. Si j'avais dû m'effondrer chaque fois qu'un homme m'a quittée, je ne serais plus qu'un tas de poussière. »

Or, elle flamboie, elle pétarade, elle s'enfle comme une oie.

Forcément, c'est moi qui me tasse. Impossible qu'elle comprenne comment la perte d'un homme contient toutes les pertes. Plus ma mère dévore, plus je suis dévorée. A moi de me défendre, de l'envoyer sur les roses mais c'est trop tard. Le mal est fait. Elle n'est pas coupable. Elle-même s'est armée, à sa manière, contre l'oiseau du Rhin, l'évanescente grand-mère, sa mère dont elle dit : « C'était une enfant. »

Nos mères sont nos enfants et nous voulons que nos enfants soient nos mères. Moi aussi, je pourrais dire de ma mère : « C'est une enfant. » Je la porte en moi alors qu'elle m'a déportée. Je porte ses vœux, ses désirs, ses lois. Je n'arrive pas à m'en débarrasser. Même si je suis différente d'elle, c'est encore en réaction, encore par rapport à elle. Imbrication des femmes dont je ne peux me tirer qu'en devenant un homme.

Je deviens « un garçon manqué ». Je m'invente un double, un frère, le petit Jacques, à l'existence duquel je fais si bien croire que l'on me demande de ses nouvelles, à la pension.

Mais le petit Jacques ne tient pas plus que quelques saisons. Un jour, on s'aperçoit que je n'ai pas de frère. On dit : « Quelle menteuse » et je m'aperçois que je ne suis qu'une fille qui triche.

Ma mère veut que je me comporte comme elle mais elle oublie qu'il n'y a pas de place pour deux femmes comme elle dans sa chambre capitonnée de satin bleu pâle, chambre de cocotte dont elle m'interdit l'accès. Parfois, je me faufile, je pénètre dans son alcôve. Je frotte ma joue sur la couverture de fourrure (tiens, une autre couverture « signifiante »). J'y renifle dans la douceur des poils les relents de la sexualité, le ventre de ma mère, qui à la fois m'attire et me répugne. Vertige et nausée sur la couverture de fourrure. La même nausée qui me saisit chaque fois que j'entre dans son appartement, aujourd'hui ?

« A ton âge, la vie n'est pas finie. Sinon, j'aurais bonne mine, moi ! »

Pour elle et pour elle seule, ce qui la rend unique et me fait prévoir sa mort comme un arrachement de plus, je suis toujours jeune. Pour elle, jeunesse signifie bonheur. Équation simple, sur laquelle elle a bâti ses remparts. Tant qu'il y a de la jeunesse, il y a de l'espoir. Dans les polders marécageux de sa vieillesse, les digues tiennent bon. Elle se teint les cheveux en blond platine et porte au col blanc de sa robe rose une broche représentant Mickey Mouse. Elle falsifie ses papiers d'identité grâce aux amitiés qu'elle noue adroitement dans les commissariats de police. Elle ne sait plus, elle-même, sa date de naissance. Elle répète : « Je n'ai jamais connu l'angoisse. » Alors que cette lutte même contre le temps, les rides, les kilos... Enfin, elle n'a peur de rien sauf du cancer. Quelque catastrophe qui survienne, elle conclut toujours par un « C'est moins grave que le cancer ».

J'essaye de lui voler des souvenirs. De sa mère l'oiseau, elle n'évoque que des plumes : des robes à tournures, des aigrettes, des femmes de chambre. Puis, tout à coup, une fois, elle confie : « Ma grand-mère était l'amour de mon enfance. » Une grand-mère allemande, directement débarquée de Francfort. Une grand-mère qui s'appelait Rose (d'où Annie-Rose), qui ne parlait pas le français et qui lui apprenait à jouer du piano. « C'était ma plus grande joie d'aller, le jeudi, jouer du piano à quatre mains avec elle. »

Ces quatre mains de ma mère et de sa grand-mère jouent Schumann à l'unisson. Petites mains, tendres mains alliées, je les vois sur le clavier. Mon cœur s'émeut. Je vois enfin ma mère enfant, ma mère dans sa faiblesse. Je vois un lien qui va être brisé.

« Cela a été horrible pour moi quand elle est morte.

— Quel âge avais-tu ?

— Neuf ans. »

Décidément, le chiffre neuf revient sur la roulette.

« De quoi est-elle morte, cette grand-mère Rose ?

— D'un cancer. »

Ainsi, ma mère porte Rose toujours en elle, l'exilée de Francfort qui n'avait pour langue que la musique. Quel dommage que ma mère ne fasse pas l'aveu de la fragilité de Rose, alors on se retrouverait, maman et moi.

On surnomme ma mère « Force de la nature », « Cheval ». Elle galope tête baissée, oreilles sourdes, yeux aveugles et c'est vrai que rien ne l'arrête.

Elle veut chanter. Elle chante faux. Elle épouse mon père parce que, dit-elle, il est le meilleur ami du directeur de l'Opéra. Elle chante à l'Opéra. Elle chante Wagner à perdre haleine. Elle pèse quatre-vingt-dix kilos. Elle est la Walkyrie. Un beau jour, elle préfère Puccini. Elle maigrit de trente kilos. Elle va à l'Opéra-Comique chanter *Manon*.

J'ai, pour elle, les yeux de Des Grieux mais elle ne me voit pas.

Ma tante me recueille. Ma tante ne se console pas, elle non plus, de la mort de sa petite sœur.

Ma tante, jeune mariée stérile, s'empare de moi et m'aime. Je décide d'aimer ma tante, de détester ma mère. Ma tante et ma mère se déchirent. Ma tante est aussi puritaine que ma mère est volage. Entre les deux, laquelle faut-il entendre? Celle qui chante ou celle qui se tait? Je n'entends rien. Deux interdits au lieu d'un. Je ne peux plaire à l'une et à l'autre à la fois.

Je rêve que je suis égorgée dans un champ, entre deux maisons. Le bruit court que c'est un meurtre mais que c'est justice parce que je n'avais pas à aller dans l'autre maison.

L'analyste demande : « Dans quelle maison était votre oncle? »

La question me surprend. Jamais je n'avais pensé au mari de ma tante. Je reste sans voix.

Je mène l'enquête. Je téléphone à ma tante : « Est-ce que j'aimais beaucoup mon oncle quand j'étais enfant? »

Elle bougonne : « Pourquoi ne l'aurais-tu pas aimé? »

Ma tante ne bavarde pas. J'interroge encore dans l'embarras. Ses silences me désarçonnent. Je bredouille : « Je ne sais pas comment dire... S'occupait-il de moi? » Ma tante s'enfouit généralement sous des banalités mais elle profère parfois, d'un ton brusque, une formule lapidaire qui va à l'essentiel. « C'est lui qui t'a tenue sur ses genoux quand on t'a opérée des végétations. »

Cet exemple résume pour elle l'attitude de mon oncle à mon égard. Cet exemple me saisit. Justement j'ai raconté cette scène à l'analyste parce qu'il me semblait ne pas pouvoir remonter plus loin dans ma mémoire et parce que j'avais gardé de cette opération une sensation de volupté très vive que j'attribuais à la voix câline de ma tante me lisant pour me distraire les aventures de Bicot. Je décrivais l'appartement, la pièce aux volets fermés dont les reflets striés se profilaient au plafond chaque fois qu'une voiture passait dans la rue. Cet endroit, cette voix, je ne les avais jamais oubliés alors que j'avais tout oublié. Je devais avoir trois ans. Je pouvais situer la date. Après, ma mère avait déménagé.

Cette volupté que j'associais à la voix de ma tante provenait des genoux de mon oncle ?

La nuit suivante, je rêve que je danse avec mon oncle et que j'en éprouve un plaisir extrême. Je me réveille en sursaut comme si je recevais un coup de poignard dans la poitrine et je pense, éveillée : « C'est maintenant que je dois me tuer, c'est maintenant que je dois mourir. » La souffrance physique m'étreint comme au plus fort de mes crises. Je m'accroche à l'oreiller. Je supplie la douleur de s'éloigner. Je gémis. Je me rendors. Le rêve reprend. Mon oncle et moi sommes de nouveau au bal. Quelqu'un s'avance et remercie mon oncle et sa femme Michèle d'avoir offert ce bal. Je me réveille à nouveau. Brisée.

A partir de cette nuit-là, je ne me réveillerai plus chaque matin dans la même mort. Je gagnerai quelques minutes entre l'éveil de la conscience et l'angoisse. Ces quelques minutes me permettent de sortir un peu moins péniblement d'un gouffre un peu moins profond. Quelques minutes précieuses. Jusque-là, je me réveillais *dans* la mort. A partir de ce rêve, je suis *à côté*.

Mon discours change chez l'analyste. Au lieu de déclarer que je veux me tuer et que j'en cherche le courage, je concède que je voudrais vivre mais que je n'en n'ai plus le courage.

« J'aimerais vivre mais je n'en ai plus la force. »

Je déforme peut-être les propos de l'analyste mais j'entends qu'elle se fâche presque : « Vous n'allez pas laisser votre mère accaparer votre force. » Elle m'étonne d'intervenir si personnellement.

Un jour où je m'abats chez elle, épuisée par une nuit d'insomnie, elle va jusqu'à me révéler : « Moi aussi, j'ai très peu dormi cette nuit. Nous sommes dans le même sac. »

Ce même sac, j'y repense souvent. Les analystes ne disent pas n'importe quoi. Qu'a-t-elle voulu fourrer dans ce sac-là ? Qu'elle se battait avec moi ? Je le sens, c'est vrai, qu'elle met le paquet pour me sauver.

Je tente d'éclaircir une fois de plus mes positions : « Ce qui s'annonce devant moi n'est que rétrécissement.

— Vous ne pouvez prévoir que le prévisible. Il y a l'imprévisible. »

Encore madame Soleil alors que je me noie : « Je ne suis plus capable de rien. Écrire ? Je n'ai ni style, ni pensée. » Elle dit : « Ne soyez pas si pressée de conclure. »

Je crie : « Je n'ai pas le temps. Il faut que je trouve quelque chose. » Elle précise : « Vous êtes en train de chercher. »

Son baume lénifiant finit par me détendre. Elle me fait croire que j'agis alors qu'il me semble ne plus faire que subir.

Bravo, Madame, voici ce qu'en terme de métier, on doit appeler une cure de soutien. Je la remercie : « Vous êtes mon poumon d'acier. Vous me maintenez en survie mais je ne vis plus. Tout est derrière moi. »

Elle lève la séance : « A jeudi. » En descendant l'escalier, une phrase célèbre de l'*Éducation sentimentale* me traverse.

Je ne suis pas Bovary. Frédéric Moreau, c'est moi. J'ai connu les froids réveils sous la tente et l'amertume des sympathies interrompues, j'ai tout connu et j'ai tellement voyagé. Que peut-on connaître encore quand on a tout brûlé ? L'expérience de l'incendie. La maison en flammes d'où l'on ne peut que se jeter par la fenêtre. La mort ne cesse de m'appeler.

Mystère de cet appel tenace. Je fouille la merde, comme dit ma mère. Je recense les morts. Celle de ma grand-mère, dans un taxi, alors qu'elle se rendait au cinéma. Celle de mon grand-père, terrassé par une crise cardiaque comme mon père. Bienheureux ancêtres qui ont passé l'arme à gauche sans s'en apercevoir. Je n'ai assisté à aucun de leurs enterrements. Préservée du deuil jusqu'à ce que je reçoive la mort de plein fouet, pour la première fois, avec le suicide de ma meilleure amie.

Françoise ou moi, le même cheminement. Elle s'était tuée. J'aurais pu exécuter le même geste. Pourquoi elle et pas moi ? Puisque je n'étais pas morte, c'est que je supportais la vie. Autant la supporter gaiement. J'essayais de gambader. Encore maintenant, je dois plaisanter et oser déclarer bien haut que je tiens à ma vie puisque je la sauve toutes les nuits.

« Je ne veux pas me tuer mais c'est comme si j'étais marquée, comme si j'avais une tumeur. »

L'analyste, enchantée, répète : « Tu meurs. » J'ai envie de me moquer. Mais je cherche qui me commande.

Qui m'ordonne ? Je ne voudrais pas illustrer la théorie, devenir un cas exemplaire qu'un analyste studieux exposerait à Sainte-Anne mais la loi, une loi, laquelle, m'enferme à coup sûr. La théorie affirme que c'est la loi du père. Pour l'instant pèse plutôt sur moi la loi des femmes mais les femmes sont les filles de leur père. La théorie se tourne et se retourne. On ne la prend pas en défaut, avec un peu de sel sur la queue.

Avec de l'imaginaire et du réel, faut retrouver du symbolique. Je dis à l'analyste : « Je remarque votre rocking-chair et des plumes de paon sur votre cheminée. Françoise s'est suicidée dans un rocking-chair. Elle gardait aussi, chez elle, des plumes de paon. Je vois dans cette coïncidence le suicide qui s'inscrit et me poursuit. »

L'analyste interprète : « Vous me faites savoir qu'ici, l'une de nous deux doit mourir. »

Fantasme de l'analyste ? Aucun écho. Si l'une de nous deux doit mourir, cela ne peut être que moi. Serait-ce de ma part une manière plus subtile de la menacer ?

C'est elle qui a dit : « Nous sommes dans le même sac. » Peut-être s'arrange-t-elle pour que je ne désire plus la tuer. Mais pourquoi ne peut-on pas tuer l'autre ? Je rêve que j'achète un revolver, que je tue Thésée, que je vais en prison. Là, enfin, je peux écrire tranquillement. Rien ne me tracasse plus. Je n'ai plus d'ennuis d'argent. Comment n'ai-je pas pensé plus tôt à cet assassinat ? Épatante inspiration qui m'apaise.

Pendant quelques jours, l'angoisse s'éloigne comme si j'étais anesthésiée. Une enveloppe de coton me protège de l'extérieur. Le poumon d'acier ronronne sans raté. Je respire sans effort même si je me sens toujours en danger.

Halte de courte durée. Un événement fortuit me terrasse à nouveau. Nathalie, qui vient de réussir son baccalauréat, m'apprend joyeusement qu'elle va partir pour les États-Unis. Elle est admise dans un collège près de New York. J'ai moi-même préparé ce séjour en Amérique afin qu'elle y gagne son indépendance et son autonomie mais la lettre d'admission qu'elle me tend, je n'ai pas la force de la regarder.

Encore le coup de poignard, le cœur qui pince, le sol qui se dérobe. Je m'exclame : « Quelle chance, c'est fantastique. » Je pense : « Ça y est, la date est fixée. Je vais mourir à la rentrée. » Je tremble : « Il va falloir passer l'été. Avoir l'air de se réjouir. » Je fuis l'appartement. J'erre dans les rues. Ce coup de poignard-là est le coup de grâce. J'entre dans un café. Je griffonne sur un cahier : « Nathalie est ravie. Merveille de la vie. La mienne est finie. Mes enfants, j'aurais voulu continuer à vous aimer. Cela aurait été si beau de devenir votre mère sereine, votre refuge mais je ne peux plus respirer. Pourtant, j'étais douée pour la vie. Cela va être affreux de vous quitter. Comme je n'ai pas envie de mourir. Quel gâchis. »

Si je ne verse plus de larmes en recopiant ces plaintifs adieux, c'est que j'en ai déjà tant écrit.

En revenant du Mozambique, lors d'une longue halte à Johannesburg, j'avais déjà rédigé mon testament. Ma mère, venue me chercher à l'aéroport, dérangea mes plans. Je déchirai les lettres que j'avais préparées. Quand je passai à l'acte, ce fut par surprise, je n'avais rien préparé. Depuis, j'ai recommencé plusieurs fois à écrire des lettres. Je me mets dans la mort. Cela m'évite d'y aller.

J'achète des gâteaux, du champagne : « On va fêter la bonne nouvelle. »

Je sanglote chez l'analyste. « C'est trop. Tout me quitte. » La psychanalyse n'est peut-être que cela, un lieu de rassemblement, d'unification entre tous ces personnages que je mime du matin au soir. Un lieu où la tragédie peut se jouer sans comédie, un lieu sans loi et sans sens où le langage coule comme une rivière au printemps, librement, en cascade.

Nathalie, tu as seize ans. On te remarque parce que tu n'appartiens pas à cette époque. Tu ne te précipites pas pour consommer ni pour désespérer. Tu te tiens à distance. Et des modes et de ton âge. Même ton corps reste celui d'une petite fille. Presque sans seins. Bien sûr sans maquillage. Pure, angélique. A ce point, c'est louche. La nature de notre attachement m'inquiète. Parfois tu confonds les pronoms, le « je » et le « tu », mêlant jusqu'à nos désirs. Tu l'as dit, l'autre jour : « Nous nous aimons trop. » En effet, quel manque immense comblons-nous l'une par l'autre ? Je suis devenue, hagarde, ton phare clignotant. Tu n'as cessé de me décoder. Et moi, je me cramponne à ton sourire, à ta peau blanche pour me forcer à me lever le matin. Tu chantes devant la fenêtre en ouvrant les rideaux : « Y a de la joie, bonjour bonjour les hirondelles. » Même par temps gris, tu esquisses un ou deux pas de danse. Tu me dis : « Je te fais l'hirondelle. »

Pauvre oiseau qui doit tirer du lit ce corps, le mien, qui se fait le plus léger possible en refusant la nourriture mais qui pèse encore plus lourd, dans sa maigreur.

A ton âge, je ne voulais rien saisir. Tête en fleur, tête en l'air, je m'amusais dans les débâcles. Je me débrouillais comme une orpheline, volant par-ci, volant par-là, de quoi subsister jusqu'au lendemain. J'inventais, je trichais. L'astuce était ma ligne de conduite. Jusqu'au Mozambique où, dans un hôtel surpeuplé, surchauffé de Beira, ville en proie à tous les désordres d'une révolution en marche, j'ai perdu mon dernier masque. Vide tout à coup si total que je passai la nuit sur le rebord de la fenêtre. A l'aube, je n'avais pas sauté mais depuis, je n'ai plus jamais connu une aube de paix.

Nathalie me scrute si intensément qu'elle ne peut ignorer le vide.

Le sien, le mien ? Nous sommes des vides communicants comme, hélas, toutes les mères avec toutes les filles. Mais nous le savons, le nommons et c'est peut-être notre chance.

J'avais un bandeau sur les yeux. Toi, tu interroges le monde à chaque seconde. Ton professeur de français, au lycée, t'a priée au début de l'année de la « regarder autrement ». Elle ne supportait pas ce qu'elle appelait « l'insolence de ton regard ». C'est vrai que tu as de l'audace. Tu veux comprendre.

Je t'offre si souvent des spectacles désolants et des ravages lointains. Tu portes non seulement ma détresse mais celle de toutes ces femmes avant nous et de celles autour de nous qui viennent s'abattre dans notre appartement, les soirs d'hiver, lorsqu'elles dérivent. Tu les écoutes et quand je ris, quand je m'accroche à l'humour, tu remarques : « Cela me fait mal, ce rire sur toi-même. C'est encore pire. » Nous rions cependant et je fais rire les passants. Pudeur et dignité, moindre des politesses.

Avec toi, pas la peine de déguiser, je me sens plus que nue. Radiographiée. A quoi bon essayer de te cacher mes pauvretés. Tu les devinerais. Tu perdrais un temps fou à traquer mes mensonges. Tu t'en voudrais de m'espionner comme je le faisais quand je tendais l'oreille pour surprendre les conversations téléphoniques de ma mère. Elle passait des heures au téléphone à raconter ses mille et une nuits. Ses confidences murmurantes me dégoûtaient.

Aujourd'hui, quelle honte, c'est moi qui téléphone pendant des heures, qui appelle au secours.

Tu ne cesses de demander des réponses alors que je ne suis qu'une question mais je veux te raconter mes bonheurs. Les mères, d'habitude, ne font part que de leurs misères. Elles donnent une si pitoyable image de leur soumission que de génération en génération, leurs filles n'ont plus le choix qu'entre la révolte ou le silence. Cet éternel « tout ou rien », dans lequel se débattent les femmes.

Pour les fils, il existe quand même une voie médiane. Une voie de dégagement. Ils ne sont pas tout comme leur mère ou rien comme elle. Ils ont un sexe différent. Ils peuvent récupérer un peu de chlorophylle sur le versant masculin, bien exposé au soleil.

Je veux ma place au soleil. Du côté des hommes. Je les envie. Je les désire. Je les adore. Je les hais.

Des heures au téléphone, comme elle, à leur parler, à en parler mais je laisse la porte ouverte. Tu peux tout entendre. Ainsi, je suppose que tu ne cherches même pas à écouter. Est-ce que moi aussi je te dégoûte ?

« Maman, je t'ai toujours entendue pleurer au téléphone. Toujours les hommes te faisaient souffrir.

— Comment peux-tu dire ça ? J'ai été très heureuse. J'ai eu la vie que j'ai voulue. »

Tu ne voulais pas que je t'appelle « Maman » parce que tu trouvais que cela te vieillissait. Tu voulais que je porte des chaussettes alors que mes amies portaient des bas, pour que je continue à avoir l'air d'une petite fille. N'est-ce pas mon vœu inconscient vis-à-vis de toi, Nathalie ?

Ma mère ne veut pas que les enfants grandissent. Elle s'attendrit sur les bébés mais dès qu'ils commencent à parler, elle les fait taire : « Je ne supporte pas les enfants mal élevés. »

Quand elle a évoqué Rose, sa grand-mère, elle m'a dit : « Quand je n'étais pas sage, on me punissait en me privant d'aller jouer du piano avec elle. » J'ai dit : « Comme c'était méchant. » Elle s'est rebiffée : « Pas du tout. C'était très bien. Il faut punir les enfants. »

Elle condamne la déplorable éducation moderne, productrice de petits monstres qui ne disent même pas merci. Ma tante, alors, insulte ma mère : « Qu'est-ce que tu sais des enfants, toi qui n'as même jamais fait *avaler* une bouillie à ta fille ? »

Elles se disputent encore comme si c'était hier. Ma mère ne tolère pas que quoi que ce soit, homme ou enfant, lui échappe. Elle me colle en pension plutôt que de me laisser chez ma tante. Elle ne veut pas que je préfère ma tante qui pleure encore sa petite sœur envolée, qui se console avec moi. Elle m'enlève à ma tante. Elle nous fait pleurer toutes les deux.

J'écris que je la hais dans un cahier qu'elle découvre et brûle en m'injuriant : « Mauvaise fille. »

En même temps, je découvre un carnet où elle signale avec des croix les jours où elle fait l'amour. Je ne comprends pas tout de suite la signification de ces croix mais lorsque, à l'évidence de mes recoupements, je dénombre ses ébats, je l'injurie, à mon tour, tout bas : « Mauvaise mère. »

Je désire ma mère vierge et toute à moi. Elle me désire objet et toute à elle. Je m'épuise dans ces désirs jamais comblés, je m'ennuie dans cette enfance-là. Alors je fais des blagues, des « coups ». Ma tante me dit : « Tu étais insupportable quand tu étais petite. »

Je demande : « Insupportable, comment ? »

Elle répond : « Je ne sais pas, tu avais des idées. »

Maintenant, je n'ai plus d'idée. Je vais où la plume me conduit. Le *suspense* de ce que j'écris est le *suspense* de mon existence même. Je me raconte ma vie pour la reconquérir, pour en chasser les fantômes. Ma vie tient à une plume.

Je dis à l'analyste : « Je n'existe plus. Je ne pense plus. »

Elle sourit : « Vous me citez le prédicat de Descartes. »

J'essaye de sourire aussi, de m'accrocher à l'humour qui me fuit, qui me laisse tomber comme le reste, depuis que j'ai sombré.

Si lourde, si confuse, je me fais vomir. Alors au lieu de peser dix tonnes, tout à coup je pèse dix grammes. Je deviens si légère que je ne sens plus mes membres. Je disparais. Je m'évanouis. La plus caressante brise pourrait me renverser.

Nathalie, près de moi, dans la campagne ensoleillée, me dit : « Qu'on est bien ici » au moment où je me sens en lambeaux, si impuissante même à ce que cette expérience physique du vide serve de matière à quoi que ce soit.

Transformer le vide en matière, il faut reconnaître que c'est un tour de force mais la tentation de l'exploit est ce qui me fait courir encore.

Le suicide me nargue, hydre à mille têtes. J'abattrai une à une les mauvaises têtes.

Je transformerai le suicide en un cri de naissance, le désespoir en une dérision de bon ton.

J'ai toujours voulu tout transformer : les gens, les situations, les rapports d'exploitation. Tout me paraissait faux : les enthousiasmes comme les scepticismes, les échecs comme les victoires, les opulences comme les misères. Même engagée dans le combat militant, j'en dénonçais les ambiguïtés. Mes camarades, quand ils étaient bienveillants, m'attribuaient alors un don : celui de « l'écoute des masses ». Quand mes avertissements contredisaient la ligne, ils me taxaient de défaitisme. De toute manière, entre le triomphalisme et le défaitisme, le militant est toujours en garde à vue. A vouloir transformer le monde (pour le bien de l'humanité naturellement) on ne se fait pas d'amis. Les gens s'accommodent. Pourquoi les déranger ? Ma vérité ne valait pas mieux que la leur. Foi révolutionnaire, esprit de croisade ou volonté de pouvoir, sainteté qui pue l'orgueil à plein nez, tout se vaut, tout est pareil, la question est ailleurs. Comment garder la fièvre qui fait courir, sans mourir de cette fièvre ? Comment changer sans changer, tout perdre sans se perdre ?

Je ne sais plus où poser les pieds ni où poser la tête. Nathalie me guide et me donne à manger. Je vais mourir sans elle. Comme mère et fille, si facilement s'inversant, voilà que je la vois mourante. Je la regarde comme si elle était condamnée. Une leucémie peut-être. Comme si elle n'en n'avait plus que pour quelque temps. Je ne sais qui, d'elle ou moi, va mourir. J'ai l'impression qu'elle pâlit, qu'elle est d'une fragilité inouïe, que je dois profiter de ses derniers moments.

Je suis affolée de me voir la condamner à ma place. Je vais sûrement lui jeter un sort, la faire tomber malade. Je n'ose plus monter en voiture avec elle de peur d'avoir un accident que je souhaite trop pour qu'il n'arrive pas. Ce serait si commode que nous mourions ensemble en voiture. Nous ne nous quitterions pas. L'une ne peut survivre à l'autre.

Un flic m'arrête dans la rue parce que j'ai brûlé un feu rouge. Je fonds en larmes. Je lui dis : « Ne m'engueulez pas. Vous avez raison. Je suis malade.

— Vous mériteriez que l'on vous fasse un alcootest.

— Laissez-moi rentrer chez moi. »

Le flic me dévisage avec perplexité :

« Vous êtes un danger public. Que vous vous tuiez, ça vous regarde, mais les autres... »

Il me laisse partir. Pourquoi même ce flic a-t-il émis l'hypothèse que je pouvais me tuer ?

Je fais part à ma tante du départ de Nathalie. Elle dit : « C'est très bien pour cette enfant. » J'essaye d'apitoyer ma tante, de recevoir sa tendresse, je dis : « C'est bien pour elle mais dur pour moi.

— Toi, ça n'a pas d'importance. »

Ma tante me balance ses verdicts : « Au lieu d'emmerder le monde, il vaut mieux se suicider. C'est ennuyeux pour les formalités mais personne n'est irremplaçable. »

Je ne m'habitue pas à ses coups bien que je sache qu'elle se les adresse à elle-même. Je cherche encore ses défaillances mais elle les cache sous l'agressivité. Elle non plus, comme ma mère, ne comprend pas qu'on flanche.

« Il y a des gens plus malheureux que toi. Tu n'as aucun courage Tu ne penses qu'à toi. »

Je me retire, je me tais. Meurtrie une fois de plus. Elle me terrorise. Je suis redevenue jalouse des enfants qu'elle a portés dans son ventre, et qui m'ont évincée.

Je rêve que je suis dans une clinique avec Catherine, ma cousine épanouie dont il me semble être la Cendrillon. Nous accouchons chacune d'un bébé mais le mien est transparent.

Ma mère est la saltimbanque, la cigale affublée d'oripeaux. Je viens de sa roulotte, même si je me plie au rigoureux modèle de ma tante.

Aucune des deux ne me reconnaît dans sa descendance. Ma mère soupire : « Tu es aussi froide et fermée que ta tante. »

Ma tante constate : « Tu finiras comme ta mère. » Cela signifie comme une pute ou comme une mendiante.

Aujourd'hui, ma tante modifie son discours : « Au moins, ta mère est plus courageuse que toi. Elle ne se plaint plus. »

Ces deux femmes légiférantes qui ont érigé le courage en religion, la dénégation en croyance me font aimer les faibles et fouiller les poubelles. Je ne suis émue que par ceux qui brûlent, qui risquent, capables de s'effondrer. A ceux qui jouent aux fortiches, à ceux qui ne s'avouent jamais vaincus, je montrerai, l'arme au poing s'il le faut, qu'ils se trompent.

Cette manie du démasquage me rend détestable. La preuve que j'avais tort, c'est que je suis au tapis. Impitoyable leçon des bourgeois qui donneraient envie de remonter à la surface rien que pour dynamiter leur méprisante crânerie.

Je rêve que ma tante me décommande à déjeuner parce que ses enfants occupent toute la table.

Au réveil, je veux casser mon rêve. Je téléphone à ma tante pour la prévenir que je vais venir déjeuner. D'habitude, je peux toujours débarquer chez elle à l'improviste, d'autant que je picore, que je ne mange presque rien, qu'elle ne parle pas, qu'elle se moque tout à fait que je sois là ou pas. Cette fois, elle me répond : « Non, ne viens pas. Toute la famille est là. Nous serons trop nombreux. »

J'ai de plus en plus besoin de me retrouver parmi cette vague famille, je m'humilie : « Tu sais bien que je ne mange pas. » Elle persévère : « Non, nous serons vraiment trop nombreux à table. »

Je dis : « C'est drôle. J'ai rêvé justement cette nuit que tu ne voulais pas de moi. »

Elle se met en colère : « Arrête de culpabiliser les gens. C'est odieux. » Et elle raccroche, me laissant désemparée.

Moi aussi, parfois, je raccroche brusquement. Cela vient d'elle, ce ton de commandement sec qui intimide les amis de mes enfants comme elle intimidait les miens. Cela vient d'elle, cette voix coupante qui rompt le dialogue et le désir.

J'écrase ou je suis écrasée. Piètre opinion de moi, même si je me répète, depuis que l'analyste me dorlote : « Ce n'est pas ma faute. Rien n'est la faute de personne. Je ne dois pas me juger, m'accabler. Au contraire, je dois me faire plaisir. »

Avant, mon plaisir ne passait que par celui des autres. Il faut que j'apprenne le plus difficile : le plaisir pour moi-même.

L'année dernière, je suis restée assise pendant des heures devant un lac de Birmanie, le lac Inlé, où les pêcheurs, comme des échassiers, rament avec une pagaie fixée à leurs pieds. J'étais seule. Personne ne partageait avec moi ces pêcheurs qui glissaient parmi les roseaux épais. Personne ne me dirait : « Moi aussi, je les ai vus. » Peu de gens ont le droit d'entrer en Birmanie.

Cette lumière limpide sur le lac où se reflétait une cabane de bois, il fallait que j'en tire pour moi-même un plaisir intransmissible. Pas de quoi écrire un article. Je ne pourrais rien en faire d'autre qu'un plaisir. Qu'un plaisir pour moi seule. Apprentissage à travers l'Asie. Voyage sans but et sans avenir. Si peu de réalité, que je photographie pour m'assurer, preuves en main, que j'y ai été, sur ce lac. Voyage pour le plaisir. Je n'ai jamais rien su faire pour le plaisir sauf l'amour mais parce qu'il se fait à deux.

Le métier de journaliste me plaisait, me plaît encore parce que justement le lecteur futur ne me laisse jamais seule. La curiosité qui m'anime ne nourrit pas seulement ma fièvre, elle va distraire, informer, séduire le lecteur, interlocuteur virtuel qui m'interpelle.

Du Mozambique, je suis revenue exsangue mais je pouvais encore transmettre la voix des guerrières de la brousse, des Africaines rieuses qui commençaient à sortir de leurs huttes de paille et à rejeter les rites mutilants. J'avais eu encore la force d'écouter.

D'Asie, rien à communiquer sinon les vols planés dans les fumeries d'opium. Palfium et héroïne au retour. De défonce en défonce. De galetas en taudis. Les adresses sont clandestines. Frisson d'aller hors-la-loi mais frisson éphémère. Partout les mêmes coussins troués, notes de cithare, yeux vitreux, carcasses efflanquées. La drogue fait vite cliché. J'hésite cependant. Pourquoi pas cette confrérie-là ? Pourquoi pas, paumée pour paumée, endosser toute la panoplie ? Le manque métaphysique sans « méta » mais tout physique. Le corps à vif. Au secours, une dose. Tiens, en voilà pour cent sacs. On se marre. On se tue gaiement. Viens avec nous. On est les meilleurs. Les autres sont des mauvais.

OK, je dis, et je « sniffe » hardiment. Parfois, j'entends des hurlements. Plus de blé. Plus de dose. La belle rousse de la Bastille s'est balancée. Et Roland aussi qui parlait tant. Victimes de la mode. D'une mode presque déjà rétro. Sur les campus de Californie, on remplace maintenant le LSD par la course à pied. « Trip santé » tout aussi con que l'autre. Décidément, la drogue, ça manque d'allure. Même « raide », je reste au spectacle. Je ne trouve pas non plus ma place parmi ces meilleurs-là.

Je cherche ailleurs mon autre scène. Tout aussi à la mode, la psychanalyse. Pas moyen d'échapper à son époque. Mais le spectacle s'y joue au moins avec un texte.

D'ailleurs pas d'excuse. Je suis un produit type de mon époque. Au chômage, en psychanalyse et m'interrogeant sur mon « devenir femme », comme on jargonne dans les facs, ces temps-ci. J'attrape la mode comme d'autres attrapent la grippe. Depuis que j'ai existentialisé avec Sartre, manifesté pour le FLN et milité Mao, je n'ai pas cessé de monter dans le train-train de mon siècle. Pas une minute pour descendre aux gares de triage. Itinéraire Avallon.

On filait, à toute allure, le siècle et moi. Vers l'apocalypse ? Non, les siècles se légendent. L'apocalypse ne concerne que les voyageurs. Aujourd'hui arrêt sans buffet dans le boudoir analytique où je n'ai pas faim.

Enfin, je me fais porter malade.

Je dis : « Je ne peux plus continuer la route. » Elle dit : « N'exigez pas tant de vous. » Je tiens à me justifier : « Si encore la route présentait des tournants, je ne saurais pas qu'elle monte si dur mais je vois la côte toute droite devant moi et rien en haut. Il faudrait être fou pour pédaler si on ne veut pas gagner le tour de France. » L'analyste m'accorde le droit d'être malade. Elle est seule à me l'accorder. Je rêve que je suis un enfant aux membres atrophiés.

Elle dit : « A trop se fier. » Elle s'amuse comme elle peut. Pas si facile tandis que j'agonise. Elle me pardonne de gémir.

« Vous n'avez jamais fait l'aveu du manque. »

J'avoue, j'avoue. Je manque. Et alors ?

En ville, on me répond : « Tais-toi. » J'insiste : « Écoutez-moi. » On me coupe le sifflet : « Débrouille-toi. » Je crie : « Aidez-moi. » On s'enfuit. Je comprends. Personne ne peut aider personne.

Seule l'analyste m'entend.

« Nathalie va mourir ou moi. »

Dépourvue de métaphore, l'analyste pare au plus pressé : « L'absence n'est pas la mort. »

Pas besoin d'avoir lu Freud, Lacan, la Bible, Shakespeare, etc. pour me répéter ce que la femme de ménage m'a dit en apprenant le départ de Nathalie.

Je trépigne : « Si, c'est la mort. Et ça, vous pourriez l'admettre. L'absence est mortelle. »

Elle dit : « Jusqu'à ce départ, parlons donc de la mort. Allons au fond. »

J'en ai assez des profondeurs. Si elle pouvait me suggérer autre chose que ces propos sous-marins. Je dis : « J'en ai marre d'aller au fond. J'y suis. »

Elle connaît mes banderilles. Elle attend. Je boude. Elle m'aide : « Puisque nous sommes au fond... »

Je remarque qu'elle dit « nous » et pas « vous ». Je lui sais gré de m'accompagner dans les abysses. Je veux lui expliquer concrètement : « Il s'agit de mon corps. Si Nathalie ne me donne plus à manger, je ne mangerai plus. Si elle n'est pas, en chair et en os, dans l'appartement, je ne me lèverai plus. »

Je m'entends une fois de plus prendre ma fille pour ma mère, lui demander ce que ma mère ne m'a pas donné, lui demander l'impossible.

Je change de registre : « L'absence est mortelle. Aucun amour ne résiste à l'absence. Ou bien il se sublime mais ce n'est plus l'amour qui se construit et se défait, ce n'est plus un amour vivant, c'est une statue de l'amour. Une statue de pierre. Je ne peux pas vivre avec de la pierre. C'est trop froid. D'où me viendra la chaleur ? »

— Votre autre fille restera avec vous ?

— Caroline ne peut pas m'aider. Elle se supporte trop mal elle-même. Nous ne nous faisons pas de bien.

— Qu'en savez-vous ? Les relations entre vous changeront quand Nathalie lui manquera, à elle aussi. Vous allez parcourir, Caroline et vous, un bout de route inconnue ensemble. Ce départ est un tournant de la route. »

Boomerang analytique qui consiste à renvoyer à l'envoyeur le sens de son discours en sens inverse.

Qu'ai-je à faire de cette route qui va mener vers un peu plus de solitude, vers un désert encore plus aride.

18 août

Impossible de poursuivre.

Téléphone de Thésée qui pousse les filles à la rupture. Je voudrais consulter Violetta dont le cœur est immense, me blottir contre elle comme je le fais parfois quand à l'aube elle m'accueille dans son lit et me laisse entrevoir ce qu'aurait pu être le sein maternel. Mais Violetta est partie en vacances.

Trop de décisions à prendre. Trop à résoudre dans la vie, pour se retirer dans l'écriture.

4
En remontée

« Seul le passé avait une existence et une valeur notables. Le présent ne valait que comme source de souvenirs, fabrique de passé. Il n'importait de vivre que pour augmenter ce précieux capital de passé. Venait enfin la mort : elle n'était elle-même que le moment attendu de jouir de cette mine d'or accumulée. »

Michel Tournier

Une année s'est écoulée. Une année encore terrible mais quelque chose s'est mis à bouger. J'ai enfin trouvé un travail. Trois ans que je sonnais aux portes. Trois ans que je courais les chaînes de télé, les maison d'édition, les agences en tout genre pour un « rewriting » par-ci, un reportage par-là, les mémoires d'un truand à rédiger ou ceux d'Alain Cuny à recueillir.

J'avais dû deviner chez cet acteur à la présence rare, chez cet homme traversé d'éclairs et frappé de foudre, à la fois arbre et bûcheron, la conduite d'échec qui le pousse à détruire ce qu'il entreprend. Nous étions donc paisibles, lui et moi, accumulant les heures de magnétophone et les feuillets d'un livre dont nous étions à peu près certains qu'il ne verrait jamais le jour. Je l'écoutais, comblée, pendant ces haltes à mon angoisse, pendant ces moments où il me parlait de Reverdy ou de Claudel et qu'il me récitait, pour mon plaisir, des passages de *Tête d'or*. Quand il racontait, Cuny prenait de longs temps pour atteindre à l'expression la plus forte et le verbe qui lui venait, toujours me surprenait. Un jour, il me dévoila, avec un rire de Méphisto, le titre auquel il pensait pour ce livre fantôme : *l'Amour l'habite,* que je dévoile à mon tour pour qu'il en reste au moins un jeu de mots. Dommage, Cuny aurait étonné par son style.

Pendant ces trois années, rien donc ne prenait corps. Peut-être parce que je n'en avais plus. Je traînais dans les vestibules une forme creuse qui devait affoler les patrons. Ma mauvaise réputation de gauchiste continuait à me coller aux basques. On ne voulait de moi nulle part. Ni à droite parce que j'avais été trop à gauche. Ni à gauche parce que je n'avais pas été assez à droite.

Françoise Giroud qui m'avait fait débuter, m'expliqua : « Je ne veux pas vous reprendre à *l'Express*. Vous faites peur, non pas tant à cause de ce que vous écrirez, toujours censurable, mais à cause du mauvais esprit que vous pouvez insuffler dans un comité d'entreprise. »

Le mauvais esprit pour lequel j'étais déjà privée de sortie, le dimanche, à la pension de jeunes filles de Saint-Germain-en-Laye, me marginalisait sans que je le désire, commandait mes actes sans que je le décide. J'aurais jugé que je ne voulais plus subir cet affreux calvaire qu'est le chômage comme j'aurais soutenu que je n'avais rien fait pour mériter la punition d'être privée de sortie. Ce n'était pas ma faute. Cela m'arrivait. Le mauvais esprit était en moi, cause de mes exclusions. Mais ce que je prenais pour la cause était en fait la conséquence. Des exclusions antérieures avaient préparé, à mon insu, cette route de traverse à côté de la nationale. Je ne pouvais qu'avoir mauvais esprit pour continuer à être exclue, pour continuer à marcher sur la voie parallèle tracée d'avance.

Pourtant je ne me doutais pas quand je me mariais, à vingt ans, dans un château normand avec un fils de notaire, que j'allais devenir cet épouvantail rouge. Au contraire, j'étais soulagée de rompre avec l'exil de mes parents, les juifs errants, de m'inscrire dans une respectable famille française, une vraie, bien assise, avec des ancêtres balzaciens. J'avais vécu jusque-là sur un nuage où je n'avais jamais entendu parler de la bourgeoisie. Encore moins du prolétariat. Je ne savais pas que j'entrais dans la bourgeoisie, quand j'ouvrais la porte du salon de boiseries peintes en camaïeu, mais je rêvais d'une cérémonie qui se déroulerait comme dans les contes de fées ou les films et qui m'assurerait une place stable dans un univers stable. Mon beau-père portait une chaîne de montre et des guêtres. Il possédait des livres reliés qu'il feuilletait à la veillée ou bien il jouait aux dominos. Il arrangeait dans les vases des fleurs qu'il avait coupées dans ses serres. Il taillait les buis en forme de croissant ou d'étoile dans les jardins à la française qu'il dessinait autour de toutes ses demeures, même sur la côte d'Azur où il était particulièrement fier d'avoir exécuté les plans de Le Nôtre avec des cactus.

Il voulait vivre comme un gentilhomme du XVIII⁰ siècle, poussant la manie jusqu'à ordonner à sa cuisinière de confectionner les plats selon les recettes de l'époque. Au château, on mangeait tout en brioche et aux chandelles.

De quoi émerveiller l'enfant des loges de concierge et des palaces cosmopolites.

Dans cette famille, on ne voyageait pas, on n'allait pas à l'hôtel, on ne déménageait pas, on ne divorçait pas. J'étais séduite par l'immobilité des principes et des habitudes. Un détail toutefois m'indique que je ne croyais peut-être pas à ma robe de tulle blanc, à mes noces modèles. Alors que je me rendais à l'église, la voiture tomba en panne. Je me souvins d'avoir pensé que j'allais rater la messe, que le mariage ne serait pas célébré et que ce serait peut-être aussi bien. Comme s'il n'était pas nécessaire que je me marie, l'important étant que cela ait été possible.

Pourtant j'aimais bien mon fiancé qui avait été mon dépuceleur. Beau garçon, bon amant, il se plaignait d'avoir été brimé par ses parents. Cela suffisait, à ce moment, pour me plaire. Je l'avais même beaucoup aimé jusqu'au jour où il m'avait annoncé qu'il ne pouvait pas m'épouser parce que du sang juif coulait dans mes veines et qu'il craignait d'avoir un enfant qui aurait le type juif.

Bruit de tonnerre dans mes oreilles et sur le banc du square où nous nous embrassions. Cet avertissement m'apprit que j'étais juive, ce que je n'avais jamais réalisé ou voulu réaliser. Ma mère me l'avait tellement caché, m'ayant fait baptiser et communier. Je ne portais pas un nom juif, je n'avais pas été persécutée pendant la guerre. D'où tirait-il que j'étais juive ? D'où savais-je qu'il disait vrai ? J'appris en même temps que « juif » signifiait anathème, handicap, exclusion. Ainsi je n'étais pas comme les autres. Mon enfant porterait une marque, une tache discriminatoire.

Il fallait annuler ce verdict, faire cesser ce bruit de tonnerre. Au lieu de gifler le proférateur, je choisis de lui prouver qu'il se trompait, de l'écraser sous mon démenti. Il allait voir ce qu'il allait voir. Bien sûr j'allais commencer par l'épouser.

Je ne me connaissais pas encore ce goût de relever des défis, qui devait par la suite me guider. Plus l'interdit barrait le chemin, plus je fonçais sur l'obstacle.

Dans le château normand, je m'amusai quelque temps à composer un personnage de bru parfaite. Je brodais, je jardinais, j'accompagnais mon mari à la chasse, ma belle-mère à la messe, mon beau-père aux dominos. Mon fils naquit à point nommé pour couronner ce bout de parcours. Je leur donnais l'héritier mâle tant espéré dans ces familles où, à l'instar des aristos, on désire que le nom, même roturier, se perpétue. On fait souvent suivre le nom d'un autre avec un trait d'union entre les deux pour remplacer la particule : les Amiel-Minot, les Delâtre-Chénier, les Besson-Dubourg. Chez ces gens-là, on disait le plus grand bien de mes vertus. Dans les châteaux voisins, les mères conseillaient à leurs fils de dégotter une jeune fille dans mon genre. Une petite juive en somme.

Je riais sous cape, comme à l'école, de ma bonne blague. Cela aussi je l'ai pratiqué par la suite. N'importe quoi pour me faire rire.

On appela mon fils François, afin que grâce à l'initiale de son prénom, il puisse profiter d'une argenterie de famille en vermeil déjà gravée d'un F. On décida que le bébé ressemblait à son père. On me félicita. La menace de la tare honteuse ne pesait plus sur le berceau. J'avais prouvé ce que je voulais. Je commençais à m'ennuyer.

Quand on s'ennuie, on réfléchit. J'avais prouvé quoi ? A des aveugles, qu'ils n'y voyaient pas. Qu'ils avaient tort d'être racistes. Mais ils n'avaient pas gommé leurs préjugés. Ils avaient simplement gommé que j'étais juive et rejoint leur confort. Je devais leur rappeler ma mauvaise nature. J'allais divorcer. La nouvelle se propagerait dans les châteaux, troublant l'ordre. On me dissuaderait. On me retiendrait. Cela relancerait l'amusement.

Je décris aujourd'hui ces méandres comme s'ils avaient été prémédités. En réalité, je ne savais pas ce que je faisais. Je sentais poindre la lassitude d'évoluer dans un cercle fermé où l'on ne s'intéressait qu'au passé, celui de la France et celui des familles, où l'on était imbattable de mémoire sur les alliances et les revenus de cousins même lointains qui, de surcroît, n'étaient pas les miens. Je me mis à doucement ruminer mon départ.

Je n'avais ni argent, ni appui, ni métier. Je me servis du moyen le plus simple qui se présente à la portée de toute épouse coincée, en mal de liberté. Je pris un amant. Bien sûr, je n'avais pas programmé cet amant après un calcul aussi froid. Je ne l'avais pas choisi dans le but précis de m'échapper avec lui. Non, je prenais naturellement un peu d'air. Comme les comtesses dans les châteaux du XVIIIe siècle. Mais là où je m'aperçus que le siècle avait changé et les femmes aussi, c'est que je ne m'illusionnais pas sur cette aventure. Je n'en faisais pas un roman d'amour. Il m'entrouvrait une porte de secours pour aller explorer d'autres sphères puisque je ne pouvais pas rester au foyer. C'était tout.

Cet amant m'avait plu parce qu'il lisait le journal *le Monde* et que je ne connaissais que des gens qui lisaient *le Figaro*. Moi-même, je n'avais jamais lu *le Monde*. Je ne sais ce qui me portait à juger ce journal mieux que les autres mais je dois être la seule personne sur laquelle *le Monde* eut un effet érotique.

Mon mari ne faisait pas le poids en face du *Monde*. En se mariant, il avait accepté les limites imposées par ses parents, il s'était accommodé de leurs brimades, plié à leurs manies. Il dépensait le minimum, bougeait encore moins. Il n'osait même plus héler un taxi. Dans cette famille, on se déplaçait en métro. On ne gaspillait rien. On était inscrit à une coopérative qui permettait, en se rendant dans les magasins périphériques, de bénéficier d'une remise de 20 %.

Pour la naissance de notre fils, il m'avait apporté à la clinique des chrysanthèmes parce que à l'approche de la Toussaint, les fleurs des morts sont les plus économiques. Les chrysanthèmes me restaient en travers et bien d'autres mesquineries comme celle de m'envoyer seule en vacances parce qu'une femme peut se faire inviter alors qu'un couple doit payer tous ses frais. Il ne pensait pas me pousser à l'inconcevable adultère. Il raisonnait sagement en bon gestionnaire du budget. L'unique souci étant de ne pas entamer le capital.

Je me force à décrire cette période de jeunesse. Je désirais me promener aux abords du gouffre, montrer comment je l'avais contourné, comment je m'y étais engloutie, comment je m'en extirpais.

Or, m'en voilà, de ce gouffre, apparemment bien éloignée, égrenant des anecdotes légères, des tribulations médiocres. Peut-être intéressantes du point de vue du féminisme si l'on veut déceler comment l'esprit vient aux filles dans les années 50, mais bien prosaïques si l'on veut atteindre les régions rares de l'âme.

Je souhaitais me lâcher dans les terres allusives où rien ne serait précisé, où le flou environnerait des brouillards qui seraient ceux de toute l'humanité.

Et voilà que je m'acharne à circonstancier, détailler, donner des clefs, débusquer des hasards. Je veux que rien ne m'échappe alors que tout m'échappe. Je veux donner un sens à chaque geste alors que chaque geste a mille sens.

Je me perds, je perds ma tête, je perds le nord. Tout remonte en même temps. Tout tourne autour du gouffre. La folie guette. J'ai trop vécu. Que faire de trop de déchirures ? Les raccommoder une à une ? Jamais le fil ne sera assez long ni assez solide. Je perds aussi le fil. Je vous l'ai dit, chère S., quand je vous ai rencontrée : Je suis Ariane et je me cogne aux parois du labyrinthe. Non, je me trompe. C'est Thésée qui s'enfonce dans le labyrinthe. Ariane-Thésée ne font qu'un. On les associe, on les confond. Pourtant, c'est lui qui tue le Minotaure. Elle qu'il abandonne, endormie sur le sable de Naxos. Petite île sur la route d'Avallon.

Faut-il s'attarder à mon premier amant ? Il a vingt-cinq ans de plus que moi. Mon oncle et ma tante sont horrifiés. Un amant, et pour comble, avec des cheveux blancs. Ils me traitent de « poule », ils me prédisent le trottoir : « Tu finiras sur le pavé » ou bien, plus ambigus : « Tu finiras comme ta mère », c'est-à-dire, au mieux, saltimbanque et la proie des hommes.

Mon premier amant, en plus du *Monde*, a des lectures hindouistes. Il m'initie à Gurdjieff et à Sri Aurobindo. Il m'apprend à méditer les yeux fermés. Je fais semblant. Je cligne de l'œil. Je ne sais pas encore pourquoi je ne peux rien prendre au sérieux. Il vénère de Gaulle. Au château, on aimait Pétain. Il m'apprend ce que fut Londres en 40 et le Vercors en 42. Je commence à faire la part des choses. A me sentir plus proche de ceux qui disent non. Je dis enfin non au château, à ses lustres de cristal, à ses escaliers de pierre.

Je dis à mon mari que j'ai besoin de respirer. Je lui propose de partir en voyage avec moi. Il répond : « Toujours des goûts de luxe. » Je n'en crois pas mes oreilles. Alors, c'est ça la bourgeoisie ? Comment ai-je pu en rêver ?

Je pars, mon bébé sous le bras, habiter chez une vieille dame qui loue des chambres à des élèves du conservatoire de musique. Contre ma bague de fiançailles, elle m'assure trois mois sous son toit et nous mêle, François et moi, à un lot de Japonaises pianistes. Nous nous réveillons au son des gammes, nous croisons des sourires jaunes dans les couloirs défraîchis de cette vaste maison qui eut ses splendeurs. C'est merveilleux, c'est la liberté. A cet âge, les ruptures sont encore gaies.

Mon mari, trop avare pour s'offrir les services d'un détective privé, fait le travail lui-même. Il passe ses jours et ses nuits dans les encoignures des portes pour me surprendre en flagrant délit d'adultère mais l'amant à cheveux blancs sait être paternellement chaste. Nous ne nous rencontrons plus que dans des bars, c'est grisant. Mon mari épie en vain.

Un grave accident de voiture interrompt cependant ma vie de fille-mère dans la pension japonaise. Mon oncle et ma tante profitent de ma faiblesse pour me faire regagner le domicile conjugal. Ils me disent une phrase fameuse : « Cet accident est la conséquence de la vie que tu mènes. » Je m'esclaffe : « Vous voulez dire qu'un motard s'est jeté sous mes roues parce que je veux divorcer ? » Ils ne bronchent pas. Ils sont raides et sévères. Je ne sais pas comment me débrouiller. Je réintègre la bourgeoisie. Sans doute n'étais-je pas prête encore à m'envoler ? L'accident ne suffisait pas. Il lui fallait des conséquences. D'une conséquence à l'autre, ça fait une vie.

Cette fois, je propose à mon mari d'avoir un deuxième enfant. Il me répond dans son même style inimitable : « Ça coûte trop cher. » Cette fois, j'en crois mes oreilles. Je m'envole pour de bon. Je n'ai plus besoin d'accident.

J'en ai pourtant un autre à la montagne où je me suis enfuie. Sur la piste de neige, un skieur tombe sur moi qui m'écrase et me casse une côte. Il m'envoie des fleurs. Il me rend visite. Il m'amuse. Il m'apporte des colis culturels : Conrad, Melville, Cervantes, Homère. Il m'apprend, mieux qu'au lycée, ce qu'il faut avoir lu. Il est charmant. Il a des amis journalistes. Il devient mon deuxième amant. Adieu château.

Je m'installe, éblouie, dans trois chambres de bonne. François gazouille sous les combles. Moi aussi. J'ai l'impression d'avoir échappé à un danger, d'accéder enfin à ma naissance. Je ne suis plus juive comme ma mère. A nouveau, oublié ce sang-là. Je ne m'en souviendrai que bien plus tard, chez S., lorsque à nouveau un homme ne voudra plus de moi. Chaque fois qu'un homme me rejette, je suis juive.

Dans les mansardes, je suis goye comme mon père. Je mets en avant mon grand-père paternel, pasteur protestant à Nîmes et sa femme, catholique de Biarritz, qui lit Pascal. Je ne les connais pas mais il y a peut-être une place dans cette lignée-là. Je lis Pascal. Mon père dirige un journal mais il ne me connaît pas. Je me ferai connaître de lui.

Évidemment, ce projet ne se dessine si clairement qu'aujourd'hui. Le skieur tombé du ciel est un hasard mais ce n'en est pas un si je le retiens près de moi, si je lui demande de me présenter son ami Philippe Grumbach qui est rédacteur en chef d'un hebdomadaire débutant dont on parle déjà : l'Express. Pas un hasard non plus, si je choisis ce journal-là plutôt qu'un autre. Je sens qu'on va y dire non à bien des choses. Grumbach n'est pas encore un chef. Il saute la nuit, quand il a trop bu, du premier étage du Procope. Il me commande quelques articles que le skieur écrit pour moi. Ah, non, les hommes ne sont pas encore mes ennemis. Ils me tiennent la main, portent ma plume, me poussent vers les lauriers. Petit à petit, j'écris moi-même, je rencontre qui je veux. Je suis engagée à *l'Express*. Paris est une fête. Le 91 Champs-Élysées, un paradis.

Cet hiver-ci de l'autre côté des Champs-Élysées, à cinq cents mètres du paradis d'il y a vingt ans, c'est l'enfer. Je me présente dans le bureau « design » d'un autre journal qui débute, que j'appellerai « le très bon » ou « Tout va bien » ou même « TVB ». Bref, un de ces journaux anesthésiants qui va dire oui à tout. Comme le directeur le précise dès notre première entrevue, dans ce journal-là, il est inutile de penser : « Pas question chez nous de couper les cheveux en quatre, nous ne sommes pas des snobs. » Le journal s'adresse à la clientèle des tondeurs de gazon, des Français moyens qui mangent bien le dimanche. Un public vaste auquel il faut raconter des histoires distrayantes, surtout pas les noirceurs attristantes de la politique ou les divagations des intellectuels tordus.

J'acquiesce servilement : « Vous avez raison, les gens sont lassés de la politique. » Je pérore sur ce thème. Il me coupe. Il enchaîne : « Vous écrivez bien. Vous avez du métier. » Il me montre déjà par là qu'il se fout de ce que je pense. Cela a des avantages. Il se fout de mon passé. Il m'engage. Je l'embrasserais. Je lui sauterais au cou. Je me serais vendue à n'importe quel prix pour un bulletin de salaire après des années de vestibule, de pointage à l'Agence nationale pour l'Emploi. J'ai enfin, de nouveau, une carte de presse et une feuille de paye. Ces deux papiers me sont aussi précieux que l'air à respirer. J'ai observé, dans les hôpitaux psychiatriques, ceux qui se considèrent comme les spécialistes de la maladie mentale : Ils ne connaissent, à part les neuroleptiques, qu'un seul remède : le travail. Pardi, la belle idée. Encore faut-il l'obtenir et le tenir, ce travail, dans la France giscardienne.

Je l'encadrerais, ce bulletin de salaire, comme un diplôme d'honneur au-dessus de la cheminée. Je récupère un statut, j'ai des droits, des congés payés, des collègues de bureau. Et même une place de parking, une place à moi quelque part qui me semble symbolique même si elle est au sixième sous-sol. Je recommence ma vie à zéro. Dans ces mêmes Champs-Élysées où j'ai commencé il y a vingt ans.

Au-dessous de zéro en réalité. Comme si je n'avais rien fait entre-temps que prendre des rides. Aucune qualification. Aucun poste. Une carrière en fumée où les succès ne s'inscrivent sur aucun registre d'aucune administration.

L'euphorie de mon engagement, j'essaye de la communiquer à Caroline et à François. Je veux leur faire croire à l'imprévu, aux rebondissements, à « Rien n'est jamais perdu ». Je me répète les récits de ceux qui ont traversé des épreuves, qui eux aussi sont repartis à zéro en vendant des savonnettes, en faisant du porte à porte et qui ont rebâti des fortunes. Édifiants témoignages de courage. Ces récits sont toujours exaltants. Mon courage va me servir d'alibi pour écrire des articles débiles, pour courir encore après les stars ou les faits divers, pour en parler bien plus bêtement qu'il y a vingt ans. Je m'appuie sur l'image que je me donne de mère vaillante et sans soutien, s'épuisant pour nourrir ses enfants. Ce nouveau départ va me mener vers de nouvelles aventures. Il importait surtout de repartir.

Hiver où je ne chôme plus, où je ne traîne plus aux séances chez S. comme à mes seules obligations de la semaine. Deuxième hiver en psychanalyse, je cours, je galope. Je vais m'allonger à la hâte sur le divan de S. entre deux reportages. Dans ce journal, on contrôle tout mon temps. J'en vole pour S., j'en vole pour la fac. de Vincennes où je veux poursuivre des études qui ne me serviront peut-être à rien mais qui me procurent l'illusion que j'ai un but, que ce travail de journaliste tâcheron dont le rendement compte plus que le talent, ne durera pas. Que je peux changer de métier, devenir moi aussi psychanalyste.

Je me sens moins malade si ma cure devient une opération rentable. Cure tout bénéfice avec situation honorable en prime. Devenir psychanalyste est le résultat fréquent d'une psychanalyse. Effet courant d'identification, de fuite. On ne retourne pas tout à fait dans la vie qui fait si mal en restant dans l'analyse qui fait tant de bien. On évite de creuser au plus profond en rendant sa sournoise névrose professionnelle. On sait enfin qui on est : on est psychanalyste.

Je vole aussi du temps pour ma mère qui se meurt. D'abord, je ne sais pas qu'elle va mourir. Ma tante me l'annonce avec son habituelle brutalité : « Une sciatique, tu parles. C'est un cancer. Elle ne se relèvera plus. » Encore des tonnes de boue qui tombent sur mes épaules. Je ne connais pas la nature de ce que j'éprouve. Accablement, chagrin, douleur sont des mots usés qui ont trop servi. Ils ne conviennent pas pour cerner ce moment unique, absolument particulier, qui ne ressemble à rien de déjà vécu. Sauf peut-être la naissance. Oui, c'est cela : ma mère va me lâcher sur la terre comme elle l'a déjà fait, quand je suis née. Elle a sur moi tous les pouvoirs. Elle ne cesse de m'expulser. Je veux contrarier ce sort maudit. Qu'elle ne meure pas. Que nous ne nous séparions pas, elle et moi, une seconde fois. Et pourtant, bon débarras. Elle va débarrasser le plancher, me laisser enfin la place. Elle va arrêter de me bouffer, la salope, de m'obliger à bouffer. Salope, salope, elle ne pensait qu'à son cul. Des grossièretés deviennent des mots d'amour. Quand je crie que je la hais, évidemment je l'adore. Si je ne l'aime pas, je suis coupable. Si je l'aime, je souffre. Mère sans issue qui s'ouvre à l'infini. Je ne serai jamais ce qu'elle voulait. Je ne l'aurai jamais remplie. Elle va mourir sans fermer aucune porte, cette mère béante qui me transmet son vide et qui me dégoûte, là, sur son lit de mort, comme si elle avait encore les cuisses ouvertes.

Sa mort pèse sur cet hiver où je renais. Ou bien m'aide à renaître. Ma mère sent quelque chose de cet ordre quand elle dit sans joie, trois jours avant sa fin : « Tu vas mieux depuis que je suis malade. » Je ne réponds rien. Prolonge-t-elle secrètement son raisonnement ? « Tu vas vivre quand je vais mourir. » Elle s'énerve, en criant : « Arrête de me regarder avec cet air-là. Avec toi j'ai l'impression d'être sur mon lit de mort. »

Je suis effarée que mon regard laisse passer la vérité. Cette vérité qu'elle s'est cachée à force de si harassants subterfuges. Comment va-t-elle encore tricher ? Je la scrute comme si elle était encore sur scène. Héroïne de théâtre, elle s'est toujours donnée en spectacle et je suis toujours spectatrice.

Je voudrais l'embrasser mais je ne peux pas. Ma tendresse l'inquiéterait. Je retiens mes baisers. Je dis : « Tu as des idées folles. » Ainsi nous restons dans le code mensonger qui la fait vivre et me fait horreur. Elle aura passé son temps à mentir et moi à crier que c'est faux. Avec le même acharnement. Toutes les deux dans une tension analogue.

Si l'une des deux se tait, l'autre s'apaise. C'est vrai que je vais mieux. Ce qui est à l'extérieur existe. Me fait exister. Ce qui est à l'intérieur n'existe pas. Mes rêves, mes pensées n'existent pas. Le monde intérieur est un piège, un étang vaseux où barbotent les spectres. Flaubert parle d'un homme qui devient fou « à force de penser aux choses intangibles ».

Je vais mieux parce que je pense aux tâches quotidiennes. Mais on peut inverser la proposition. Je pense au jour qui vient parce que le spectre de Thésée s'éloigne. Travail de deuil si lent. Mon édifice est d'une fragilité extrême. Une hutte de paille, mais je sors de sous les décombres et je peux faire la différence. Hier encore, je perdais mon identité. Le matin je vagissais dans la mort. Le soir, on me disait : « Tu as bonne mine. » A laquelle s'intéressait-on ? Hier encore si on me présentait à quelqu'un, je me retournais pour apercevoir, derrière moi, la personne qui s'appelait comme moi. Hier encore, je tremblais dans un lieu public. Un déjeuner au restaurant me paraissait une épreuve. Je me l'imposais pour ne pas rester chez moi. Hier encore, je n'avais que ce choix : la folie entre mes quatre murs ou la folie dehors. J'alternais les souffrances. Lorsque mes comédies réussissaient, que je parvenais encore à faire rire mes amis et qu'ils me félicitaient, sans doute pour m'encourager, de la forme qui me revenait, j'étais encore plus perdue. Leur discours s'adressait à quelqu'un d'autre. Pas à cette loque démantelée qui se débattait à l'aube contre les fantômes. Hier encore, j'aurais parcouru des kilomètres à pied plutôt que de me retrouver sans drogues. Je frémissais d'anxiété si je croyais les avoir oubliées. Je fouillais mon sac dans la précipitation, plusieurs fois par jour, pour m'assurer que la boîte à pilules n'avait pas disparu. Hier encore, je dormais si peu. Je me réveillais en pleurant de me réveiller. Si fatiguée, alors que j'aurais pu dormir encore. Je luttais pour ne pas prendre un autre somnifère. Puis, un jour, je décidai de ne plus prendre de médicaments. Je dormis encore moins. J'étais tellement fatiguée que je comptais chaque pas. Je n'arrivais pas à aller chercher le journal au kiosque ni à laver trois assiettes. Caroline et Nathalie vivaient avec une infirme. Je marchais à peine lorsque j'arrivais à Lugagnac, la première fois. Cela faisait deux ans que Thésée était parti, sept mois que j'avais commencé à parler dans le cabinet de Grenelle.

Alexandra m'attendait. Enfin quelqu'un qui m'attendait. J'avais surmonté l'horreur des gares et des trains pour atteindre sa chaleur. Je ne voulais pas peser sur elle mais si elle quittait la pièce où nous étions ensemble, l'angoisse montait. Même si je la voyais dans le parc, à travers la fenêtre, elle était encore trop loin. Quand elle m'appelait, du bas de l'escalier, pour m'inviter à une promenade ou pour aller au marché, les larmes me venaient : si quelqu'un prononçait mon nom, c'était que j'existais encore.

L'effort d'avoir à préserver une apparence me rendait plus malade encore. Je me couchais par terre, dans ma chambre. A plat-ventre, pendant des heures, pour pouvoir, après, en sortir debout. Mais je trébuchais. Une phrase de S. me revenait : « Vous exigez trop de vous. » Et si je n'exigeais plus rien de moi... J'allais ne plus rien exiger de moi.

Je décidai de considérer cette maison du Lot comme un hôpital psychiatrique. J'étais définitivement folle. J'en convenais. J'irai d'internement en internement. Je ne me débattrai plus. Après tout, ce manoir était une aubaine. Je ne subissais pas la promiscuité des autres malades ni l'obligation des rencontres avec les psychiatres imbéciles, je pouvais me promener dans l'irréalité, me lâcher dans le vide sans que cela ait aucune conséquence.

Quatre jours, je fus tout à fait folle. Je n'entendais plus ce qu'on me disait. J'étais ailleurs, dans un ailleurs indéfini. Cet état, je le connaissais bien. Souvent, même au cours d'une conversation ou d'un travail, je partais ainsi dans ces régions sans pesanteur. Je n'avais plus aucun contact avec les gens que je regardais devant moi sans les voir, que j'écoutais sans les comprendre. Mes interlocuteurs ne s'apercevaient pas qu'ils parlaient à une extra-terrestre, mais je tremblais encore d'être découverte dans cette stratosphère interdite et l'angoisse m'envahissait jusqu'à ce que je m'évanouisse ou que je parte vite me coucher, me rouler en boule, en fœtus dans mon lit. Un soulagement s'ensuivait mais qui ne durait pas. Que faisais-je ainsi dans ce lit, incapable de vivre? L'angoisse revenait. Je n'avais plus l'énergie de me lever. Pourtant, je devais me lever. Le combat recommençait, épuisant, navrant, que seule la mort pouvait conclure.

Pendant ces quatre jours, je ne combats plus. Je suis folle enfin et cela n'a plus d'importance. Au matin du cinquième jour, que se passe-t-il? L'envie d'écrire me prend. Comme une urgence. Après les vagissements de l'aube, des balbutiements : le début de ce récit que je poursuis pendant l'été.

Nous voici à l'automne. J'ai encore de mauvaises nuits et des cauchemars mais Thésée n'en n'est plus le héros. Je rêve du directeur du journal. Qu'il me pisse dessus. Le rêve dépasse à peine la réalité. Ce journal a, soi-disant, pour but d'entretenir ses lecteurs de leurs préoccupations concrètes. Je propose une interview d'Ivan Illich de passage à Paris. « Illich, connais pas. » J'explique qu'il s'intéresse justement à l'école, à la famille, à la médecine, au chômage, bref à ces fameuses préoccupations concrètes des lecteurs. Le dégoût se marque sur le visage du directeur. Il dit : « Oh! la la, quelqu'un qui pense. Sûrement pas. Il nous faut des " histoires ". Nous sommes là pour distraire, pas pour faire chier. » C'est clair. Le directeur comprend qu'il s'est trompé en m'engageant et moi je comprends que je vais devoir faire beaucoup de zèle pour effacer cette malencontreuse proposition d'Illich. Je comprends que je travaille pour mon bulletin de salaire et pour rien d'autre.

Robert Linhart, seul ex-mao qui n'aie pas regagné son confort d'intellectuel, me dit : « Voilà, tu es enfin dans la vérité de l'exploitation. Tu es vraiment dans la lutte de classes. » Il a raison.

Pour la première fois, je découvre la hâte de se débarrasser du boulot, la corvée d'y aller, la prison avec ses matons, minables chefaillons. Comme j'étais privilégiée, comme je ne le savais pas. Je n'avais jamais travaillé sans gagner un plaisir plus ou moins évident mais qui toujours s'ajoutait à la feuille de paye. J'essaye de découvrir des amis, la solidarité des exploités ; mais le directeur est finaud. Il n'a engagé que des esclaves, des stagiaires sous-payés dont on réécrit les articles. Ou plutôt les brouillons d'articles. Le magnétophone aidant, ils rapportent des enregistrements à peine débroussaillés qu'ils mettent sur le papier avec une orthographe surprenante.

L'orthographe. Ma mère et ma tante s'accordaient pour me seriner que l'on était moins que rien si on faisait des fautes d'orthographe. Elles disaient que l'on pouvait tout juger d'une personne à sa manière d'écrire. Je les croyais. Je m'appliquais à ne faire aucune faute. J'assommai plus tard François sous la même férule. Puis, en 68, je lus sur les murs de la Sorbonne : « L'orthographe est une mandarine » et je réfléchis longuement à cette phrase apparemment anodine qui bouleversait ma conception du monde.

Dans ce journal, je me repose la question de la valeur de l'orthographe. Ces jeunes stagiaires, pressurés nuit et jour, parce qu'ils ne peuvent pas écrire, n'ont pas droit à la parole. Le directeur les utilise à son gré. Il les réunit une fois par semaine : « Quand vous partez en reportage, si vous ne trouvez pas sur le terrain de quoi illustrer le sujet que nous avons défini en conférence de rédaction, c'est que le sujet est mauvais. N'insistez pas et revenez. »

Ainsi le sujet est mauvais s'il ne correspond pas sur le terrain à ce que le directeur a dans la tête. C'est-à-dire que la police est sympa, que les parents sont raisonnables et les grévistes des emmerdeurs. Même les artistes doivent témoigner d'une santé infaillible et surtout faire rire. Sinon pas question de s'y intéresser : ce sont des pessimistes, des esprits chagrins qui ne voient jamais le bon côté des choses. Pas de ça dans ce journal qui doit aider les lecteurs à se « détendre ». Compris ?

Oui, oui. Je veux ma feuille de paye. Je me donne un mal fou pour satisfaire à la demande du directeur. Dès que j'ai une idée, je la gomme. Je m'efforce d'aligner les anecdotes. J'ai si peur de penser que j'y pense tout le temps. Comment faire pour ne plus penser ? Je n'en dors plus de nouveau. Chaque article devient un calvaire. Si j'écris comme cela me vient, je suis réprimandée. Il faut que je corrige, redresse, contrefasse mon élan. Je n'ai jamais peiné autant pour écrire des articles aussi nuls. Plus ils sont creux, plus je suis congratulée. Mais indirectement. Dans ce journal, on ne fait pas de compliments. On apprend par des ragots que l'on a la cote ou que l'on va être renvoyé. La menace du licenciement plane constamment, poussant les uns au zèle, les autres à la délation et tous à se méfier du voisin.

J'ai honte de revoir les mêmes gens qu'il y a vingt ans pour opérer le même baratin : « Sophia Loren, comment être épouse et star ? », « Annie Girardot, comment vieillissez-vous ? » Quand je dis où je travaille, on me regarde avec commisération : « Comment en êtes-vous arrivée là ? » Il faudrait à chaque fois que je raconte ma vie. Je me contente du plus banal : « Il y a des hauts et des bas, vous savez », avec un sourire tendre, contenant si possible toute l'ironie du sort.

Tant de distorsion, tant de nuits sans sommeil effacent vite le repos bénéfique de l'été. Souvent à l'heure du déjeuner, je vais pleurer de fatigue dans les toilettes des cafés des Champs-Élysées. Mais, de nouveau, je suis spectatrice de mes prestidigitations, j'applaudis mon tour de force.

Parfois, je me décourage. Un jour, je dis à S. :

« Je devrais quitter ce journal. » Elle répond : « Oui. »

Ma surprise est immense. Comment peut-elle émettre un avis si catégorique ? La psychanalyse n'autorise pas à intervenir si brutalement, à influencer si arbitrairement les patients. Surtout pour les flanquer au chômage. Je m'insurge : « Vous me démontrez là que la psychanalyse est bien un truc de riches. Comme si je ne vous avais pas assez expliqué que le chômage est une entreprise de démolition qui peut anéantir le moins névrosé des individus. Vraiment, vous exagérez. De quel droit pouvez-vous me conseiller de quitter ce journal ? »

Comme si mes remarques ne la concernaient pas, elle poursuit calmement : « C'était la première fois que vous disiez : " Je devrais " et non pas " Je dois ". »

Elle m'a écouté ailleurs. Je n'ai plus d'arguments contre son glissement. Elle marque un point. Elle me laisse dans une perplexité où tout peut s'imaginer, où tout peut se renverser. Elle est d'ailleurs friande des renversements. Elle ajoute même : « Si vous ne quittez pas ce journal, il vous quittera. » J'ai encore envie de me fâcher. De quel droit encore prédit-elle l'avenir ? Je ne veux pas que ce journal me quitte. Encore un renvoi, je ne le supporterai plus. C'est peut-être cela qu'elle craint pour moi ? Elle veut me donner l'initiative. Mais non, elle ne veut rien. Elle suggère. A moi de me débrouiller, à moi de ne pas subir sa suggestion. Ou bien d'en faire mon salut. Ce travail-là me passionne.

Entre le journal et la psychanalyse, je suis écartelée. Si je n'ai que la psychanalyse, je suis dans le poumon d'acier, hors de la vie. Si je n'ai que le journal, je suis dans la machine à broyer, hors de moi.

Je suis obligée d'aller de l'un à l'autre, de m'accrocher à ces deux pôles. Je cours d'un article sur la fiente des sansonnets à un congrès sur la jouissance des mystiques.

Je me plains chez S. : « Je ne suis adéquate à rien. » Elle dit : « Pourquoi faudrait-il coller à des modèles ? »

Parce que sinon, il faut être équilibriste, marcher sur un fil et que l'exercice est périlleux, épuisant, à recommencer chaque jour.

Je ne me sens tranquille que chez le coiffeur ou dans les trains, là où une présence humaine m'entoure sans que j'aie besoin de rien prouver. Je m'assois, je me tais, on ne me demande rien. Autrement, si je ne veux pas rester seule, il faut que je rencontre des gens. Alors il faut leur parler. Et je n'en peux plus de parler. Chaque jour, chaque heure, il faut trouver un accommodement. Si fatiguée de tant de pirouettes que je m'écroule sur la banquette arrière de la voiture quand François m'emmène à la campagne. Je deviens l'enfant de mon enfant, la mère de ma mère.

Elle souffre sur son lit, cet automne, mais je me défends de sombrer dans ses douleurs. Je fais comme elle. Je me cache sa mort prochaine. Je lui demande des nouvelles de sa sciatique. Je lui raconte que la bouchère a traîné une sciatique sept mois. Elle dit : « Sept mois, merci bien. Ce sera fini avant. Je dois tourner la troisième partie de mon émission avant Noël. »

Tiens, elle dit : « Je dois. » Elle a toujours dit : « Je dois. » Je l'observe infiniment. Je n'en n'ai plus pour longtemps à nourrir ma mémoire d'elle. A reconnaître nos traits communs.

L'émission qu'elle produit pour la télévision la ramène à ses amours d'enfance. A sa grand-mère peut-être puisque c'est une émission de musique. Une mise en images des *Quatre Saisons* de Vivaldi. Pour filmer l'automne en Sologne, elle se fait conduire sur un brancard. Un assistant la porte dans ses bras. Elle rit d'être encore dans les bras d'un homme : « Un solide gaillard. » Sait-elle que ce sont ses derniers bons moments ? Elle revient de Sologne pour regagner son lit. Elle dit : « Je te garantis que je serai debout quand nous filmerons l'hiver », mais elle ne se lèvera plus.

Le médecin lui propose des cachets de palfium pour atténuer ses douleurs. Elle refuse violemment : « Vous n'y pensez pas, docteur, c'est un médicament que l'on donne aux mourants, aux cancéreux. »

J'entends encore sa voix, à chaque coup dur, résonner gaiement : « Allons, c'est moins grave que le cancer. »

Sa peur majeure, obsessionnelle : elle se fait examiner tous les ans, se livre à tous les dépistages préventifs. Elle s'est juré sûrement que le cancer ne l'aurait pas. Le cancer qui lui a enlevé déjà sa grand-mère chérie, Rose, l'Allemande.

Le dernier mois, elle prend vingt-deux palfiums par jour. La drogue continue de l'inquiéter. Elle voudrait en prendre moins. Elle surveille le nombre de ses prises et les heures auxquelles elle y cède, sur un carnet qu'elle appelle : « Le journal de mon palfium. » Elle dit : « Tu vois, moi aussi, je me mets à écrire. » Je pense aux croix sur le carnet où elle consignait ses fornications.

Est-ce la vie qui est cruelle, ou moi ? Je me défends encore en ricanant. Ce carnet-là, l'appelait-elle « le journal de ma baise » ? Elle aura toujours compté ses petits morts. Pauvre maman, si méthodique, qui veut que rien ne lui échappe. Pas même ses orgasmes. Elle garde sa tête contre les vingt-deux palfiums. Elle retient les numéros de téléphone par cœur. Elle contrôle encore tout. Le médecin dit qu'il n'a jamais vu ça, qu'elle est extraordinaire. Pourquoi ma mère n'est-elle pas ordinaire ? Comme les autres mères. Mais j'apprends, ces temps-ci, que toutes les mères sont des monstres extraordinaires et qu'il faut s'y faire.

Le médecin lui assure qu'elle n'est pas droguée : « Avec votre volonté de fer, vous vous arrêterez dès que vous ne souffrirez plus. » Elle s'enchante que l'on salue sa volonté de fer : « Ah, vous me connaissez bien. Que ma sciatique s'en aille et je jette tout ça. »

Nathalie, ma petite fille, me manque. Caroline n'est jamais là. Je ne pleure plus sur l'oreiller, je ne pleure plus jamais mais en allant chercher les enfants de ma cousine Catherine, à l'école maternelle, tout à coup, je fonds en larmes. Pourquoi ici et maintenant, ce chagrin irrépressible qui m'envahit. Quel bonheur perdu se profile sur horizon de rondes et de récréations ?

Je pleure sur les enfants que je n'aurai plus. Les femmes enceintes que je croise dans la rue me narguent avec leurs ventres-réceptacles. En même temps, les bébés dans les jardins publics me semblent des martyrs. Je pleure sur moi à travers tous les enfants des squares et des parcs. Je pleure sur l'enfant que Thésée s'est donné. Enfant-jouvence. La vie de Thésée recommence alors que la mienne est finie. J'imagine le nouveau-né qu'on lui montre et son regard ébloui. Je sanglote, à l'école, devant les parents ahuris.

Je rencontre un homme plaisant mais quand j'apprends qu'il a un fils, du même âge que celui de Thésée, je frissonne et je fuis. Je rêve que je suis dans un taxi avec cet homme et son fils. L'enfant est assis sur un strapontin et parle comme un adulte, un langage élaboré plein d'adverbes, que l'on admire.

Ces enfants précoces surviennent souvent dans mes rêves et je les déteste. Ils me font penser à mon cousin Laurent, si fort en thème, premier de toutes les écoles. L'enfant prodige, adulé par ses parents. Le *Wunderkind* comme on dit en allemand. Ce mot de ma grand-mère remonte tout à coup de l'au-delà. Elle le prononçait en me désignant.

Je dis à S. : « La naissance de Catherine a pu me bouleverser mais pas celle de Laurent qui était le troisième enfant de ma tante. » S. dit : « L'inconscient n'est pas une machine de précision. » Laurent comble si parfaitement les vœux de ma tante qui préfère les garçons, de mon oncle qui valorise tant les études.

Laurent, le bien-aimé. Je ne me console pas d'être une fille autodidacte. Je n'en peux plus de vouloir être un garçon savant. Pourtant j'avais au moins quinze ans quand ce petit garçon est né. Peu importe. Si l'inconscient n'est pas précis, il est divinatoire. Depuis longtemps, je devais savoir que mon oncle et ma tante désiraient cet enfant-là.

J'enrage dans le cabinet de Grenelle, comme si je portais encore mes jupes plissées à carreaux. En naissant, mes cousins, Catherine et ses frères, me chassent du sein chaud de ma tante. Bien pire, ils me dévoilent cet immondice : mon oncle couche avec ma tante. Un malheur si profond. Ils me mentaient, eux aussi, en dormant dans des chambres séparées. Il paraît que les patients sont le plus souvent effarés quand se révèle leur désir d'inceste. Moi pas. Au contraire, j'ai l'impression que j'avance dans la forêt de Brocéliande, qu'enfin des trouées du ciel apparaissent entre les arbres noirs.

La jalousie qui ravagea la petite fille crâneuse s'infiltre en moi à nouveau. Je ne crâne plus. J'avoue enfin. Oui, je suis folle de jalousie.

Et j'ai honte. Pas commode à reconnaître la jalousie, ce vilain sentiment. Vilain ? Un sentiment si naturel, un instinct même. Voyez les animaux. Mais se profile la honte avec l'interdit. Aucune éducation ne permettra que la honte n'accompagne pas la jalousie. Ce pourquoi, sans doute, Freud disait qu'il n'y a pas d'éducation réussie. Pas besoin de censeurs, de rigides surveillants, l'interdit est le langage même. On attribue tout le mal à des formes humaines mais le mal était déjà là. Depuis des temps immémoriaux, quelque chose murmure toujours que c'est mal quand ce pourrait être bon.

J'ai honte sur le divan où je m'étends encore avec tant de précaution, une jambe en dehors qui touche le sol, prête à s'élancer pour l'évasion. Je parle de cette jambe pendante qui peut me sauver du divan.

S. jette à tout hasard : « La tentation enfantine des fugues hors de vos pensionnats. »

S. se trompe. Je n'avais pas envie de fuir. J'avais, au contraire, envie d'un lieu où je puisse rester.

S. insiste : « L'un n'est pas le contraire de l'autre. »

Je discutaille : « Vous avez beau jeu, les psychanalystes. Quand le patient dit " non ", il est dans la dénégation. Ainsi vous avez toujours raison. »

S. prend la peine de me répondre : « Ce n'est pas si radical. " Va, je ne te hais point " ne veut pas dire " je te hais ". »

Je dis : « Vos subtilités sont sibyllines. Je veux que deux et deux fassent quatre. »

Elle rit. Je dis, dépitée : « Au moins, je vous fais rire. »

Elle se lève de son fauteuil : « C'est un talent qui ne vous manque pas. » Elle me serre la main. Elle m'agace. Je ne suis pas drôle du tout. Je suis jalouse, minuscule. Je suis dépourvue. Je n'ai plus rien. Mon oncle couche avec ma tante et elle rit.

La séance suivante, elle m'appelle « Ma chère ». Ce « Ma chère », à connotation mondaine, accentue mon antipathie. Il ne nous reste plus qu'à boire ensemble une tasse de thé. Ou bien dois-je entendre que je lui suis vraiment chère. Peut-être même dit-elle « Ma chair » ? Je serais son enfant. Enfin, l'enfant de quelqu'un. Mais ses autres patients seraient aussi ses enfants. Je les déteste quand je les croise parfois dans l'escalier. Ce sont surtout des femmes aux yeux rougis, qui reniflent. Je les connais trop toutes ces femmes qui gémissent, qui n'en finissent pas avec leur mère. Je ne veux pas leur ressembler. Je veux faire rire S. Je lui dis : « Vous n'en avez pas assez d'entendre toujours la même chose. » Elle dit : « Ce n'est jamais pareil. »

Mon ami Isi, psychanalyste, m'assure que je pourrais devenir analyste moi-même. Je caresse ce projet qui m'apparaît vital : changer de métier, apprendre enfin longuement une théorie et une pratique.

Je dis à S. : « Isi me voit des dons parce que je l'écoute attentivement mais il se trompe. C'est impossible. »

S. dit : « Parce que l'on vous regarde ailleurs que là où vous avez décidé d'être vue. »

Les interventions de S. ouvrent de larges voies. Si larges que souvent je les refuse et préfère mon sentier étriqué.

« Jamais je ne pourrais devenir psychanalyste. Je suis trop impatiente, trop sévère. Je n'aurai jamais votre douceur.

— Pourquoi vous situez-vous dans la ressemblance ? »

S. insinue-t-elle que je suis douée ? Même pas. Elle équivoque et moi je parle. Un fil se tend entre nous que ni l'une ni l'autre ne détient. Étrange dialogue où nous sommes trois.

Je voudrais livrer à S. des secrets que je ne confesserais qu'à elle mais je ne possède aucun secret. Je dis tout à tout le monde. Les secrets me déplaisent comme les économies. Pourtant ces réserves donnent du pouvoir. Peu y résistent. Je devrais aussi garder quelque chose pour moi.

Cette botte secrète qui permet d'envoyer encore des coups de pied inattendus quand on vous croit cul-de-jatte, je ne l'ai jamais rangée dans aucun placard. Je n'avais pas d'or dans mon matelas, rien qui me protégeât. Au fait, pas même de matelas. Je tombais en chute libre.

Il me faut des secrets, mais ceux que j'acquiers chez S., aussitôt je les divulgue. Rien ne m'intéresse qui n'appartient qu'à moi. D'ailleurs, comment savoir ce qui est moi si les autres ne me le disent pas. Je cherche en écrivant à cerner le personnage mais il échappe encore. « Je est un autre. » L'impudeur n'existe pas. Je suis toujours voyeuse. Je mate sur le papier une femme qui se débat. Par moments, elle m'émeut. Par moments, elle m'ennuie. Je suis parfois contente qu'elle me prenne pour une amie. Je pense parfois qu'elle écrit agréablement. Parfois, qu'elle radote, qu'elle ferait mieux de s'étaler un peu moins, de garder justement quelque chose pour elle.

Le secret se cache au-delà de ce qu'elle connaît. Elle est naïve si elle croit qu'elle n'a pas de secrets. Elle ne connaîtra jamais tout et tant mieux, ce qu'elle ne connaît pas, c'est la poésie. Elle ne le sait pas encore. Elle s'acharne à fouiller les poubelles.

Je dis à S. : « J'ai trop vécu. Je ne pourrais jamais tout vous dire. » « Pourquoi vouloir tout ? » demande S.

Tout ou rien, que S. ne manque jamais de signaler. Tout ou rien. Mon cœur balance. J'ai la nausée.

Je me plains de ne pas retenir ce que je lis, ce que j'entends. Je crois comprendre mais je ne sais pas répéter. A l'école, on me disait déjà : « Ça entre par une oreille, ça sort par l'autre. » Je suis idiote. Le vent souffle dans ma tête fêlée. S. magicienne de la déculpabilisation, sort de son haut de forme un foulard en mousseline : « La mémoire n'est pas un devoir. » Nantie de ce viatique, je vole comme un elfe d'un livre à l'autre. Puis je désespère à nouveau : « Plus ça va, moins je comprends. »

S. parle de nageurs qui luttent au large, en s'épuisant contre le courant, au lieu de se laisser glisser dedans.

Je salue la reine de la métaphore mais j'invoque le temps qui presse. « Je n'ai pas le temps. Je dois me dépêcher. »

Je dois. Le temps... Celui si compté de maman. Je n'ai pas le droit de lui prendre du temps. Le temps, c'est de l'âge. Je dois rester une petite fille qui ne la fait pas vieillir. Je n'ai pas le temps de grandir. J'arrive chez S. haletante : « Je n'aurai jamais le temps. Les séances sont trop courtes. Il m'en faudrait une chaque jour. »

Je parle à toute allure. Je ne veux pas perdre une minute. La vitesse de mon débit m'étonne. Je n'ai jamais parlé si vite. Je ne prends même pas le temps de respirer. Si je me tais, je vais mourir. Je ne veux pas de silence. Pas la surprendre, elle, m'abandonnant.

Je parle de l'exposition Courbet au Grand-Palais que je visite comme je visite toutes les expositions, trop vite, avec une anxiété qui me gâche le plaisir. Plus j'aime l'art du peintre qui expose, plus je tremble de ne pas voir tout ce qui est exposé ou d'en voir trop, d'oublier ce que j'ai vu si j'en vois davantage. Une salle me suffirait mais la suivante vaut sûrement aussi que j'y pénètre. Je regretterais si je n'y allais pas. Je regarde intensément chaque tableau de la salle que je vais quitter. Je veux les inscrire à jamais dans ma mémoire. Je quitte enfin la salle, affolée de perdre ce que j'ai vu. L'autre salle m'enchante. Je suis heureuse d'avoir poursuivi ma visite mais une salle s'annonce encore et je suis reprise de la même peur d'oublier ce qui précède si je découvre encore d'autres tableaux. De salle en salle, la peur augmente. A la fin, je me précipite, je cours d'une salle à l'autre, pour voir tous les tableaux en même temps.

Si le deuxième étage contient encore des toiles, je suis paralysée. Je reste dans l'escalier ne sachant plus si je veux m'en aller, gardant ainsi précieux ce que je viens de voir, ou monter vers un butin plus prodigieux. Si je ne monte pas, je vais perdre une surprise, une beauté. Si je monte, le souvenir précis de tel tableau se fondra dans un magma sans contour et sans aspérité. De toute façon, je suis perdante.

Était-il aussi perdant, Courbet, dans la quête infinie de ses autoportraits ? Il écrit : « J'ai voulu tout simplement purger dans l'entière connaissance de la tradition, le sentiment raisonné et indépendant de ma propre individualité. » Il se résume : « Savoir pour pouvoir, telle fut ma pensée. » Moi aussi, je veux savoir. Saint Augustin assure que même la foi passe par la connaissance. Il faut connaître pour renaître. Chaque autoportrait est une tentative pour sortir de l'impuissance, pour croire en la journée qui commence. Chaque baigneuse, chaque montagne Sainte-Victoire de Cézanne. Le peintre d'Aix revient sans cesse sur le motif.

« A mon âge, dit-il, il convient de s'isoler et de peindre. » Les artistes expriment tous cette même résolution, au même âge. D'abord, on vit, ensuite, on essaye de comprendre. C'est le moment d'empoigner l'œuvre, de s'y accrocher pour se faire renaître.

« Ah, mourir en peignant », s'exclame-t-il à la fin de ses jours, comme si la peinture allait l'aider à ne pas voir la mort venir.

Mon oncle sait tout sur la peinture. Du moins, c'est ainsi que je l'imagine quand, petite fille, je marche derrière lui, aux expositions où il m'emmène. Peut-être que je fabule et qu'il ne m'a emmenée nulle part. Pourtant, très vaguement, je crois me souvenir. Je m'imagine ou je me vois respectant son silence, puis l'écoutant dans le ravissement quand il me lâche quelques bribes de son savoir, que je suppose immense. C'est lui le sujet supposé savoir de mon enfance.

Aujourd'hui encore, j'aime à l'entendre me dire que tel tableau a été vendu, pour la somme de tant de florins, revendu là pour tant de dollars, que telle partie du tableau a été restaurée, que tel peintre a copié tel autre, que tel tableau se trouve dans tel musée provincial ou étranger.

J'aime les spécialistes, ceux qui savent à peu près tout de quelque chose. Je ne me lasse jamais d'écouter quelqu'un qui parle de ce qu'il connaît, quelle que soit sa spécialité. Il englobe, il s'approprie une part du monde. Il est sûr, au moins, de ce qu'il connaît. Il peut s'appuyer dessus. J'envie le solide fortin qu'il s'est construit.

Pourquoi ne pas en faire autant ? Parce que je suis trop distraite, trop éparpillée pour me fixer sur une connaissance. Ce qu'il me faut d'abord connaître, c'est moi. Je n'en finis pas de gratter les plaies. Je m'écœure moi-même à ce charcutage. Je voudrais bien m'arrêter mais tant que la chair saigne, je ne peux que continuer à m'interroger sur l'origine de la maladie. Cela ne guérira pas si je ne sais pas.

Je raconte à S. ma hâte à l'exposition Courbet, ma crainte de ne pouvoir aller au bout, cette harassante volonté de tout englober et finalement ce survol dont j'ai encore une fois l'impression de ne rien retirer.

Elle dit : « Quelqu'un qui effleure au lieu de pénétrer est quelqu'un qui n'ose pas toucher. »

Je lui ris au nez. A coller dans l'herbier des analystes. Je lui dis : « Je ne comprends pas. » Elle dit : « Cela ne fait rien. »

Mais la phrase me revient, toujours aussi absurde. Je me demande ce que je n'ose pas toucher. Je ne trouve pas de réponse mais par un lent détour, je parviens à sentir — il n'est même plus question de comprendre — que le temps m'est enfin donné de pénétrer.

Une autre phrase résonne à mon oreille, un reproche des deux sorcières réunies, Aimée et Lise, ma mère et ma tante. Elles répètent en duo : « *Tu perds ton temps.* » Alors je ne perds pas mon temps mais je perds tout le reste. Même ma tête distraite.

Je passe mon temps à courir, à m'agiter. C'est moi que je perds. Comment opère là-dessus la psychanalyse ? Les phrases de S. que je cite ne sont que des jalons inconsistants mais la psychanalyse elle-même est inconsistante, comme de l'eau qui coule et parfois forme une mare.

Cette mare du temps compté, du temps perdu, j'y stagne, j'y pourris et sans que je le veuille, je constate que pour la première fois, je m'attarde. Enfin, *je prends mon temps.* Je me moque enfin de le perdre. Tant pis pour les sorcières, je musarde. Et, miracle, je gagne. A chaque fois que je n'exige plus rien de moi j'avance. Je commence à pénétrer, à oser toucher l'inconnu, à écrire sans me presser, sans savoir où je vais.

Je dis encore à S. comment je suis sortie extasiée de l'exposition Courbet. Paris était particulièrement désert et bleu-gris, ce matin de décembre où pour la première fois depuis longtemps, je marchais légèrement, accordée à la beauté de la ville. D'habitude, j'aimais les rues de Paris quand les éboueurs en grève laissaient les ordures s'entasser sur les trottoirs. La ville, lamentable, s'accordait à ma mélancolie. Une sorte d'apocalypse se préparait qui n'engloutirait pas que moi. Plus les tas d'ordures montaient, plus je jubilais. Je surveillais les tas qui atteignaient des hauteurs considérables. Quelquefois, devant les restaurants, j'en voyais qui grimpaient jusqu'au premier étage des immeubles. Je les contemplais comme des mausolées. Puis, les militaires, un sale matin, débarquaient. Ils nettoyaient les rues et je me trouvais désolée. Paris renaissait de ses détritus mais moi j'y restais.

Paris d'hiver resplendissant, je le découvre en même temps que ma santé. Je suis d'autant plus heureuse que je ne dois ce bonheur à personne. Sauf peut-être à Courbet, mort depuis cent ans. Je marche d'un pas de gymnaste. Je m'enchante de l'air froid, de la lumière si claire. Je largue tous les poids. Je pense au tableau représentant Proudhon assis sur les marches de pierre d'un escalier, dans un jardin profond, ses deux filles et des livres posés à ses côtés. Ce n'est pas le meilleur tableau de l'exposition mais ce que j'y entrevois me fascine. Le destin de quelqu'un qui se réfugie dans un parc, avec des enfants et des livres et qui, de ce poste retiré, réinvente le monde.

Je dois bien à S. le récit de ma glorieuse marche du Grand-Palais à l'Odéon. Elle, qui a subi la description de tant d'affreux matins où je rampais de mon lit à la cuisine, je veux qu'elle entende enfin mes cris de joie.

Ce bonheur de décembre ressemble à un autre, éprouvé vingt ans plus tôt, la même sensation rare de posséder la terre, de ne plus compter que sur soi mais d'être assez forte pour suffire à la tâche. J'étais à New York, ce jour-là. Dans cette Amérique de cinéma où je mettais les pieds, pour la première fois. Je déambulais sur la Cinquième Avenue, n'arrivant pas à croire que la petite fille planquée dans les loges de concierge était cette triomphante jeune journaliste envoyée directement à la Maison Blanche en première classe pour rencontrer la première dame du pays, Jacqueline Kennedy, dont le mari venait d'être élu président.

Tant de « premières » rendaient le bonheur plus facile. Sur les Champs-Élysées, à la sortie du Grand-Palais, mon souffle est second. Il s'agit d'éprouver à nouveau quelque émotion après que tout s'est usé. Je ne découvre plus les lumières de Broadway mais les scintillements des ombres dont les séductions secrètes ne s'offrent qu'aux initiés. Je ne jouis plus de ce que j'imaginais être mon pouvoir mais je me contente de ce que je sais être mon vide. Il me semble avoir parcouru le chemin des saints, celui qui mène à la grâce. Sur les Champs-Élysées, je plane, je me dirige vers le ciel. Pourtant, à vingt ans de distance, le bonheur qui m'irradie est de la même nature. Je découvre que je peux me passer d'un homme. Maintenant polluée par la psychanalyse, j'ajouterai : je découvre que je ne suis pas comme ma mère. Moment divin, je lui échappe enfin.

Ces moments ne durent guère et les retombées font mal. Enfant, j'ai toujours les genoux couronnés. On dit : « Comment fait-elle pour tomber aussi souvent ? »

Mais pourquoi ne resterais-je pas encore au pays des merveilles, aux États-Unis, le temps d'un rêve éveillé ?

La frivolité se présente si gaiement dans un magasin de « gadgets » de la quarante-deuxième rue. Un homme me propose de partir avec lui en Californie. Il est producteur de cinéma, il s'appelle Raoul Lévy. Il est célèbre, en ce temps-là, parce qu'il a lancé Brigitte Bardot dans un film de Vadim : *Et Dieu créa la femme*. Fantasque et fastueux, il se traite de clochard de luxe. Il s'achète des jouets parce qu'il s'ennuie.

Si juif, Raoul, si peu dupe, même de sa fantaisie, ses sourires sont les miens : « Viens avec moi à Hollywood. Tu verras comme c'est sinistre. Les gens bronzent autour des piscines en attendant de crever. » Je pressens qu'il ne faut pas céder à ceux devant qui tout cède. Intuition innée des égéries que je rencontrerai plus tard en étant mêlée à la vie privée de quelques hommes politiques. Égérie que je ne devins pas parce que la ruse m'intéresse moins que l'amour. Pour fasciner les grands hommes, tant de patience est nécessaire, si peu d'élan.

A Raoul, qui peut tout acheter, je pose cependant des conditions qu'il accepte avec délice : « Tu crois peut-être que je ne peux pas payer deux chambres ? » Je ris : « OK, OK, mais moi, je suis trop chère pour toi. » Il est ravi : « OK, OK, mais prends garde, ma fortune est immense. » Il déroule le tapis magique. Il m'offre dans le magasin de la quarante-deuxième rue un électrophone à piles, un truc encore jamais vu sur lequel nous écoutons des disques de Sinatra dans l'avion qui nous emmène aussitôt sur la côte Ouest. *Close to you* au-dessus des Montagnes rocheuses. Merci Raoul pour ce cinéma, pour Beverly Hills où les stars défilent, pour les restaurants hawaïens où j'aperçois des créatures étranges : une brune vampire mangeant sa soupe avec des mains gantées de mitaines, un Apollon dont les yeux pâlissent à force de regarder l'Océan. Dans les cabanes de Malibu pourrissent les plus beaux jeunes gens du monde, emprisonnés sous contrat par les grosses firmes qui les payent à ne rien faire, uniquement pour que les firmes concurrentes ne les engagent pas.

Raoul s'ennuie tant qu'il n'arrête pas d'inventer les distractions. Il m'entraîne dans les casinos extravagants de Las Vegas, chez les peintres déjà hippies de San Francisco, il m'emmène même chez les Marx Brothers où nous ne rions pas. Harpo ressemble à un vieux businessman.

Raoul vise tous les continents. Il veut partir au Népal, en Afghanistan. Il y partira d'ailleurs mais sans moi. Il achètera des tonnes de yaourts pour nourrir des éléphants. Il reviendra et il deviendra mon ami.

Je serai émue par sa frénésie, par son besoin de se faire frissonner à n'importe quel prix. Bien obligé, Raoul, de viser l'impossible puisqu'il fait, si vite, le tour du possible. Il se tue un après-midi où il ne sait quoi faire. Un coup de carabine dans le ventre.

Il avait acheté la carabine cinq minutes avant. Y pensait-il depuis longtemps? Oui, sûrement. Et je n'ai pas su l'en empêcher. On s'accuse toujours de la même façon. Françoise non plus, je ne l'ai pas retenue. Mes amis s'en vont. Françoise, ma sœur, Raoul, mon frère, mes amis si brûlants, pourquoi vous et pas moi, nous étions dans le même incendie. Deux amis déjà et c'est encore la jeunesse. Peut-être étais-je trop vieille, moi, quand j'ai tenté le coup? Si près de la mort que cela n'en valait pas la peine.

Peut-être avais-je votre histoire à écrire et la mienne? Je m'aperçois que vous étiez déjà les héros de mes deux seuls romans. Deux suicidés mais je ne le savais pas. Raoul s'appelait Bob dans *Un beau mariage*. Il lut le livre et fit la moue : « Je n'aime pas ce nom de Bob. » Il avait raison. J'aurais dû suivre les avis de Françoise Giroud à laquelle j'avais soumis le manuscrit et qui me conseillait de laisser à ces personnes réelles : Signoret, Montand, Clouzot, Clément, Bardot, etc., leur propre nom, mais j'avais l'ambition de décrire la futilité tragique du monde du spectacle, où j'évoluais depuis mes débuts à *l'Express,* dans un roman que j'imaginais comme un autre *Gatsby,* brillant et désenchanté, aux fêlures fitzgéraldiennes, dont les personnages deviendraient des archétypes. Je ne voyais pas ce qu'était le livre : un reportage d'une vérité si criante que, même sous un nom d'emprunt, les intéressés se reconnurent et se fâchèrent. Sauf Raoul auquel l'humour donnait la grâce de la désinvolture. Il me dit : « Je vais faire un film de ton livre. Qui verrais-tu dans mon rôle ? William Holden ? »

Le roman eut du succès comme roman à clefs mais il eût mieux valu qu'il se présentât comme un témoignage et que Raoul y figurât, tel qu'en lui-même il était déjà : un personnage romanesque.

L'interrogation que me posa le suicide de Françoise, j'essayai de l'élucider dans *La nuit sera noire ou blanche.* Françoise s'y appelait Marina mais elle n'était plus là pour s'indigner de la substitution de son nom. J'écrivis ce roman trois ans après sa mort.

Aujourd'hui je paye en nature, je ne me cache plus derrière les paravents. Je fais un effort pour m'exposer en public. J'illustre cette réflexion de Gilles Deleuze : « La littérature française est souvent l'éloge le plus éhonté de la névrose. » Mais toute littérature, tout récit, saxon ou balkan, à la première ou à la troisième personne, n'est-il pas une thérapie ? Deleuze dit aussi : « Écrire, c'est devenir mais ce n'est pas du tout devenir écrivain. C'est devenir autre chose. » Cette autre chose m'intrigue.

Après 68, j'arrêtai les romans, ma thérapie fut la politique. J'étonne mes amis intellectuels quand je leur raconte comment la politique s'est inscrite dans mes préoccupations. A croire que le terme même de « politique » ne convient pas. Pour eux, la politique s'est apprise avec Platon. Leurs premières querelles politiques, bien avant l'École normale, se débattaient dans les cours des lycées, à propos de l'histoire puis de la philosophie. Ils avaient lu Hegel presque avant de lire les journaux et leur choix, pour la plupart d'entre eux, dépendait de leur maître.

Moi, j'arrivais à *l'Express* avec, pour seul bagage, la lecture récente et intermittente du *Monde* par-dessus l'épaule de mon vieil amant. La guerre d'Algérie divisait la France mais je ne comprenais même pas comment on pouvait avoir des positions différentes tant il m'était évident que les vilains colons profitaient des pauvres Arabes. Ceux qui voulaient garder l'Algérie française étaient des voleurs, des profiteurs pervers. Je manifestais contre l'OAS, spontanément. Dans le hall du journal, il était conseillé aux collaboratrices, pour se rendre aux manifestations, de porter des souliers plats et d'éviter les sacs à main. C'était aussi simple d'aller manifester que d'aller sous la douche, à table ou au lit. Les affichettes du hall ne me paraissaient même pas risibles. Au contraire, fonctionnelles, pratiques.

Baudelaire disait que la seule action politique qu'il comprenait était la révolte. Je passai le stade du fonctionnel en me révoltant, pour la première fois, contre les assassinats des Algériens à Paris. Je commençai à comprendre, à Charonne, qu'il fallait pour manifester davantage qu'un costume adéquat.

Je restais cependant spectatrice. Trop jeune encore pour accoler ma signature au bas des pétitions, je découvrais néanmoins la bonne conscience dans la fierté que j'éprouvais de collaborer à la rédaction d'un journal qui se faisait parfois interdire et que des policiers défendaient contre d'éventuels attentats.

Pour mon ex-belle-famille ou mes relations d'adolescence, j'étais déjà classée, travaillant à l'Express, comme une pétroleuse de gauche. L'avenir ne devait pas leur donner tort. Comme quoi la bourgeoisie a de l'instinct pour détecter ses ennemis. En fait, je n'étais qu'une tête en fleurs, plutôt écervelée, qui s'intéressait au cinéma dans un journal à la mode.

A l'Express régnaient beaucoup de snobismes : celui de l'intelligence mais aussi celui de la grâce physique, de la jeunesse, de l'origine. Ces critères comptaient insidieusement mais on voyait bien, ne fût-ce qu'en circulant à travers les bureaux, que les journalistes de l'Express se ressemblaient et qu'ils ne sortaient pas des faubourgs. Ils formaient la grande famille élargie des Servan-Schreiber. Une famille sélecte où tout le monde s'appelait par son prénom. Jean-Jacques et Françoise (Servan-Schreiber et Giroud) donnaient le ton, le bon ton, dynamique et distingué. Grâce à mes nurses, à ma fréquentation des palaces, je ne me sentais pas dépaysée. Je n'avais pas derrière moi une fortune, des études ou des parents exerçant des professions libérales, mais je n'étais pas intimidée par cette sorte d'élitisme, comme si le sentiment très vif que j'ai toujours eu de la précarité des choses m'empêchait de les prendre au sérieux.

Je ne me prenais pas non plus pour une pétroleuse, ni J.-J. S.S. pour un foudre de guerre. Le lieutenant, comme nous le surnommions après qu'il eut été rappelé en Algérie et qu'il eut publié son livre *Lieutenant en Algérie,* me paraissait plus touchant que percutant dans son désir d'être toujours le meilleur. Je me prêtais complaisamment, ainsi que les autres rédacteurs dont Jean Daniel et Pierre Viansson-Ponté, alors obéissants, aux exercices que J.-J. S.S. nous imposait, dans le style : « Que chacun me donne par écrit son analyse de l'arrivée de De Gaulle au pouvoir. » Et chacun s'appliquait à ce devoir d'école. Florence Malraux, assistante de la Direction, ramassait les copies qui commençaient à peu près toutes par : « La situation n'a jamais été aussi désespérée... »

Le souvenir qui me reste de *l'Express* est teinté de naïveté. Nous portions nos badges sur l'épaule, toujours prêts à faire notre BA quotidienne pour l'honneur et le bien public. Pour avoir respiré par la suite l'atmosphère d'autres journaux, je rends hommage à ce scoutisme. Il fallait savoir être Baden-Powell pour créer cet esprit d'équipe, cette joie de travailler et même cette solidarité qui n'allait pas sans quelque rivalité mais qui ne se détériorait jamais jusqu'à produire les paniers de crabes ou de paresseux que sont généralement les salles de rédaction. Crabes quand le journal débute et qu'il s'agit d'y faire son trou, paresseux quand le journal roule et qu'il s'agit d'en faire le moins possible.

J.-J. S.S. ne portait que des cravates noires afin, disait-il, de ne pas perdre de temps à les choisir en s'habillant le matin. Il était pressé d'arriver là où la réussite l'attendait mais la réussite, notion qui avait un sens à *l'Express,* où l'on pensait à l'américaine, ne couronna pas celui qu'on croyait. L'ardent et inventif lieutenant que Mauriac avait surnommé Kennedillon n'est pas, dans son jardin de

Nancy, président des États-Unis d'Europe alors que Jean Daniel, qui glissait à voix basse dans les couloirs de *l'Express* des remarques ambiguës, peut maintenant inquiéter l'Élysée.

Une jeune journaliste est venue m'interviewer cet hiver à propos des dix premières années de *l'Express.* J'évoquais une sorte de bonheur. Ceux qui vécurent cette expérience partageaient, me dit la jeune journaliste, la même nostalgie. Ils parlaient des meilleures années de leur vie. Peut-être simplement parce que c'étaient les années de leur jeunesse.

Comme on est vieux quand on peut ainsi circonscrire sa jeunesse. S. me dit : « Vous n'êtes pas entamée. »

S. ou la bonne parole. S. ou les mots multi-sens. Je ne sais jamais ce qu'elle veut dire.

Par quoi ne suis-je pas entamée ?

Par l'indifférence ? Il me semble que je renonce à tout ce que j'aimais : les villes inconnues, les baisers d'une nuit. Plus rien n'a d'importance. Mais non, c'est faux puisque je m'efforce encore d'écrire.

Je marque mon passage.

François me dit : « Tu habites dans une impasse. Tu devrais déménager. » Il m'envoie une carte postale qui montre le ciel au bout d'un tunnel.

De ce travail en commun à *l'Express* sont nées des amitiés qui durent encore. Les femmes que Françoise Giroud avait réunies n'étaient pas des féministes militantes mais d'instinct, elles visaient à se créer, à créer. Françoise Giroud ne recherchait pas spécialement la compagnie des femmes mais elle désirait toujours tirer le meilleur parti des gens, donc des femmes. On peut se demander si elle agissait ainsi dans l'intérêt des femmes ou dans l'intérêt du journal, mais les femmes du journal y trouvaient leur compte. Elles étaient propulsées plutôt que barrées. Comme on leur faisait confiance, elles ne se méfiaient pas les unes des autres. Elles ne se jalousaient pas. Elles se racontaient leurs aventures et leurs soucis. Pas un mois où nous n'avions à résoudre collectivement un problème posé par un avortement (la pilule n'existait pas), par un divorce, un chèque sans provision, un déménagement à la cloche de bois, un enfant malade. Nous ne comptions pas sur les hommes.

Si nous expérimentions spontanément, sans théorie, ce que devait prôner plus tard le Mouvement de libération des femmes, c'est sans doute que Françoise Giroud avait choisi de s'entourer de femmes qui avaient envie de se « libérer ». De femmes à son image, qui par un hasard qui n'en était pas un, avaient pour la plupart un père absent. Mort trop tôt ou défaillant. Inconnu ou trop connu.

Ce deuil du père qui plane sur nos destinées contient trop d'évidence, mais quand, dans les assemblées générales d'après Mai 68 aux Beaux-Arts, les femmes se réunirent pour se projeter ensemble leurs fantasmes, je reconnus les mêmes orphelines.

Grâce à l'Express, j'avais l'impression d'avoir franchi l'étape qu'elles avaient encore devant elles. Je me sentais autonome, profitant au besoin des hommes mais bien loin de leur être assujettie. J'étais une femme épanouie et libre. Les autres femmes n'avaient qu'à se débrouiller comme moi.

Thésée devait infliger un sévère démenti à mon arrogance. La femme libre s'écroulait dès que l'homme qui la soutenait en coulisse disparaissait définitivement du théâtre. Je n'étais pas plus avancée que les autres femmes. Mon « identité » m'échappait encore. Tout à apprendre encore pour tenir debout, pour n'être pas qu'un garçon manqué.

Comment être femme sans le regard d'un homme qui me définit comme telle ? Sans ce regard-là, je n'ai plus de contour. Plus de corps, plus de tête. Ou bien l'un et l'autre séparés. Un corps de femme, une tête d'homme. Herculine Barbin, l'hermaphrodite, c'est peut-être moi. J'ai le vertige sur le divan. Aphanisis. Je ne sais plus si je suis homme ou femme. Quand cet égarement me saisit, S. reste sans voix. Le ciel est vide. Ce n'est pas Dieu qui me manque mais une réponse sur mon sexe. L'homme en moi s'agite. Dois-je le faire taire ou lui laisser la place ? La femme en moi revendique. Dois-je l'écouter, la dorloter ?

Herculine Barbin se suicide au gaz de son poêle à charbon de bois. On ne peut pas vivre en étant homme et femme à la fois

Toujours le vieux rêve de rassembler en un ses deux parents, mais toujours un se divise en deux. Je suis homme d'accord mais que le meilleur gagne, je serai femme.

Je m'y emploie sur le divan.

2 septembre 1978

Les vacances sont finies. Je dois m'arrêter d'écrire sur le fond pour courir en surface, après de gros lièvres creux. C'est à la fois un bienfait et un arrachement. Bienfait parce que je suis enfin dans la vie. Je la gagne, comme on dit. Arrachement parce que je me reconstituais à remonter le temps.

5
En surface

« Rien n'est voilé qui ne sera dévoilé et rien n'est
secret qui ne sera connu.

Ce que je vous dis dans les ténèbres, dites-le en
pleine lumière, et ce que vous entendez à
l'oreille, proclamez-le sur les terrasses. »

Évangile selon saint Matthieu, 10, 26.

Maintenant, je cours après ce texte. Huit mois ont passé et la vie s'est précipitée. Je ne sais plus comment rattraper cet hiver 1977 où j'en suis restée, seule avec Caroline auprès du lit où ma mère souffre et s'amaigrit. Nous cherchons de l'argent, de l'amour. Nous n'avons pas de feu.

A ceux qui sont collés au sol, épinglés comme des papillons dans la boîte d'un chasseur vicieux qui leur laisserait juste un souffle pour qu'ils continuent à se débattre, à ceux qui, comme je le fus, ne voient plus que la mort à portée de leur main épuisée, puis-je livrer cette histoire en parabole d'espoir ?

Cette histoire ne comporte plus de suspense. On sait, à cette page-ci, que la vie revient. Oui, je le jure, elle revient même en trombe. J'ai déjà peur d'oublier ces longues années d'ankylose où je fus la championne immobile de l'idée fixe. Je dois me souvenir que si la vie revient, la folie peut revenir aussi. Quand on a perdu la raison, on peut la reperdre. On se sent fragile à jamais. J'ai hâte de revivre, j'ai hâte d'écrire autre chose mais ce récit je dois le finir. Les nurses me l'ont assez répété : « Pas de dessert si vous ne mangez pas les choux-fleurs au gratin. » Je garde les choux-fleurs au gratin au fond de ma bouche. J'en fais une boule qui va d'une joue à l'autre et que j'espère pouvoir cracher quelque part quand les nurses tourneront la tête. Mais les cerbères ne me quittent pas et je finis par avaler d'un coup. J'avale comme on crache, que ce soit à l'extérieur ou à l'intérieur. C'est pareil, le même haut-le-cœur, le même hoquet d'indigestion. J'avale ou je crache pour m'en débarrasser.

Après, j'aurai oublié cette bouche ressasseuse. Je serai légère, je m'envolerai. Les mots m'emporteront.

Dans l'autobiographie, on rumine le chou-fleur. On est ligoté par la vérité. Les mots ne sont jamais assez justes, le récit jamais assez exact. On ne peut jamais se laisser porter par les mots.

Dans le roman, les mots viennent comme ils veulent. Ils guident le texte. Ce sont des mots libérés par l'inconscient. Pas des mots qui essayent de le cerner. Heureusement, l'inconscient échappe toujours. Ce qui donne parfois aussi à l'autobiographie la précision trouée de l'art.

Ma vie n'est pas un trésor et je n'aime pas les secrets. Ils me paraissent inutiles ou pervers. Au contraire, tout mettre en circulation me paraît joyeux, provocateur, voire même créateur. Souvent on garde quelque chose en secret pour lui donner du prix, sachant bien que ce quelque chose, une fois divulgué, ne vaudra plus rien.

Mon petit tas de secrets, lu par d'autres, n'aura plus aucun intérêt pour moi puisqu'il ne sera plus secret. Tout le monde pourra me le raconter. Je pourrai enfin l'oublier.

Mais quel effort je demande au lecteur. M'écouter, moi, mes petites affaires. Alors que personne n'écoute personne. Mon style sera-t-il assez coulant, saccadé, imprévisible pour qu'à chaque phrase, le lecteur ait envie d'aller plus loin, de découvrir avec moi comment je m'en tire ? Comment chaque fois dans ma vie et dans le récit que j'en fais, je me mets au bord du précipice, comment je fais la pirouette, le double saut périlleux, et hop me revoilà.

Je dois me dépêcher. Déjà, on m'appelle ailleurs. Alors que ce récit réclame un certain éloignement, j'ai entendu, cet hiver, se rapprocher les voix fraternelles de mes anciens séducteurs. Les sidérurgistes de Longwy, affolés de devenir chômeurs, ont mis à sac quelques édifices publics. Comment ne pas courir à Longwy leur dire : « Je vous aime » ? Comment ne pas s'indigner des atteintes à la liberté, aux droits de l'homme que Giscard bafoue habilement, entre deux « interviews intimes » télévisées. Plus le droit de manifester sans montrer au préalable comment on va marcher et dans quel sens, plus le droit de faire la grève à la télévision, plus le droit d'accueillir les Basques espagnols. En revanche, on colle deux ans de prison à un jeune qui se trouvait dans une manifestation par hasard. On arrête de faux casseurs parce que les vrais sont des policiers déguisés. On nous crie « Aux loups », on nous brandit l'épouvantail de la violence dans le métro, de la délinquance omniprésente. Le gouvernement s'égosille : « Attention, attention, le danger est partout. » On nous recommande d'avoir peur. Heureusement, le gouvernement veille sur nous.

Nous n'avons plus qu'à rester calfeutrés chez nous. Surtout, ne plus bouger pendant que le capitalisme se recycle tranquillement, en envoyant au chômage des régiments entiers. Giscard a finement calculé : « Pendant qu'ils barricadent leurs portes, ils n'élèvent pas de barricades. »

J'entends d'autres voix en écho : « Mais vous n'avez pas encore compris que les barricades ne servent à rien. Toutes les révolutions sont trahies, le totalitarisme est partout. Rien ne sert à rien. » Et puis, ces voix qui devraient se taire puisque rien ne sert à rien, ne peuvent s'empêcher de délivrer des solutions et des vérités et de ressortir un vieux gadget qui, lui, a beaucoup servi : Dieu. Que ce soit celui du Coran ou celui de la Torah, les voix le lancent sur le marché. Comme les voix ne peuvent plus parler au nom des masses, elles parlent au nom de Dieu. Lui au moins ne les démentira pas.

Tous les quinquets des tavernes s'allument pour distraire de la peur du vide. Comme rien n'a remplacé le marxisme, bien vite jeté à la poubelle de l'histoire, les idéologies les plus simplistes refont surface. Des voix hideuses osent même entonner le sale couplet que l'on croyait discrédité par le génocide. Elles crient « Mort aux juifs » avec de plus en plus d'entrain. Ceux qui n'en sont pas à ce degré de haine se bouchent pudiquement les oreilles.

Peut-on rester indéfiniment les oreilles bouchées ?

J'essaie de ne pas les entendre, toutes ces voix, ni celles des sidérurgistes, ni celles des ministres, ni celles des néo-nazis, ni celles qui passeront de mode au printemps, mais de temps en temps elles

131

me pressent tant que j'ai envie de sortir de chez moi, de ce récit justement.

Déjà, cet hiver, je suis allée en Iran où la révolution islamique avait éclaté. Vais-je, jusqu'à la fin de ma vie, me lancer dans ces expéditions dérisoires, dans ces batailles sans victoire ? Sans doute. Rien ne sert à rien, j'ai payé trois ans de divan pour le savoir et je le sais. N'empêche, je bougerai. Ne serait-ce que parce que l'on ne peut pas rester tout le temps enfermé chez soi. Pascal l'a dit, tout le malheur vient de là, des quatre murs. Je ne chercherai pas d'autre alibi. Je crois même que les écrivains qui partaient en Espagne, en Algérie ou à Billancourt, n'en avaient pas d'autre. De temps en temps, ils avaient besoin d'un but à court terme pour se ménager des surprises. Penser est une activité trop pessimiste qui conduit, à la longue, toujours au même endroit jonché d'ossements.

La bataille que je livre sur le papier ne sera pas non plus victorieuse. Saurai-je jamais pourquoi je m'épuise à pourfendre les menteurs ? A leur prouver qu'ils ont tort (et bien sûr que j'ai raison). Quand on gagne, ça va de soi. On se réjouit très peu parce que l'on sent très vite que l'on n'a rien gagné. En fait, on a gagné de ne pas avoir perdu, ce qui est énorme parce que cela évite une douleur mais la douleur est quelque chose que l'on n'imagine pas, donc on ne sait pas ce que l'on a gagné.

Avec ce genre de raisonnement, je n'avance pas dans la suite des événements qui me talonnent. Ma démarche est urgente. Pourtant, je dois résister à la hâte. Le style, ça ne se bâcle pas.

Comme tout le monde maintenant a appris à écrire à l'école et s'épanche dès qu'il a la nausée, ça fait une sacrée masse de papier et pour s'extraire de la masse, il faut vraiment prendre son temps, polir l'objet. Pas vomir pour dégager l'estomac, ce qui est tentant mais peut se faire aussi bien au cabinet. J'ai vomi, moi aussi, à l'aube. J'ai gémi au plus près de la sensation, croyant que résidaient là la spontanéité miraculeuse, le lyrisme de l'écriture. Puis, j'ai lu des milliers de pages où des femmes vomissaient et gémissaient de la même manière molle et lâche. Elles n'avaient pas osé écrire jusque-là et pensaient que tout écrit est bon à lire. Seulement à force d'écrire toutes la même chose — parce que la douleur est la même — on ne les lisait plus.

Il ne s'agit pas de ne plus gémir. On ne peut pas faire comme si la vie était une prairie verte mais il s'agit, si l'on veut parler de sa douleur, d'aller vraiment là où ça fait mal, c'est-à-dire dans l'effort du travail.

Non parce que l'effort est en soi valeureux, moralement bien vu, mais parce que pratiquement, l'on n'arrive à rien sans effort. On a trop dit aux femmes qu'elles n'avaient qu'à paraître pour exister, qu'à jouir pour être heureuses. On les a, encore une fois, menées en bateau.

Quant à la complaisance dont on taxe tous les écrits féminins et autobiographiques, j'en prendrai la défense. Dans le mot « complaisance », il y a plaisance, comme bateau de plaisance. Pourquoi n'aurait-on pas plaisance à voguer avec soi ? Si l'effort est nécessaire à l'écriture, pourquoi ne pas avoir le plaisir ? Dès que cette notion de plaisir apparaît, la connotation péjorative va de pair. Plaisir toujours suspect, en sortira-t-on du judéo-chrétien ? En parlera-t-on un jour comme du paléolithique ?

En revanche, une vertu à l'honneur dans toutes les religions, dans toutes les civilisations, dans toutes les sciences, me semble la clé de voûte de toute construction, que ce soit une vie ou une œuvre : la patience. La psychiatre qui m'a plongée deux mois dans le sommeil me disait : « Ce qu'il faut pour vous en sortir, c'est de la patience. Tenir jour après jour, mois après mois, pendant deux ou trois années. User votre souffrance avec patience. »

Son discours et sa cure me paraissaient aberrants. D'autant que je ne voyais pas ce qu'il pourrait bien y avoir d'agréable à vivre après ces trois années de patience.

Le sommeil artificiel et les produits chimiques de cette psychiatre me réduisaient à n'être qu'une enveloppe, un corps sans tête, mais son histoire de patience, tout compte fait, n'était pas fausse. Il fallait le temps d'user la souffrance. J'ai préféré l'attaquer sur le divan avec ma tête que la fuir, décervelée par l'arsenal des drogues, mais je n'ai pas évité les trois années.

On égorgerait les donneurs de conseils. J'en ai été abreuvée : « Lève-toi et marche » (militaire), « Cesse de penser à toi » (chrétien), « Cherche ce qui te dépasse » (zen), « Secoue-toi » (gymnaste), « Écris » (culturel), « Trouve du travail » (social), etc. Les pires conseilleurs sont ceux qui recommandent la patience. Particulièrement énervants, ces lents fatalistes, quand on a hâte de terminer un travail, hâte d'aller mieux ou hâte de mourir. Particulièrement agaçants car rien ne prouve qu'ils aient tort. La patience, on le sent confusément, contient un mystère. Cette précipitation pour aller au plus vite au bout du repas ou de la visite de l'exposition n'est-elle pas la hâte à se débarrasser du pire, de la fin. Comme le mauvais bonbon que l'on avale d'abord, pour savourer après le meilleur.

Mais si l'on accepte que la fin vienne à son heure, pourquoi cette hâte ? Pas besoin d'accélérer le mouvement, d'avaler le mauvais bonbon. J'ai recommencé à pouvoir légèrement respirer quand, un jour où j'expliquais à S. que j'étais pressée d'en finir, que je ne pouvais plus rassembler les morceaux éparpillés de ma vie, que ma tête éclatait, que je la sentais physiquement s'en aller lobe par lobe, que toute mon énergie se tendait à essayer de tenir ensemble ces lobes de mon cerveau, elle me répondit : « Ne soyez pas pressée. » Alors, je lâchais tout. Je me payais la folie. Des cris incontrôlés s'échappaient de moi comme j'en ai entendu dans les hôpitaux psychiatriques. Je marchais la nuit, dans les couloirs, bien que ce fût défendu. Je tombais par terre parce que j'étais trop engourdie par les drogues, mais même engourdie j'entendais ces cris impressionnants, toute cette misère insondable qui s'échappait de l'âme, par des cris de bête.

Après quelques jours où je n'exigeais plus rien de moi, où je hurlais en marchant sur le Causse, où je prenais la maison du Lot pour un hôpital en ayant encore assez d'esprit pour mesurer le privilège de ne pas y rencontrer d'autres malades, je me réveillai, un matin, avec une irrépressible envie d'écrire. C'est le début de ce récit, après les feuillets du délire. C'est le début de la remontée. Comme on dit si justement, je prenais ma tête entre mes mains.

La main qui écrit pour ne pas se masturber. Quand j'étais petite fille, j'avais commencé à écrire un texte qui s'intitulait : « Oh, maman arrête. » C'est peut-être ce texte que je poursuis aujourd'hui. Comme quoi, j'avais bien le temps.

Aujourd'hui, j'ai hâte de passer à autre chose. Mais pourquoi ? Personne n'attend rien de moi. Difficile d'accepter que personne, non vraiment personne, ne nous attende nulle part, de pied ferme. Alors, on s'invente des rendez-vous urgents. On arrive même à s'imaginer que l'on guette la sortie de notre livre, que l'on nous attend, quoi.

Et on est si content d'être attendu que l'on se dépêche. Ces rendez-vous fictifs masquent l'autre, le vrai. Celui qui peut attendre mais qui est si menaçant parce qu'il est le dernier que l'on court aussi, stupidement, pour ne pas le rater.

Je sais de quoi je parle. Je ne vais jamais assez vite. Mon vice principal, c'est l'impatience. Les adjectifs qui commencent par IMP collent à mon dos : impatiente, impérieuse, impulsive, impétueuse, etc., jusqu'à imparfaite bien sûr, ce que gronde la nurse avec son voile et son col blanc, photographiée près de mon berceau.

Peut-être cette fois ai-je pris tout le temps parce qu'il m'est pénible de parler de maman. Elle est mourante, cet hiver-là.

Cette nuit-ci, je viens de rêver qu'elle ressuscite à Marseille, où nous habitions ensemble pendant la guerre. Elle est gentille mais cela m'ennuie, parce que je sais qu'il va falloir qu'elle meure à nouveau. Que « je me retape sa mort ». Cette expression, dont je perçois la trivialité, vient du rêve. L'inconscient dit bien ce qu'il veut dire.

Maman donc, gît, sans le savoir, sur son lit de mort. Terriblement touchante parce qu'elle cache sa douleur mais pour moi, c'est un mensonge de plus. Comme j'aimerais qu'elle se plaigne, que je puisse la consoler.

Non, pas d'attendrissement. Le grand-père américain veille au grain. Ses filles ont du maintien. Ma tante, à laquelle je demandais l'autre jour pourquoi on n'avait jamais parlé des camps de concentration dans la famille, m'a répondu : « Je ne vois pas pourquoi on parlerait de choses désagréables. »

On ne parle donc de rien à table et moi, je mets les pieds dans le plat. Le comble, ces temps-ci, j'ai l'audace de me plaindre. Ma tante dit : « Tu n'as plus l'âge de pleurer. »

Juste au moment où enfin, chez S., je m'intéresse à moi, elle me rend, une fois de plus, coupable. Je n'arrête pas de la craindre, de vouloir lui plaire. Elle me dit : « Tu es fatigante. »

Les deux sœurs ennemies, ma mère et ma tante, Aimée et Lise, comment faire pour leur plaire à toutes les deux ? J'aime l'une et pas l'autre. Je n'aime jamais celle qu'il faut. Je ne peux les satisfaire toutes les deux. J'essaye, quand je lui rends visite, d'expliquer à maman ce dilemme de mon enfance. Elle coupe : « De toute façon, c'est moi que tu préfères. » Pour elle, c'est simple, on ne peut que préférer Aimée Mortimer. Son nom écrasant, elle le signe avec des lettres qui grandissent à mesure que sa vue baisse.

Elle ne veut pas porter de lunettes. Cet indice de l'âge, elle le bannit comme tout ce qui est désagréable. Elle écrit gros pour pouvoir se relire sans lunettes. Sa signature s'étale au bas des lettres ou sur les chèques comme un paraphe royal.

On doit cacher à maman qu'elle va mourir. Elle ne veut pas le savoir. Peut-être au fond le sait-elle. Je ne vois qu'une chose, elle aura menti jusqu'au bout.

J'enrage de ne pouvoir arracher le dernier masque. En même temps, ma cruauté me désole. C'est vrai que je suis méchante, fatigante.

Évidemment, je peux philosopher, admettre qu'il n'y a pas de vérité, que tout le monde ment, que le mensonge prouve la fragilité de la nature humaine, sa beauté.

Que donc maman est belle et fragile.

Je peux reconnaître aussi que maman est dans la vérité de toute femme. Elle se veut éternelle et se donne les moyens du bord.

Chez S., je m'accable :

« Je ne pense qu'à moi. »

S. dit : « Vous ne me parlez que d'elle. »

Maman ne peut plus marcher mais elle compulse, sur son lit, les cartes Michelin pour repérer les lieux où elle filmera l'hiver, la *Quatrième Saison* de Vivaldi, sa prochaine émission.

Elle ne verra pas l'hiver, la neige dans le Jura. Pauvre maman. On s'extasie sur son courage. Je n'arrête pas de désirer sa faiblesse. Je l'accompagne aux séances de rayons. Sur son brancard, elle fait encore du charme au personnel. Elle remarque : « Comme il est joli garçon, l'interne. » Elle plaisante. On l'adore. Sa mère voulait la prénommer : « Adorée ». On me dit : « Votre mère, quelle personnalité. » J'ai envie de dégueuler. Je m'oblige à penser à autre chose, à ne rien sentir. Je sors ma cuirasse. Celle qui m'a servi depuis que je suis née et qui a craqué avec ce sinistre bruit de ferraille.

Je ramène maman chez elle, en ambulance. Elle souffre. Son visage grimace. Je tourne la tête. Elle dit : « Merci mon amour. » Je ne suis pas son amour. Mensonge, mensonge.

Pendant les visites que je lui fais, je la presse de questions sur son passé. Elle va l'emporter. Qu'elle m'en laisse quelque chose. Elle refuse : « Tu es assommante. Ce que tu peux bêtifier avec l'enfance. Cela n'a aucun intérêt. Les enfants sont idiots. »

Comme elle a mis sa cuirasse, elle aussi. Impossible de la lui enlever. Je lui parle de Thésée auquel je souhaite pardonner. Elle se redresse sur ses oreillers : « Mais qu'est-ce qui te prend ? Il s'est conduit de façon dégueulasse. C'est tout. Tu veux que je te dise, cette bonne femme, psychanalyste, elle te rend encore plus folle. »

Les hommes, tous des salauds. Je lui rappelle qu'elle disait cela de mon père. Elle s'énerve : « C'est toi qui le détestais. Tu disais que le jour où tu le rencontrerais, tu lui dirais : " Bonjour Monsieur ". »

Cette première rencontre avec mon père, elle me l'avait gâchée en m'enjoignant de lui réclamer une paire de chaussures. « Il n'a jamais rien payé pour toi. Demande-lui des chaussures. » J'avais seize ans. Mon père, que je n'avais pas vu depuis l'âge de six mois, est apparu. Comment nous sommes-nous reconnus ? Ma mère était peut-être présente au début ? A quoi ressemblait-il ? Qu'a-t-il dit ? Je ne me souviens de rien, que de cette paire de chaussures que je n'osais pas lui demander et de la crainte de sa fureur à elle, quand je rentrerais sans chaussures.

J'ai sûrement fait monter la fièvre de maman, ce jour-là : pardonner aux hommes, il ne manquait plus que ça.

Parfois, elle s'endormait devant moi. Je souhaitais qu'elle ne se réveillât pas. J'examinais sa peau flapie, sa bouche qui dégoulinait du rouge à lèvres dont elle continuait à se barbouiller. Elle ne distinguait plus le dessin de ses lèvres, le rouge débordait. J'examinais ses cheveux roses. Le coiffeur venait la teindre dans son lit mais il n'arrivait plus à trouver la couleur, ou bien, comme il disait, les cheveux ne prenaient plus. On admirait sa coquetterie, son souci de paraître au mieux d'elle-même. « Quelle nature, elle ne se laisse jamais aller. »

Je regrettais justement qu'elle ne se laissât pas aller, que je ne puisse pas la voir avec ses cheveux blancs.

Je me raisonnais. Si elle se plaignait, ce serait pire. Je ne pourrais pas l'aider, je ne trouverais pas d'autres mots que ceux de la résignation. C'est vrai qu'elle avait plus d'allure dans sa dénégation.

Oui, mais si nous pleurions ensemble, au moins l'amour passerait. Au moins, nous serions, pour la première fois, unies. Nous pourrions à la dernière minute découvrir ce qui nous avait tant manqué. Elle saurait enfin que je l'ai aimée, Aimée Mortimer.

Maintenant si je lui dis que je l'aime, elle va se méfier, se demander ce qui m'arrive. Cela va lui faire comprendre qu'elle va mourir. Je dois donc ne rien dire.

Ma tante non plus ne dit rien. Elle se plante à côté du lit, scrupuleusement chaque jour, reste un moment convenable et repart, après avoir parlé aimablement avec la femme de chambre comme cela se fait dans les bonnes familles. Maman dit : « Ta tante est un iceberg. Ce qu'elle m'ennuie. Nous ne devons pas être nées du même père. »

En fait, ma tante a du chagrin. Plus elle en a, plus elle est raide mais elle envoie des fleurs à sa sœur et sur la carte, elle signe « Lili ». Du surnom que leur mère lui donnait quand elles étaient de petites sœurs. Lili, ma tante si digne. Ce « Lili » me fait fondre en larmes.

Je sanglote chez S., je ne peux plus prononcer une parole.

S. dit : « Ne serait-ce que reconnaître le chagrin, ferait une bonne séance. » Je demande à maman si sa mère lui avait, à elle aussi, donné un surnom quand elle était petite fille. Elle sourit : « Aimelein, je crois. Ce que tu es barbante. »

Petite Aimée, en allemand. Lili et Aimelein, comme elles se débattent pour ne pas se ressembler. Je suis entre les deux, un de leurs enjeux. Aimelein et Lili, les petites rivales. Maintenant, elles ne veulent plus se quitter. Plus Aimelein souffre, plus elle attend les visites de Lili et plus Lili se ronge. Aimelein dit : « Comme ta tante est gentille. »

Aimelein souffre de plus en plus. Le nombre des palfiums augmente. Aimelein dit : « Je n'ai pas à me plaindre puisque ce n'est pas le cancer. » Elle se fait, en douce, des piqûres rajeunissantes. Elle commande du Gerovital en Suisse par l'intermédiaire d'un ami qui la trahit. Car ses mensonges, c'est le plus absurde, ne trompent personne. Ses amis en rient. Ils l'aiment telle qu'elle est. Mais peut-être pour ses mensonges aussi. Elle me téléphone parce que je vais rencontrer ses amis auprès de son lit. Jusque-là, je ne connaissais pas son entourage. Elle ne tenait pas à se présenter comme une mère. Aujourd'hui elle me prévient : « Surtout ne parle pas de François. Personne ne sait que je suis grand-mère. » Ce que ses amis savent très bien. Et puis elle me dit que François est venu la voir. « Il est adorable, si tendre. Il m'a dit que j'étais belle. Ce n'est pas toi qui me dirais ça. »

Les amis de maman sont tous jeunes et disent : « Elle est plus jeune que nous. » Quel est ce concours où je me sens tellement perdante. Parfois j'ai l'impression d'avoir cent ans.

Je dis à S. : « Je ne supporte pas mon âge. »

Elle dit : « Vous prenez celui que votre mère ne veut pas. »

J'insiste : « Non, je suis finie. »

Elle dit : « C'est sa fin, non la vôtre. »

J'insiste encore : « La vieillesse me dégoûte. On ne peut pas

" bien vieillir ". Ce sont deux mots " vieillir " et " bien ", qui ne vont pas ensemble. »

S. concède : « La vieillesse n'est pas un âge rose. Mais on peut faire le pari de la sérénité. »

Je dis : « Quelle horreur. Rien de bon ne peut plus m'arriver. »

S. répète : « Vous ne pouvez pas tout prévoir. »

Parfois, en bas de chez S., je reste en boule dans ma voiture, pliée comme un fœtus, pendant une heure. Puis je monte et je parle, à toute vitesse, sans m'arrêter.

« Le temps est compté chez vous. Je n'ai pas le temps. J'ai trop à dire. » Elle dit : « Prenons le temps. » Elle attend que je m'épuise. C'est moi, alors, qui n'en peux plus, qui donne le signal de la fin.

Un dimanche où la pluie tombe, nous allons, Caroline et moi, déjeuner chez maman. Elle continue à recevoir à déjeuner près de son lit, à surveiller sur un carnet ce qui se dépense dans la cuisine qu'elle ne peut plus atteindre. Elle ne cesse pas d'ordonner.

« Il reste trois tomates farcies dans le frigidaire, Marie-Louise.

— Non seulement deux, Madame.

— Enfin, j'ai marqué trois. »

Elle se crispe de ne pouvoir aller contrôler elle-même dans le Frigidaire.

« Vivement que ce soit fini, cette affreuse sciatique. Quand je pense que je n'ai jamais été malade.

— Eh bien, tu as eu de la veine.

— C'est tout ce que tu trouves à dire. »

Caroline et moi sommes ternes et silencieuses. Elle nous admoneste : « Si vous voyiez vos mines. A faire fuir tous les mecs. »

Elle aussi, elle me fatigue. Elle est infatigable.

« Décidément, vous me désolez. Qu'est-ce que ça veut dire ces moues boudeuses quand on a la vie devant soi. Vous êtes jeunes, vous pouvez tout espérer. Qu'est-ce que je dirais ? Pour moi, ça commence à diminuer mais vous verrez, quand je serai guérie, j'en profiterai de nouveau. »

Caroline et moi repartons, honteuses, encore plus désolées. Caroline s'enferme dans sa chambre. Elle n'allume pas la lumière.

Elle passe des semaines dans le noir. Quand elle en sort, c'est pour me jeter à la tête que je ne suis pas sa mère, sa « mère de sang » comme elle dit.

Je dis : « Ne le regrette pas. Comme on aimerait parfois n'être sorti d'aucun ventre. » Elle trépigne : « Mais même à toi, je dois quelque chose. »

J'ai envie de la gifler. Je crie, sachant qu'elle a raison : « Mais non, tu ne me dois rien. »

Je perds toutes mes affaires, mes papiers, mon stylo, mon argent, mes lunettes, ma broche, mon écharpe, mon imper. J'emboutis ma voiture.

Je dis à S. : « Je perds tout. »

Elle dit : « Vous perdez peut-être ce qui vous encombre. »

Maman ne peut plus rester chez elle sans infirmière. La femme de chambre ne suffit plus. Impossible de suggérer à maman d'aller à la clinique. Elle a déclaré qu'elle n'irait jamais. Personne n'oserait se hasarder à son courroux. On ne propose pas à une reine une chambre sur la cour. Maman triomphe encore. Mon oncle paye l'infirmière. Ma tante dit : « J'ai un mari en or. » Je suis la nièce reconnaissante.

Chacun parfait dans son rôle. Je me sens pourtant à l'écart, sans rôle. C'est maman, l'artiste.

Je répète à S. ma litanie : « Je n'ai aucune place. »

Elle dit : « Vous en avez une mais vous ne la voyez pas encore. »

Nous présentons l'infirmière à maman. Elle la salue à peine. Elle nous montre du doigt, ma tante et moi.

« C'est elles qui l'ont voulu. Moi, je n'ai absolument pas besoin de vous. »

Nous faisons signe à l'infirmière de s'éloigner.

Maman dit : « Je ne veux pas de cette infirmière. C'est une vieille. »

Je regarde maman d'une manière si effarée qu'elle ajoute en riant : « Enfin, une vraie vieille. Moi je suis une fausse. »

Oh, j'ai envie d'embrasser maman. Pour son humour. Comme j'ai de la chance d'avoir une place dans une famille où on a de l'humour.

Et puis maman vient de reconnaître qu'elle est fausse en quelque chose. Aussitôt, elle devient vraie. Je l'aime. Nous rions ensemble. Elle dit : « Si au moins, vous me faisiez venir un infirmier, un étudiant en médecine, par exemple, je pourrais me faire belle pour lui. » Je lui trouve aussitôt un jeune médecin qui viendra la voir chaque jour mais elle le renvoie : « Tu as un drôle de goût. Ce barbu en jeans est crasseux. »

Elle préfère les médecins cravatés présentant l'autorité d'une science irréfutable qui va la sauver : « Le professeur X a dit que je devrais manger du foie de veau. » Elle commande aussitôt par téléphone, à son boucher : « Une petite tranche de foie de veau, comme pour un bébé », lui explique-t-elle en riant. Elle tient, avec ses fournisseurs, de longues conversations intimes. Ils vont tous me dire : « C'était une femme si simple. » Je les entends déjà.

Maman, qui était si gourmande, mange de moins en moins. Je cherche ce qui pourrait exciter son appétit. Elle me dit : « Peut-être des petits sandwiches à la laitue. Des canapés de pain de mie. On m'a dit qu'il y en avait de très bons chez Ladurée. » Je lui propose d'aller les chercher « Aux délices », une autre pâtisserie près de chez S. puisque je m'y rends régulièrement.

Je lui explique : « Ce sont les mêmes petits sandwiches. »

Elle dit : « Non, non, Ladurée, c'est mieux. »

J'entends qu'elle veut la durée. Bien sûr, maman, j'irai.

Elle picore à peine les sandwiches. Elle n'a plus faim du tout. Elle me dit : « Mange-les. » Je n'ai pas faim non plus. Elle m'oblige encore, comme quand j'étais petite : « Mange donc, on ne va quand même pas les jeter. » Elle m'oblige à les manger. J'avale tout rond les canapés. Je vais vomir à côté. Elle me dit : « Je suis sûre que tu es malade. Tu ne manges pas. Tu ne dors pas. Cette bonne femme ne te fait aucun bien. Tu devrais plutôt aller voir un médecin. » Je dis : « J'y suis allée. Il m'a trouvée en bonne santé. » Elle soupire : « Mais enfin, ta maigreur. Tu es creusée comme une Carabosse. Il n'a pas remarqué ta maigreur, il trouve ça bien, peut-être. »

De plus en plus souvent, maman s'endort devant moi. Dans les maisons qui dorment, je suis devenue celle qui ne dort pas.

Toujours éveillée quand quelqu'un remue. Espionne, à ce poste obscène que je ne veux plus occuper, je scrute encore le visage endormi de maman, qui s'amenuise, qui embellit. Plus elle pâlit, maman, qui se maquillait tant, plus elle devient belle. Des mots me viennent que j'étouffe : « Salope, salope. » Je pleure, je cours chez S. Je raconte les immenses portraits. Sa photographie signée Teddy Piaz, un mètre sur un mètre, au-dessus de sa baignoire. Dans cette salle de bains où régnait son image plus grande que nature, se répandaient l'odeur de son parfum, *Amour-Amour* de Patou, et l'odeur de son sexe. Comment ne pas l'adorer dans ce temple, parmi les poudriers, les flacons et les brosses en argent marqués à ses initiales A. M., les deux premières lettres du mot : AMOUR.

Je répète à S. en pleurant : « Je suis méchante. Je suis dure. J'écrase ou je suis écrasée. »

S. dit : « Vous ne connaissez que le déni ou le désespoir. »

Je me plains encore : « Entre la mort de ma mère, les soucis d'argent, les difficultés de travail, la crise de Caroline, je n'invente pas le désespoir. La situation objective est trop ardue pour que je puisse même faire mon analyse. »

S. dit : « La réalité que vous vivez est pénible. Vous pouvez difficilement fantasmer sur le divan. »

Difficile ? Alors, c'est fait pour moi. Je vais fantasmer, rêver à profusion, m'enfoncer plus loin dans l'analyse. L'adversité ne m'aura pas puisque j'ai relégué, aujourd'hui, mon obsession suicidaire.

Mes rêves charrient l'adversité. Je rêve que ma mère ressuscite et qu'elle écrit le beau livre que je n'écris pas. Je rêve que je dois écrire un article sur Marlène Dietrich (à laquelle maman se réjouissait de ressembler : « Je suis tout-à-fait Marlène »), mais je cherche Marlène partout et Marlène a disparu. Je rêve de la tête de maman, creusée comme une Carabosse, gisant dans le filet d'une voiture d'enfant. Je rêve que je lis un article nécrologique sur maman, mais elle ne veut pas que je le lise parce qu'on y parle de l'incendie de *la Vie de bohème* et que je suis trop jeune pour lire des récits de catastrophe.

La Vie de bohème, c'est maman telle que je l'aime. Beau, aime. Quand elle chantait à l'opéra. Jeune fille frondeuse qui bravait son milieu, pour l'amour de l'art. Pour se défendre contre l'étouffoir bourgeois. Maman chantait. J'entends les vocalises. Maman est un rossignol. Je suis fière. J'applaudis. Hélas, maman a brûlé les traces de sa carrière de chanteuse, les albums de photos et les coupures de presse où je l'apercevais dans ses costumes de scène, où je contemplais ses prouesses. Elle a tout brûlé pour que l'on ne puisse pas repérer dans quelles années elle chantait. Son âge, quelle hantise. Mais on sait tout, maman. Tout, sur tout le monde. Je peux tout écrire. Je ne dévoile rien.

Je rêve de longues histoires spectaculaires : Je suis couchée dans le lit à côté de ma mère mourante et Giscard flirte avec moi. Il commence à me faire l'amour tout habillé. Cela réveille ma mère. Dans un coin de la pièce, sur un lit plus petit, il y a ma tante et dans un autre coin mon oncle. Ils n'osent pas me réprimander parce que mon amant est le président de la République.

Lui, voyant ce trio, toute ma famille réunie, se fâche d'avoir à régler la note. Je m'offre tout de suite à la payer. Il m'invite à dîner. C'est un dîner avec les artistes de gauche. Il est assis entre ma mère et moi. Elle parle avec lui sans arrêt. Je les écoute en pensant qu'elle déconne. Je suis indifférente.

S. s'amuse : « Quelle mise en scène. » Nous nous amusons ensemble. Nous repoussons la réalité ou plutôt nous la mettons ailleurs.

S. dit : « Alors, c'est vous qui payez la note. »

Je rêve que je mets mon doigt dans le poudrier de maman, qui se referme comme une trappe.

S. dit : « Le doigt, tu dois ou tu ne dois pas. »

Je m'esclaffe : « C'est malin. » Elle rit aussi : « Bien sûr, je ne suis pas la clef des songes. » Nous travaillons ensemble. Nous nous débrouillons avec les rêves et l'adversité. Je rêve que je suis renvoyée de « TVB » où j'essaie de récupérer un statut professionnel.

La trappe, là aussi, menace réellement de se refermer. Les

144

collaborateurs décemment rétribués valsent vers la porte. On ne garde, pour trois sous, que des stagiaires malléables.

En est-ce terminé aussi, pour moi, du journalisme ? J'en ai tiré la meilleure part, les rencontres, les voyages, l'engagement et le débat permanents. Je me suis éparpillée, étourdie jusqu'au feu d'artifice, il fallait tout savoir, tout et tout de suite. La gratification aussi venait vite. Avec la parution rapide, on était vite félicité.

Je courais tellement, j'observais tellement que j'étais forcément « intéressante ». Moi ou ce que je racontais ? J'étais une somme des autres. Une catalyse en mouvement. Pendant des années, les voix des autres et la mienne se confondaient. On m'invitait, on me priait : « Vous racontez si bien. Vous êtes toujours là où il se passe quelque chose de neuf. Vous devriez tenir votre journal. »

Il est vrai que le journalisme ne permet d'écrire qu'une faible part de ce que l'on saisit sur le terrain, d'un conflit ou d'un entretien. Le meilleur peut-être, le journaliste le garde pour lui ou pour les dîners en ville. Ce sont les détails inutiles, les sensations furtives, les impressions trop personnelles, tout ce qui n'a pas de sens pour la démonstration, qui ne va pas dans le sens du « papier ». Nous fuyons tous le non-sens. Même sur le divan, le non-sens est si révélateur que nous préférons courir dans tous les sens. J'allais dans tous les pays, chercher un sens pour ne pas reconnaître qu'il n'y en avait pas.

Mais l'on s'use au plus près du neuf. Jean Lacouture, un journaliste exceptionnel parce qu'il est modeste, parce qu'il ne confond pas sa tête et celle de ses interlocuteurs, parce qu'il ne se prend pas, par exemple, pour la somme de Ho Chi-minh, de Sihanouk et de Nasser, mais qu'il connaît, lui, Lacouture, le rugby et la tauromachie, ou qu'il s'intéresse dans son coin, des années durant, à Léon Blum ou à Malraux, à des voix d'outre-tombe, me disait : « Il y a un moment où l'on ne peut plus courir. Je l'ai compris lors de la rencontre Begin-Sadate. Comment n'avais-je plus envie de courir au Caire, en ce moment crucial, alors que je m'étais passionné toute ma vie pour le Moyen-Orient ? »

On peut penser qu'il s'agit là de lassitude, d'âge même, puisqu'on ne peut pas se débarrasser de ce cafard qui revient toujours sur le tapis, gratter avec ses vilaines pattes.

Mais non, il s'agit d'un regard qui ne regarde pas que soi à travers l'événement, qui ne demande pas à l'événement de mettre le journaliste en valeur. Lacouture est un journaliste que je salue. Je m'étonne de pouvoir en saluer si peu. Comme si je me voyais, avec la plupart des journalistes, dans le miroir de mes superficialités et de mes ignorances. En revanche, les gens qui cherchent patiemment à savoir vraiment quelque chose m'éblouissent. Tous ceux qui prennent leur temps.

Moi qui, à dix-huit ans, lisais un Faulkner pour dire : « Ah ! oui Faulkner », qui retenais les titres de ses romans pour parfaire l'illusion de ma culture, moi qui passais trois jours en Italie et rentrais en disant : « Ah, ce Cranach de la villa Borghèse » comme si je connaissais tous les musées, je ne me tresse pas des couronnes.

Comme Lacouture, il est peut-être temps de ne plus courir au Caire. Mais je cours encore. Chez Lacan, cette fois. Je rêve qu'il m'emmène visiter des expositions de pendules. Ou bien que nous voyageons ensemble à travers le Pakistan.

Aux leçons de psychanalyse à Vincennes, je me repose enfin. On me parle et je peux me taire. J'ai tout essayé dans ces années où la panique m'étreignait dès qu'un être vivant s'éloignait de moi. Le cinéma ne m'aidait pas. Sur l'écran, des gens se parlaient entre eux, me laissant seule dans le noir. Épuisée par les nuits sans sommeil, je m'endormais souvent au milieu du film. Je me réveillais en sursaut, bondissant hors de la salle, pour rattraper mon esprit envolé, mon nom oublié.

A Vincennes je m'endors aussi mais quand je me réveille je vois des visages amis. Je crois que je comprends ce qu'ils disent. Hélas, je ne retiens rien. Je m'en désole. S. me répète de ne pas m'étonner de ma fuyante mémoire.

« Ce phénomène est fréquent. Je vous l'ai dit trente-six fois.

— Je sais, mes amis analystes me le disent aussi. »

S. sourit. « Vous aviez sans doute besoin que ce soit moi qui vous le dise. »

Je cherche à lui prouver mon incompétence. Je parle d'un patient dont un analyste racontait, devant moi, la cure en disant : « Le patient m'a quitté, enchanté mais je ne comprends rien, il n'a pas symbolisé la castration, il n'a pas trouvé de signifiant. Je me demande ce qu'il a fait. »

Je dis à S. : « Moi aussi, je me demande ce que je fais. »

S. sourit encore : « Eh bien, ce patient a fait une analyse freudienne. »

J'insiste : « Mon analyse n'avance pas. Je n'arrive même plus à réfléchir. » S. sourit encore : « Mais vous rêvez. »

Je finis par déduire de la Sibylle qu'elle ne me croit pas incapable de devenir analyste. Alors, je potasse.

Lacan, c'est pas la joie. Au contraire, même, une jubilation tragique sur l'absence d'issue. Seule respiration, le nez collé sur le manque. Le sujet, objet partiel de ses parents, déchet qui ne peut que déchoir, ne peut qu'examiner sans fin et sans frémir l'impossibilité où se trouve tout désir d'accéder à la satisfaction. Les névrosés se laissent toujours séduire là où de l'impossible se propose. Là où le désir de l'autre fait la loi. Là, où on les traite de merde.

Au séminaire, le mardi, ils se bousculent. Lacan bougonne : « Je m'étonne que ce que je dis vous suffise. Il y avait donc de la place pour beaucoup de bavardage. »

Le saint homme. Enfin un qui ose avouer qu'il bavarde. Mais personne n'ose l'accompagner dans cette vérité où il se débat.

Les fidèles du séminaire déjeunent gaiement. Ils sont contents de faire partie d'une paroisse. Les déchets sont les autres. Même analyste, on se rassure comme on peut, on se passe difficilement du collectif.

Après chaque séminaire, S. me recueille, prête l'oreille à mes imprécations : « Toutes les chapelles me font horreur. Toutes les familles. Que ce soit le journalisme ou le militantisme. J'ai envie d'y entrer, d'appartenir à un groupe mais aussitôt que j'y suis admise, je m'en exclus. »

S. dit : « Il y a des destins de la sorte. »

Au mot, destin, je sursaute. Destin, ce n'est pas un mot d'analyste.

S. elle-même s'étonne : « J'ai dit : destin.

— Oui, vous l'avez dit. Il n'y a plus qu'à tirer l'échelle. »

S. dit : « Pas exactement. Le soleil est le destin du palmier mais si le palmier pousse au Sahara ou en Bretagne, il n'a pas le même destin.

— L'analyse servirait à découvrir le meilleur terreau ? »

S. en reste là de son énigme. On peut imaginer que S. parle beaucoup. En fait, ses phrases ponctuent de longs silences, ceux de mon errance sexuelle. Suis-je malheureuse d'être une femme dans cette société-là, phallocratique et tutti quanti, ou suis-je malheureuse d'être une femme comme ma mère ? Pas de réponse. C'est là que je rencontre l'abîme. Que je définis mon destin.

Fellini, quand il tournait *Huit et demi,* m'avait donné une petite barque étrusque, qui provenait de fouilles archéologiques près de Rome : « Pour que tu sois l'héroïne de ta propre vie. »

Il ne m'avait pas dit qu'il fallait autant ramer.

Nous nous promenions dans Rome, la nuit. Il me disait : « Est-ce qu'on regarde par-dessus l'épaule d'un écrivain quand il écrit ? Alors pourquoi me regarderais-tu tourner *Huit et demi ?* Assieds-toi plutôt sur mes genoux. » Il m'appelait « Mikellina ». Il me traitait en père, me disait que pour l'amour il préférait les grosses femmes qui sentent fort le péché. Nous parlions de saint Augustin. Sur le plateau, quand il s'asseyait dans le fauteuil à son nom, il me faisait vraiment venir sur ses genoux avec une tendresse si naturelle que personne ne s'en offusquait.

Mastroïanni me téléphonait parce que Fellini m'invitait. Je me méfiais des acteurs célèbres : ils méprisaient les filles et les journalistes féminines, qui, à peu près toutes, leur tombaient dans les bras dès qu'ils clignaient d'un œil. Mastroïanni se méfiait aussi. Il voulait être certain qu'on ne couchait pas avec lui parce qu'il était Mastroïanni. Je lui expliquais qu'aucune fille au monde ne pouvait faire qu'il ne soit pas Mastroïanni. Il semblait s'en désoler.

Les flirts cinématographiques, c'est comme un air de java au milieu de la *Tétralogie,* mais Lacan tonne, si crépusculaire parfois. Je dis à S. : « Avec la psychanalyse, le doute est sans fin comme l'inconscient qui répète sans fin, qui ne s'use jamais. L'inconscient est du côté de la mort. Je veux aller désormais du côté de la vie qui se dégrade et finit. Pas dans l'enfermement de la psychanalyse où on se mord la queue. »

Je dis ces choses et bien d'autres : que les psychanalystes aux dents serrées, en rangs serrés, devraient partir à la guerre et gambader dans les prés, que les journalistes devraient s'asseoir à l'ombre des doutes. Que de toute façon, il n'y a pas de solution et que je me demande bien ce que je fais là à continuer d'égrener mon chapelet.

S. dit : « Je vais vous raconter une histoire, celle d'un juif qui voulait se convertir. Il dit au prêtre qu'il allait partir pour Rome. Quand il revint, il alla voir le prêtre et lui assura qu'il voulait toujours se convertir et le prêtre dit : « Alors, c'est un miracle. »

Dans un congrès sur le mysticisme, S. expose l'éthique du maître spirituel qui ne doit ressembler à rien pour ne pas faire obstacle au rien de Dieu, qui n'a pas à s'approprier la conduite d'une âme.

Je sens qu'elle applique la règle pour elle-même. Mon âme me reste dans la gorge, sur l'estomac, sur les bras, sur le dos. Je crie : « En fait, je veux écrire », mais c'est comme si je criais, je veux m'envoler. Je n'ai plus d'ailes. Je dis : « Écrire m'est de plus en plus interdit. C'est la première fois que je n'arrive même plus à écrire un article. »

S. malicieuse joue avec mon âme : « Une première fois, c'est toujours intéressant. »

Je rêve que Lacan, toujours lui, m'interroge. Il me demande si les vers

> « Elle est retrouvée
> Quoi ? L'éternité.
> C'est la mer allée
> Avec le soleil. »

sont de Rimbaud ou de Mallarmé. Je réponds Mallarmé. Il me dit : « Vous vous êtes trompée. »

Toujours le temps, toujours la mère, toujours la faute, ces thèmes récurrents.

Je dis à S. : « Je prouve dans ce rêve que je ne sais rien. » S. dit : « Mais c'est vous qui savez que vous vous êtes trompée. »

Un autre ami, Jacques-Alain, auquel je confie mon dessein encore vague de devenir analyste, me dit : « Il me semble que l'exercice de la psychanalyse ne correspond pas à ton rythme. »

Jacques-Alain qui m'appelait « la Torpille » au temps maoïste de la Gauche prolétarienne. La Torpille, cette héroïne de *Splendeurs et Misères*, qui « à dix-huit ans a déjà connu la plus haute opulence comme la plus basse misère et les hommes à tous les étages », finissait par se suicider pour l'amour de Lucien de Rubempré.

En fait, personne ne se suicide pour personne, mais on demande toujours pour qui quelqu'un s'est tué. Comme s'il fallait un responsable.

Avait-il prévu, l'intuitif Jacques-Alain, que je tenterais jusqu'au bout le destin de la Torpille ?

Suis-je encore la Torpille ou un poussif sous-marin ?

Maman, dans son lit, gémit en anglais. Quand elle se laisse couler, elle retrouve la langue de son enfance, l'anglais imposé par son père et qui n'est pas non plus la langue de sa mère allemande. Maman aussi a dû se contorsionner pour plaire à tout le monde. J'aime quand elle parle anglais. Je l'aime en anglais. Je l'aime sur la photographie qui la représente avec ses longues boucles brunes, déguisée en Écossais, tenant un cerceau. Je l'aime quand elle n'est pas encore ma mère. Je vais l'aimer quand elle ne sera plus.

Mon nez se couvre d'herpès comme chaque fois qu'une séparation s'amorce. Mon nez ou celui de ma mère ? Elle s'est séparée d'un bout de son nez qu'elle a fait rectifier pour le rendre moins busqué. Est-ce son nez qui repousse sur mon visage, mon nez d'herpès (née de pères) ? Ces jeux de mots sont-ils traduction de l'inconscient ou rébus pour amuser le patient, peu importe, l'apparition de mes pères sur mon nez me laisse moins seule.

J'ai envie d'aller retrouver l'ombre de mon grand-père en Israël. Noël approche. Les médecins ne savent pas si maman en a encore pour quelques jours ou quelques mois.

François part travailler très loin à l'étranger. Il me dit : « Je ne te téléphonerai pas pour pouvoir penser que tu vas bien. » Nathalie pirouette dans son rêve américain. Elle envoie une lettre du collège et prévient qu'elle part fêter Noël chez une amie, en Georgie.

Je reçois de « TVB » la lettre de licenciement prévue. Je ne regrette pas le journal mais je suis de nouveau sur le pavé.

Ce Noël, le quatrième depuis ma chute, va-t-il être encore plus navrant que les trois précédents ? Noël ne sera-t-il plus jamais que le point culminant de mes désastres ?

Fuyons, Caroline. Tant pis pour maman, elle attendra. Elle nous incite même à nous distraire. Courageuse Aimelein avec ses boucles et son cerceau, elle voudrait que nous soyons comme elle : des actrices, des femmes sensuelles qui dévorent les gâteaux à la crème et qui entrent en scène les bras ouverts. Si nous restons près d'elle, nous la désolerons encore avec nos tristes mines, nos bras ballants.

Fuyons, Caroline. Catastrophe pour catastrophe, dépensons l'argent qui reste, on verra bien après. Allons donc retrouver grand-père. Après, ce sera l'année prochaine. Partons pour Israël. Justement là-bas, ce n'est plus le ghetto, peut-être la naissance d'un État. L'Égypte veut la paix, Sadate embrasse Begin. Moi, je veux voir d'où je viens.

Caroline s'en fout. Elle se laisse trimbaler comme un paquet. Par moments, elle se réjouit mais son plaisir s'évanouit aussitôt qu'il apparaît. Après tout, son grand-père n'est pas le mien.

La peur du chômage au retour me harcèle. Aurai-je la force même de fuir ? Maman occupe tout l'espace. Seul me reste le chemin sablonneux de la psychanalyse. Isi me trouve, pour mon retour, un stage dans un hôpital psychiatrique de province. Je passerai la semaine avec les psychotiques. Je rentrerai le dimanche, pour voir mourir maman. Cette perspective si affolante, la proximité de la psychose, me fait l'effet du salut. J'aurais au moins quelque chose à faire, une expérience à tenter même si la folie me terrifie, celle des autres autant que la mienne. Pourquoi ne m'interne-t-on pas moi-même dans cet hôpital ? Pourquoi vais-je y aller maintenant, de l'autre côté ? Mais c'est justement parce qu'il n'y a pas de côté, que ma folie peut, paraît-il, me permettre d'écouter la leur.

J'ai peur de tout encore et de désobéir. Je dis à S. :

« C'est mal de quitter maman. Je ne suis pas gentille. »

S. dit : « Laissez vos nurses ici. Quand rentrez-vous ? »

Je réponds : « Le 7 août » au lieu du 7 janvier. Sept août, c'est tout ou sais tout. Je sais tout. On n'a cessé de me le reprocher. Les nurses, ma mère, ma tante, Thésée et les rédacteurs en chef et les dirigeants politiques : « Tu sais tout. Tu crois que tu sais tout. »

C'est vrai, je suis insupportable à vouloir faire avouer à ceux qui savent qu'ils se trompent, à morigéner ceux qui ne sont pas dans l'aveu de leurs doutes, qui se crispent sur leur certitude. Ceux qui savent, savent peut-être quelque chose. On ne peut savoir le tout de rien. Pourquoi tout et pourquoi rien ? En sortirai-je de ces extrêmes ? Mais pourquoi en sortirai-je ? Ceux qui font profession de leurs hésitations moisissent dans les marées d'une bonne conscience tout aussi factice.

Fuyons, Caroline, ce Noël et le reste qui nous rejoindra. Dans l'avion, j'envoie promener les nurses. Caroline me dit : « Qu'est-ce que tu as, à manger si salement ? Tu te fais plein de taches. » Le jus dégouline de ma bouche, s'étale sur mon chemisier. « Mais enfin, essuie-toi, dit Caroline. » Non, je me barbouille. Je me sens bien. Cela fait même des années que je n'ai pas été aussi bien.

J'ai oublié les nurses, maman, ma tante, Thésée, les rédacteurs en chef et les dirigeants politiques et même S. Je plane dans un avion qui me promet la terre de mes grands-pères.

A Tel-Aviv, l'atterrissage est brutal, j'ai perdu tout mon argent. On fouille l'avion de fond en comble. On nous plaint. Nous voici, Caroline et moi, juives errantes pour de bon. Caroline, l'enfant danoise, que j'entraîne au Golgotha.

Plus un sou, quelle nurse m'a punie ? Fallait-il que je perde cet argent en plus de maman ? Rejouer la perte indéfiniment ? Comptes d'apothicaire, je ne perds que ce voyage dans l'Israël des retrouvailles. On nous arrête, Caroline et moi. On nous prend pour des espionnes, on va nous rapatrier, parce que nos passeports, avec la même adresse et des noms différents, portent les visas semblables d'un voyage en Égypte que nous avons fait il y a quatre ans. Dernier voyage avec Thésée qui va nous hanter dans ces paysages frères. Nous inversons la Bible, nous fuyons l'Égypte en Israël. Nous fuyons tous ces souvenirs d'Égypte où nous avions encore si belle allure. Élégante famille blonde descendant le Nil sur un bateau à roue, flottant en felouque entre les rives du désert de Nubie et débarquant un jour à Assouan pour apprendre la mort de Pompidou.

La crise économique et sociale que traverse l'Occident, depuis la mort de Pompidou, coïncide avec ma propre crise. Au retour d'Égypte, Thésée rencontra l'autre femme. Comme aurait pu déclarer de Gaulle, j'entrai en convulsion en même temps que la France. Ainsi, quelquefois, les dates de l'Histoire servent de repères à la nôtre. L'année de la mort de Pompidou fut donc l'année d'une révélation, encore qu'il me fallut des milliers de larmes pour m'apercevoir que le nom de Thésée recouvrait le réseau mystérieux de mes peines anciennes. Thésée n'était qu'un prête-nom pour tous mes abandons. On cristallise le chagrin, comme l'amour, sur une personne insouciante que tout à coup nos passions foudroient.

Thésée nous poursuivait à travers le désert du Sinaï, quand enfin les douaniers nous relâchèrent et quand je pus me faire prêter un peu d'argent. Nous arrivâmes au bord de la mer Rouge qui ressemblait à un lac. Eilath et ses grands hôtels faux-chic, le soleil en décembre, nous étions dans n'importe quel prospectus du club Méditerranée. Caroline ne cessait de répéter qu'elle préférait l'Égypte et d'évoquer son père qui revenait chaque nuit, lui ou ma mère, dans mes cauchemars.

Nous profitâmes néanmoins des poissons de la mer Rouge, d'un voilier, le Nirvana, qui emmenait les touristes en promenade, et auquel je ne résistai pas, parce qu'il me rappelait un autre ketch, le Memory, où nous avions été jeunes, un été. J'avais photographié Thésée, glorieux, sur le pont du Memory et noté dans un carnet retrouvé cette phrase prémonitoire : « Je le photographie pour plus tard, pour savoir à côté de quoi je suis passée. »

A Eilath, Memory, Nirvana, l'un et l'autre se succédaient. Memory dans les cauchemars, Nirvana pendant les siestes au bord de l'eau quand les démons eux-mêmes se reposaient.

Avant de partir, j'avais promis à Caroline de la traiter comme une jeune mariée en voyages de noces, de l'emmener dans les hôtels de luxe de mon passé, avec lequel je n'avais pas renoué. Mais j'avais perdu l'argent et nous nous retrouvâmes chez une mama juive qui louait ses chambres à des hippies. Nous partagions à dix la même douche, nous dormions sur des lits de camp. Le logement à la dure me valut les seuls élans tendres de Caroline qui me félicitait de pouvoir vivre « hippy ». Son admiration m'étonnait, j'en avais vu tant d'autres, des campements, des planches de bois, des paradis pourris.

J'avais même dépassé la dose. Je me demandais s'il m'arriverait un jour de voyager à nouveau comme une dame. Pas toujours comme une étudiante paumée ou comme un reporter harassé.

Avec Thésée, je jouais parfois à la dame, mais je ne tenais pas longtemps. Les palaces m'envoûtaient, paradis retrouvés d'une enfance infernale, j'aimais pouvoir les revisiter à loisir, jusque dans les ascenseurs et les offices, m'assurer que le présent prolongeait le passé, mais dès que l'hôtel devenait une résidence, je m'enfuyais comme je m'exclus de tout ce qui me définit et m'installe.

Les palaces, trop chers, trop incompatibles avec la solitude, étaient devenus des lieux interdits. Je les contournais désormais de loin avec un désir éperdu d'y retourner.

La mama juive débarque tragiquement au petit déjeuner. Elle porte la misère universelle sur sa robe de chambre en nylon matelassée. Elle soupire : « *I would like to sleep for ever.* » Elle soupire bruyamment afin que nul n'en ignore. Puis elle s'étire et commence à s'abattre avec une autorité fracassante sur les hippies

154

pas rasés. S'ils écarquillaient leurs yeux bouffis, les hippies comprendraient à ces lamentations du fond des temps, à cette énergie de bulldozer que la mama est un pur produit du pays, qu'ils se réveillent en Israël. Mais les hippies se fichent pas mal du pays où ils nichent. Qu'ils s'ébattent à Formentera ou à Goa, ils tiennent le même discours nébuleux sur le rythme des saisons, sur la noblesse des attitudes sauvages quand la civilisation n'a pas pollué l'air pur qu'ils respirent enfin, eux aussi.

Un bon correctif de « hash » dans l'air pur, un gramme ou deux d'acide dans le sang frais, les hippies étaient affligeants. Ils balbutiaient sur les routes quand je les rencontrais. Une conversation basique où l'on n'échangeait que l'adresse de la meilleure soupe ou du meilleur « joint ». Ils se confiaient parfois leur prénom, leur âge, cela n'allait guère plus loin. Où se perdait le langage quand l'homme redevenait animal ? On pouvait redevenir singe en six mois.

D'autres s'efforçaient de me convaincre, Ketty au milieu d'un champ de cailloux grecs, Gunther au Sahara. Ils communient avec l'immensité et me donnent leur clef. « Il faut savoir vivre sans but. » Mais comment adhérer, si leur clef n'ouvre qu'à cette stupidité ahurie.

Gaspard, en dernière année de médecine, a fui à Java. Il s'est aperçu au moment du concours qu'il allait devenir mandarin comme son père, coller au schéma tracé de la bourgeoisie établie. Depuis, il tire l'eau du puits, il mange de la soupe et gratte sa guitare comme un hochet. J'ai envie de lui dire : « Rentre, ça suffit » mais au nom de quoi saurais-je que ça suffit ? Moi, qui conduis ma barque sans gouvernail, n'est-ce pas Fellini ?

Je dis à S. : « Je suis comme un bouchon sur la mer. »

S. dit : « Le bouchon de sa mère. » Mais quelle bêtise. S. est loin. Ma mère aussi. Nous sommes en Israël. Nous remontons en autocar le désert du Néguev. On lit dans le Zohar : « Les paroles de la Torah ne prennent tout leur sens que dans le désert car il n'y a de véritable lumière que celle qui surgit du fond de l'obscurité. »

Je cherche dans le Néguev la lumière de mes origines. Je vois la mer Morte qui étincelle au soleil, Massada, le piton du courage. J'imagine les juifs qui se balancèrent de là-haut plutôt que de se rendre. Des milliers de suicidés, des milliers de héros. Je ne suis pas comme eux. Je le dis à Robert qui, pour exalter ma résistance quand je défaille, me lit des passages d'*Aurore* de Nietzsche : « Les ressources spirituelles et intellectuelles des juifs sont extraordinaires ; dans la détresse, ils sont, entre tous les habitants de l'Europe, les derniers à recourir à la bouteille ou au suicide pour échapper à un désarroi profond — ce qui est si tentant pour quelqu'un de moins doué... Ils n'ont jamais cessé eux-mêmes de se croire voués aux plus grandes choses et les vertus de tous les êtres souffrants n'ont jamais cessé de les embellir. »

Mais, Robert, je ne suis pas assez juive. Cinquante pour cent seulement de mon sang vient d'ici.

A Jérusalem, cette moitié envahit mes veines. Je suis juive. Enfin, j'efface les traces du baptême à Notre-Dame-de-l'Assomption où la concierge, la principale confidente des peines de cœur de ma mère, est ma marraine. J'efface ma confirmation à Cadenet (Vaucluse) où le curé provençal s'enchante, avec l'accent du midi, de ma bonne connaissance du catéchisme : « Tu vas lui en boucher un coin à Monseigneur. » J'efface ma première communion avec ma robe d'organdi trop courte et mon lys à la main.

Je suis juive. Ma mère, qui s'est convertie, a voulu me convertir à son image, m'enlever mon sang juif. Elle dit que cette histoire de sang est de la fumisterie, qu'elle est catholique et moi aussi, puisque nous sommes baptisées.

Parfois, elle me convainc. Le plus souvent, ni juive, ni chrétienne, je me sens libre, désolidarisée de toute religion mais les collines de Jérusalem me révèlent que l'on n'échappe pas ainsi à ses ancêtres. Mon grand-père américain, ma grand-mère allemande n'ont jamais traversé la Samarie mais ils marchent avec moi le long du Jourdain.

Je les surprends à pleurer avec moi au mur des Lamentations. Je les reconnais au coin des rues de Jérusalem, portant leur roman, leur exode. Je les reconnais même parmi les religieux de Mea Shearim. Grand-père qui s'habillait comme le roi d'Angleterre mais refusait de manger de la viande non casher. Quand il fut bien vieux, ses filles lui faisaient une mauvaise plaisanterie. Elles lui servaient du jambon, l'assurant que c'était du saumon.

A Tibériade, j'arrache mes voiles de communiante, l'organdi et l'aumônière en forme de cœur. Je suis juive. Mais une autre interrogation aussitôt s'élève. J'avoue que je suis juive ou je le revendique? Je proclame ou je provoque? Même si l'on a cent pour cent de sang juif, on n'est jamais simplement juif. On ne peut jamais dire naturellement : « Je suis juif », sans que cela charrie un rapport avec l'Histoire, avec l'intelligence, sans que s'insinue un jugement. Rien de naturel n'est accordé aux juifs. Je suis avec eux sous le coup de la Loi, cette impénétrable Torah que l'on ne peut tenter de déchiffrer que dans le désert.

J'écris pour tenter de déchiffrer ma mémoire, afin d'arriver à l'oubli à partir duquel on peut inventer. Mais, comme les talmudistes, je peux travailler à l'infini.

Je regarde encore une fois le Mur. Tout s'arrête là, tout bute, il n'y a plus, là encore, qu'à inventer.

Nous essayons, Caroline et moi, de trouver la paix, mais même lorsque nous nous étendons sous les oliviers dans les jardins de la Mosquée, nous éprouvons la torture qui pèse sur Jérusalem au double chemin de croix, celui de Jésus et celui de Yad Vachem, tombeau de six millions de crucifiés.

A Bethléem, le vent souffle. A Jéricho, nous achetons des oranges. Caroline boude, s'oppose, traîne le pas. Elle ne cherche même pas les numéros des autobus. Mais ses moments de joie sont radieux.

« Tu vois, tu es contente de découvrir ce pays?

— Je suis là parce que je n'ai rien d'autre à faire. »

Le jour où elle s'épanouira n'est pas encore venu. Rien à répondre. Où me tourner? Vers Paris où maman se débat. Lui téléphoner. Peur d'entendre, comme un murmure, sa voix de soprano. Peur de ne plus l'entendre du tout. Elle décroche le récepteur de sa main amaigrie aux ongles rouges que la manucure vient vernir et revernir même quand ils ne sont pas écaillés. Maman fait aussi repeindre son appartement constamment. Elle désire que tout soit neuf. Elle jette les bibelots, les souvenirs. Elle dit que ça fait sale.

Au téléphone, elle me demande d'une voix faible si j'ai été à Bethléem : « Comme tu as de la chance. » De sa douleur, elle dit seulement : « C'est long. » J'entends « C'est long de mourir. » Veut-elle dire vraiment que c'est long de guérir ?

Je lui demande si elle a goûté le caviar que je lui ai laissé pour réveillonner avec ses amis : « Non, dit-elle, je n'avais pas faim. Nous le mangerons ensemble à ton retour. Ça te fera du bien. »

Elle ne cessera jamais de vouloir me faire manger mais elle cesse de manger. Quelque chose s'arrête. Elle qui aimait tant les sucreries. Elle qui se pesait chaque jour sur une balance qu'elle emportait même dans ses bagages, quand elle se déplaçait. Elle qui grossissait, moi qui maigrissais.

La nuit, le rêve d'Itinéraire Avallon revient. Cette fois, je suis actrice, je dois me présenter à une audition pour obtenir le rôle de Chimène (le premier rôle de Françoise, mon amie d'enfance, lors de ses débuts au TNP, une douzaine d'années avant son suicide). Je monte sur la scène, je dois dire mon nom qui est « Itinéraire Avallon » mais je n'arrive pas à le prononcer. Je bégaye. Je vais être disqualifiée. Plus le rôle m'échappe, plus je me dépêche et plus je bégaye. Aujourd'hui, je me demande si « Itinéraire Avallon » ne signifie pas l'éloge de la patience.

Maman, dans son lit, n'avale plus que quelques cuillerées de bouillon.

Avant de quitter Jérusalem, j'emmène Caroline respirer la magie des palaces à l'hôtel King David. Nous prenons le thé dans une volière assourdissante où des juifs américains, bourrés de dollars, s'épatent eux-mêmes. Ces Américains-là ne sont pas mes cousins, ni ceux de mon grand-père si puritain. Maman a raison. Je ne suis peut-être pas si juive. Les clients du salon de thé, immigrés de luxe, ont fait fortune en Amérique. Ils envoient en Israël la dîme de leur culpabilité, puis bons commerçants, viennent vérifier si le kibboutz rapporte, si Israël aussi fait fortune. Au King David, on se croirait au marché. Dans les palaces des temps anciens l'argent se cachait, maintenant il s'arbore.

En sortant du King David, j'achète chez un fleuriste une vasque de sable et de cactus, un bout de désert à ramener à Paris. Les douaniers passent le sable au tamis au cas où mon bout de désert recèlerait une bombe.

Dans l'avion, je frémis de ce qui m'attend à Paris ou plutôt que rien ne m'attende. Rien ni personne. Si, maman, ce qui reste de maman. Je dis à Caroline : « C'était quand même bien ce voyage. » Elle fait la moue : « Tu veux toujours que tout soit bien. » Je rétrograde : « Enfin, cela a vite passé. » Elle en convient, à sa manière : « Forcément, ce n'était même pas une coupure. » Je ne comprends pas. Elle précise : « Nous étions encore ensemble. Nous ne nous sommes même pas quittées. »

Un jour, dans un avenir proche, je l'entendrai avec stupeur décrire ce voyage comme un bonheur. Je manquais d'imagination.

Je ne prévoyais pas non plus les surprises du retour.

A Roissy, premier miracle, je retrouvai l'argent que j'avais perdu. Une vendeuse incroyablement honnête avait retrouvé la liasse de billets sur le comptoir de la boutique de parfumerie où j'avais voulu m'acheter un autre parfum, m'étant aperçue que je portais le même que ma mère. On payait très cher de vouloir quitter sa mère. Caroline venait de me le dire, mais que la vendeuse ait remis l'argent aux enquêteurs auxquels j'avais signalé cette perte m'apparut comme une sorte d'encouragement.

Deuxième miracle, *Marie-Claire* me proposait une collaboration régulière. Une place, de nouveau, dans la ville. Plus besoin de tenter ce stage affolant dans un hôpital psychiatrique. La joie de pouvoir continuer d'exercer le métier de journaliste, je ne la soupçonnais pas.

Finis peut-être les cauchemars de chômeuse. Cauchemar où Françoise Giroud m'engageait de nouveau à *l'Express* et me montrait, en s'excusant, mon bureau dans les WC. Cauchemar où Jean Daniel siégeait dans un tribunal populaire et me condamnait à danser nue devant les rédacteurs du *Nouvel Observateur* qui se fendaient la pipe. Nuit après nuit, je me retrouvais derrière des portes que l'on me claquait au nez.

Avant ce désert politique et professionnel, je n'aurais pas imaginé de collaborer à un journal féminin où l'actualité, la politique, les problèmes sociaux ont moins d'importance que la mode mais dans les journaux dits « d'opinion », on prend si peu les femmes au sérieux. Sauf quelques cas isolés promus au rang d'exception, c'est-à-dire d'alibis qui permettent d'autant mieux de refuser les autres, on se méfie des femmes. Leurs idées ne sont pas considérées comme politiques, surtout quand elles choquent, c'est-à-dire quand elles le sont.

Madeleine Chapsal, qui n'a jamais été un brûlot gauchiste et travailla longtemps à l'Express, peut-être une vingtaine d'années, a recueilli la même expérience que moi : « Lorsque les idées d'une femme journaliste, sur n'importe quel sujet, dérangent, ce "scandale rédactionnel " est mis sur le dos de son hystérie : elle pense ainsi parce qu'elle est une femme. On ne tente pas de discuter avec elle, de l'entendre — ce qui déplaît au premier abord est souvent une vérité nouvelle —, non, on préfère l'excuser. Elle s'est laissé emporter par ses nerfs, sa sentimentalité, son goût de l'exagération, son incapacité féminine à prendre en compte l'ensemble de la politique rédactionnelle du journal et la politique tout court. »

Quand une femme a eu raison, avec le petit sourire qu'on réserve aux enfants qui par accident (cela ne peut être que par accident) ont vu plus clair que les adultes, on lui dit : « Vous aviez raison mais il ne faut pas avoir raison trop tôt. »

Un journal féminin, donc, m'attend. Est-ce la confirmation que si les femmes ne collent pas au modèle masculin, elles doivent se retrouver entre elles ? Je me suis élevée contre cette tendance séparatiste du MLF et je ne crois toujours pas que l'on gagne à ce partage de l'humanité, les femmes d'un côté, les hommes de l'autre, alors que par ailleurs, nous réclamons la mixité, une éducation sans différence qui n'accorde pas les poupées et le ménage aux filles et les voitures et la science aux garçons.

Les femmes ont, au moins, le mérite de poser des questions,

l'audace de sortir des sentiers étriqués. Exilées à jamais du territoire maternel, impuissantes, sous peine d'homosexualité, à rejouer, comme les hommes avec chaque femme, un rapport amoureux avec leur mère, elles se laissent courir (errer) n'importe où. Elles m'enchantent par leur goût du risque, leur fantaisie. Avec elles, je ris. Avec les hommes — il y en a peu qui blaguent —, je me passionne ou je m'ennuie.

J'essaye de rire avec maman, de la faire rire avec les juifs du King David. D'un séjour qu'elle avait fait à New York, elle m'avait dit : « Je déteste cette ville, on n'y voit que des juifs. » Mais maman ne rit pas quand il s'agit de Dieu : « Ton histoire de bombe dans les cactus n'a aucun intérêt. Raconte-moi plutôt le berceau du Christ ou bien sainte Véronique. Il paraît que c'est poignant la station où elle a essuyé la Sainte Face. »

Trop tard pour avouer à maman que je suis juive, que je me suis reconvertie à l'envers, que je me moque de sainte Véronique. Je vais la laisser mourir catholique, faire venir un prêtre. Mais non, elle devinerait que Dieu la veut. Or, c'est encore elle qui veut : « Demain, je veux le coiffeur. »

Je dis à S. : « Je ne veux pas lui ressembler mais quand je fais le contraire je lui ressemble encore. »

S. dit : « Entre quelque chose et son contraire, il y a encore de la place. »

Je dis à S. ma joie d'avoir trouvé, en tout cas, une place à *Marie-Claire*.

« Finalement, je n'avais pas les qualités pour devenir analyste. Je n'ai ni votre indulgence, ni votre patience. »

« Pourquoi, dit S. patiemment, vous situer encore dans la ressemblance ? »

Oui, pourquoi ?

Maman au calvaire. Un matin, sa jambe tombe en poussière. On lui dit qu'elle s'est cassé la jambe, qu'on va la plâtrer à l'hôpital. Elle crie qu'elle n'ira pas à l'hôpital. On l'y emmène en lui jurant qu'elle n'y restera que le temps de réduire la fracture. On opère maman, on cisaille sa volonté de fer. Je supplie le chirurgien qu'il fasse en sorte que maman ne s'éveille plus. Il me prend pour une meurtrière.

Le moment est loin pourtant où, petite fille, j'inventais une association criminelle dont chacun des membres devait tuer une mère, mais pas la sienne, afin que le crime gratuit, sans mobile apparent, confonde la police et nous débarrasse, en toute impunité, de nos mères.

Le chirurgien m'interroge : « Mais est-ce sa volonté ?

— Ah non. Non pas du tout.

— Mais alors ? fait-il courroucé.

— La volonté de ma mère n'est pas non plus de se réveiller ici. C'est impossible qu'elle se voie à l'hôpital.

— Pourquoi impossible ?

— Elle ne veut pas cela. Elle ne veut pas mourir non plus.

— On ne peut pas gagner sur tous les tableaux », dit-il bêtement mais avec lassitude.

J'insiste : « Elle si. Elle croit qu'elle peut. »

Il dit : « C'est désolant. »

Je dis : « Ben oui. »

Il dit : « Courage, mon petit. »

Maman se réveille en souffrant, mais très vite elle espère encore : « Crois-tu, quelle malchance. Justement la jambe sans sciatique. » Elle amuse les religieuses qui se penchent autour d'elle : « Mesdames, je ne vais pas croupir ici, je n'ai pas la vocation. » Elle s'excuse gentiment : « J'ai la foi mais je suis une artiste. »

Maman augmente les doses de palfium. Je ne comprends pas comment elle n'avale pas ses boîtes d'un coup, comment elle n'en finit pas une bonne fois avec cette immonde douleur. Sa vitalité m'émerveille et m'écœure. Après la visite du chirurgien, elle m'explique, ravie : « Il paraît que c'est une fracture très nette qui va très bien se remettre. Le chirurgien accepte que l'on me transporte dans une clinique pendant que l'os se consolide. Après, je rentre à la maison. Cette fracture est une connerie, c'est la sciatique qui m'empêche de marcher. »

Tantôt maman me bouleverse et m'éblouit, tantôt elle me dégoûte. Je retrouve les sensations d'enfance.

Maman, à la clinique, se croit à l'hôtel. Elle nie les murs blancs, le règlement. Elle fait venir sa femme de chambre qui lui apporte ses draps à fleurs, ses oreillers de dentelle, sa vaisselle personnelle. Maman refuse ce qui porte l'empreinte de la clinique. Elle fait balayer sa chambre par Marie-Louise, proclame que son ménage ne sera pas fait par des souillons. Marie-Louise opine : « Que Madame se calme. J'ai même apporté nos chiffons. »

Maman tyrannise et fascine le personnel de l'étage. Le bruit court dans la clinique qu'une personne extraordinaire se trouve dans la chambre 509 et sous n'importe quel prétexte, des gens entrent pour la voir.

Maman détecte les ondes que suscite sa présence et s'en réjouit. « Ils n'ont jamais vu quelqu'un comme moi, ici. » Je lui dis qu'elle est belle et je le pense enfin. Elle dit : « Pourtant j'ai vieilli. Cette fois, j'ai trop maigri. » Elle ajoute : « Je dois même être bien moche pour que tu me trouves jolie. Nous n'avons tellement pas le même goût. »

Elle ordonne encore mais ses ordres se restreignent : « Mets les fleurs là, non pas là. » De moi, elle exige peu : « Ne viens pas me voir tous les jours. Le travail avant tout, il n'y a rien de plus important. » De ses amis, elle réclame une attention constante. Elle les insulte s'ils n'obtempèrent pas à la minute, s'ils n'approuvent pas chacun de ses propos. Mais ses amis l'adulent et la servent. Je dis à maman : « Comme tu es entourée, comme on t'aime. » Elle dit : « C'est parce que je ne fais pas tout le temps la gueule, comme toi. »

Le cancer s'étend, mais chaque fois qu'une autre partie du corps est atteinte, maman esquive la vérité. Sa bouche écorchée vive l'empêche désormais d'avaler même le bouillon. On lui dit qu'elle a du muguet, des aphtes dus à la malnutrition. Elle dit : « Vous vous rendez compte, du muguet, comme les enfants. Il ne me manquait plus que ça. Heureusement, je reprendrai vite du poids en sortant, avec ma nature à grossir. »

Cependant, un matin, pour la première fois, je la surprends en larmes. Elle dit qu'elle n'en peut plus, qu'elle s'en va de partout, qu'elle s'effondre. Je la console, je la comprends, je lui dis qu'elle est courageuse, trop courageuse. Que je ne sais même pas comment elle n'a pas craqué plus tôt. Maman toute petite, je l'embrasse, je l'aime enfin sans détour, j'ose lui dire. Je dissimule encore mon chagrin mais ce n'est pas le même chagrin. Enfin, je suis une brave fille qui perd sa brave mère. Enfin, je vais être, pour de bon, orpheline.

Le soir, au téléphone, ma tante me dit : « J'ai vu ta mère, cet après-midi. Elle m'a dit que tu as été horrible avec elle, ce matin, que tu l'as enfoncée au lieu de lui remonter le moral. »

Je veux me disculper : « Elle allait si mal ce matin, tu ne sais pas...

— Pas du tout, dit ma tante. Cet après-midi, elle était comme d'habitude. »

Je dis à S. : « C'est comme dans le couple, il n'y a pas de sang pour deux. Quand l'un aime, l'autre pas. »

S. fait semblant d'interroger : « Comme dans le couple ? »

Les semaines passent. Deuxième tour des élections. La gauche va perdre et je m'en fous.

Un pétrolier s'est brisé au large de la Bretagne. Des milliers de kilomètres de côtes sont polluées.

Les Palestiniens ont tué cinquante personnes dans un autobus à Tel-Aviv. Représailles aériennes au Sud-Liban.

Aldo Moro, chef de la démocratie chrétienne italienne, a été enlevé. Ses cinq gardes du corps ont été tués.

On se bat en Éthiopie.

Ma mère n'en finit pas de mourir.

Le lendemain des élections, ma chère Soranie a pleuré au téléphone. Pour les prolos de Gennevilliers, la gauche qui ne passait pas, c'était encore un coup sur le crâne. Je dis à Soranie : « Cette gauche-là n'aurait rien apporté de meilleur. » Elle dit : « Tu ne comprends pas que nous vivons d'espoir. » Elle décrit les gosses qui s'évanouissent à l'école. On les lui amène au dispensaire, nourris d'une demi-banane pour la journée. Elle dit : « Je vois des mères qui n'ont pas de quoi acheter du lait. »

Là-dessus, dans un bistrot du quartier Latin, un écrivain « de gauche » déclare à l'encan : « Moi, j'ai voté ouvertement pour Giscard. » On l'approuve. Un comparse renchérit : « Tant pis pour eux. » Qui eux ? La voix de Soranie bourdonne à mes oreilles.

La volonté de maman se fixe sur un seul but : rentrer chez elle. Les médecins disent qu'elle est trop malade, qu'aucune infirmière à domicile ne peut suffire, qu'il en faut au moins trois en roulement mais maman ne veut rien entendre. Toute seule, avec ses dernières forces, elle téléphone et cherche les gardes du corps qui vont l'aider à sortir de là. Personne ne l'aide car personne ne croit que c'est possible. Mais maman trouve. Elle trouve par téléphone, l'ambulance, le lit spécial, les appareils de perfusion et l'infirmière des stars, une Anglaise qui travaille à l'Hôpital américain, qui va venir s'occuper d'elle avec son équipe.

J'ose encore m'opposer à ma mère. J'avance honteusement le prix quotidien de cet aménagement. Avec quel acharnement rageur et têtu, je veux moi aussi, lui montrer en face ce qu'elle se cache. Je me sens ignoble de penser à l'argent, à ce qu'elle va encore coûter, mais j'y pense comme une servante congédiée qui réclame son dû. Mon oncle et ma tante payeront tout. Comme ils sont gentils. Comme nous formons une famille unie.

Maman rentre chez elle. Un brancardier la porte dans ses bras. Elle est aussi frêle qu'une petite fille qui vient de couronner son genou en tombant. Il la pose dans sa chambre rose, devant sa propre image. Une fadasse peinture à l'eau qui la représente nimbée de mousseline avec une mésange ou une perruche sur l'épaule. Je vois maman pleurer pour la seconde fois : « J'avais si peur de ne pas revoir tout ça. »

Après, l'infirmière anglaise s'est emparée de maman qui est redevenue tout à fait une enfant avec sa nurse. On ne parlait plus qu'anglais. On retombait toutes en enfance. Ma tante aussi.

Maman s'est débattue contre les drogues de l'anglaise qui disait : « *I've never seen that before.* Je n'ai jamais vu ça. »

165

Personne n'avait jamais vu un phénomène comme maman. Pourtant, elle en avait vu, des mourants, cette bizarre spécialiste du grand départ. Elle buvait des whiskies en répétant : « *It's the last time. I won't do it any more but your mother is so fantastic. I just couldn't say no.* »

Mais on sentait que l'approche de la mort l'excitait et qu'elle accompagnerait encore bien d'autres malades jusqu'au seuil mystérieux qu'elle aimait frôler avec eux, au plus près.

Entourée de ses bouquets, de ses corbeilles de fleurs, maquillée par l'Anglaise, maman ressemblait encore à une actrice dans sa loge, qui se prépare pour le spectacle, qui se concentre avant d'entrer en scène. Dans un dernier sursaut de conscience, maman a gémi qu'elle voulait une heure de liberté. L'Anglaise, assez vicieuse, a demandé : « Pour quoi faire ? » et maman a répondu : « Ce que je veux. » Après, elle est morte.

On croira peut-être que j'invente ses derniers mots mais maman dépasse l'imagination. Les derniers mots, comme les mots d'enfant, on les rapporte souvent parce qu'ils décrivent d'un trait rapide une perception infinie ou condensent en d'exemplaires raccourcis l'originalité du locuteur. Maman s'est restée fidèle jusqu'à sa fin.

L'Anglaise a fait la toilette mortuaire de maman. Elle avait déjà repassé la robe. Puis elle m'a entraînée près du lit, en me tendant un Kleenex pour mes larmes probables et m'a dit : « *She looks like a queen, doesn't she ?* »

Quand les amis de maman sont arrivés, elle les a conduits de la même manière contempler son chef-d'œuvre, en leur tendant un Kleenex.

Elle donnait à la situation une telle cocasserie que je me demandais si elle ne le faisait pas exprès pour nous empêcher de sombrer. Elle connaissait tellement bien son métier.

Le médecin légiste est venu. Encore un qui n'avait jamais vu ça : un cadavre aussi étonnant pour son âge.

Tous les détails sont si affro-comiques qu'on ne peut les relater qu'avec froideur et précision. Mais pourquoi les relater ? Parce que, dit Kundera, si l'édifice chancelant des souvenirs s'affaisse comme

166

une tente maladroitement dressée, il ne va rien rester de maman que le néant. Kundera se bat contre l'oubli, moi, je me bats pour oublier. Si je consigne ici les souvenirs de maman dont je suis la dépositaire, je pourrais peut-être enfin les oublier. Ou faire un autre choix des souvenirs. Oublier ses questions violeuses, ses indécences. On ne supporte pas l'indécence d'une mère ou simplement qu'elle ait un corps. Je ne veux me rappeler que le costume de *Manon,* le diadème en strass, les marches de l'Opéra.

Maman qui a chanté pour qu'on l'entende, on l'entendra encore sur quelques disques, sur quelques pages.

Maman a laissé un testament écrit six mois avant sa mort. On ne peut en déduire qu'elle se voyait mourir. Elle rédigeait régulièrement son testament et régulièrement m'en prévenait : « Je te laisse tout. » Comme elle n'avait rien, son emphase m'énervait. Je lui disais : « De toute façon, je suis ton unique héritière. Arrête avec tes testaments. » Elle riait : « Ça n'a jamais fait mourir personne. »

Aujourd'hui elle demande par écrit qu'on lui taillade les veines des poignets afin de s'assurer qu'elle est bien morte. Elle ne se croyait vraiment pas mortelle. L'Anglaise exécute le vœu de maman avec la lame qui lui servait à se raser les jambes.

Maman demande que l'on fasse célébrer une messe basse, que l'on donne son corps à la science, aux médecins qu'elle aimait tant. Elle demande que l'on ne révèle pas, si possible, son âge — et ce « si possible » me semble être la chose la plus triste du monde.

Les amis communiquent aux agences de presse le vœu de maman et les radios retransmettent exactement que maman a demandé que l'on ne révélât pas son âge.

Ses amis fidèles disent : « C'est atroce, le public peut croire qu'elle avait cent ans. » Mais le public peut comprendre aussi qu'Aimée Mortimer était une femme inquiète.

Elle disait : « Je n'ai jamais connu l'angoisse. Tu as vraiment quelque chose qui ne tourne pas rond. »

La faculté de médecine vient chercher le corps de maman. Deux déménageurs qui se présentent, en disant : « On vient pour la bière. » Maman qui disait qu'elle aurait fait sa médecine au lieu de se marier à seize ans, si son père avait toléré qu'une fille fasse des études, donne enfin son beau corps d'amoureuse à la science.

Je vais à l'église demander une messe pour maman. Le souvenir me revient qu'à l'occasion, justement, de ses nombreux testaments, elle répétait qu'elle désirait une cérémonie splendide avec des orgues qui résonneraient sous les voûtes.

Je la contrais méchamment : « C'est ridicule, quand on est mort, on n'a besoin de rien. Et puis toi, dans une église, franchement... » Maman se mettait en colère : « Je suis catholique et j'ai aimé la musique toute ma vie. »

Je vais la lui donner sa splendide cérémonie. Ce ne sera pas une messe basse. Je m'en veux de l'avoir fait changer d'avis.

François, mon fils, revenu de l'étranger, m'accompagne chez l'aumônier des artistes auquel je parle de maman. Je parle longtemps et aussi de moi, sans doute. Je ne suis pas digne d'une mère si étonnante. J'en fais un monument.

L'aumônier dit : « Que de passion. Que de passion » et me dévisage longuement. En sortant, François m'embrasse : « Tu as été formidable. Tu l'as drôlement branché, l'aumônier. Il serait très bien, comme type, pour toi. » Nous rions, trop complices. Je dis à François : « Méfie-toi. Les mères de fils aussi sont des ogresses. » François dit : « Je sais. Parfois quand tu parlais d'elle, il me semblait que tu parlais de toi. »

A l'église, ma famille entière tient sur un banc. Mon oncle, ma tante et leurs enfants. Tous si distingués, si élégants, mon grand-père peut être content.

Tout compte fait, je suis contente aussi. Contre les lamentations ancestrales, ma famille a redressé la barre. Se plaindre, c'est retourner dans le ghetto. Ma tante se tient droite sur le banc, au premier rang, et me bannit si je pleure. Mais pourquoi regretter les familles chaleureuses, les traditions, les terroirs ? L'exil, c'est l'aventure, l'exil, c'est l'esprit de conquête. Combien d'enfants français, emprisonnés dans leur coffre à jouets, rêvent de gares, de paquebots, de mes halls d'hôtels ? Combien d'enfants choyés rêvent de ma liberté ? Je n'ai pas de chambre à moi, je ne suis ni juive, ni catholique. Je suis une personne à laquelle on a inculqué les valeurs classiques du travail, de l'honnêteté, du courage. Peut-on se fâcher contre cette éducation-là, fut-elle sévère ? On n'a encore rien trouvé de mieux. Le plaisir ne fait pas le poids, il ne peut venir que de surcroît et l'on ne m'a jamais vanté le sacrifice. On m'a dit que je devais me surpasser. J'ai démontré que cette injonction pouvait laisser sur le carreau, mais il est temps de dissiper le halo merveilleux sur les maisons de province, la tendresse des mémés et l'appartenance. Je n'appartiens à rien, c'est le vide mais aussi l'invention.

La musique de Vivaldi, la *Quatrième Saison*, alterne avec l'oraison de l'aumônier qui dévoile les secrets de maman, la coquetterie sur son âge, sa conversion, enfin tout ce qu'elle aurait détesté entendre et qu'il ne peut tenir que de moi.

Maman, vivante dans cette église où on lui rend hommage, aurait été au supplice et c'est encore ma faute. Je sais que le conditionnel antérieur, cette conjugaison pour les morts, est absurde. Maman n'entend plus rien. Mais mon oncle, ma tante et les amis de maman invectivent l'aumônier, donc moi. Florence me calme comme toujours, en élargissant le débat : « Ce genre de célébration, dit-elle, est de toute manière dérisoire. »

Florence m'emmène déjeuner avec mes enfants dans un restaurant indien. Florence se faufile toujours quand j'ai besoin d'elle. Son amitié, comme l'objet précieux que l'on sauve de l'incendie représente la maison détruite, son amitié garde notre jeunesse. Florence me dit : « Tiens, c'est le parfum que tu mettais à vingt ans », et tout à coup, je n'ai pas perdu mes vingt ans. Grâce à elle, entre mes vingt ans et aujourd'hui, je suis la même, puisqu'elle demeure, témoin de toutes mes vies et même de ma mémoire qu'elle rassemble et unifie.

L'amitié de Florence est la seule raison que j'aie de déclarer cette incongruité, qu'il est parfois doux de vieillir. Les longues amitiés qui s'accroissent avec les années sont des privilèges, les seuls que les années ne retirent pas. Elles sont aussi le signe que, malgré nos errances et nos débordements, un noyau aimable existe en nous, plus charmant que nos grimaces.

La fierté que je tire de mon amitié avec Florence ne tient pas qu'à la longévité. J'admire ses choix mais surtout la manière, à peu près unique, qu'elle a de s'y tenir. J'admire sa discrétion qui n'est pas effacement mais, au contraire, recherche de l'espace mystérieux où les rencontres, les sentiments prennent figure de rareté.

Que mes exigences me rendent difficile à satisfaire et seulement tout à fait à l'aise avec deux ou trois amis, on peut me le reprocher. On peut confondre un orgueil désagréablement hautain et une sensibilité trop à fleur de peau qui se rétracte dès qu'elle est égratignée. Le moindre mot de travers suffit alors à creuser un fossé même si, apparemment, la conversation continue bon train. Avec Florence, aucun mot n'a jamais été de travers. Avec mes autres amis, la conversation continue bon train. Ils m'intéressent, m'émeuvent, m'amusent, me rassurent. Je leur rends, comme je peux, leurs cadeaux. On appelle cela aussi, des amitiés.

Vivaldi résonne. Toujours la *Quatrième Saison* et les paroles de l'aumônier. Je ne me défais pas de cette oraison. Est-ce une oraison, cet éloge qui se veut perspicace et malin d'une personne inconnue et disparue dont, quoi qu'il en soit, on vante la foi chrétienne ? Ai-je trahi maman ? Je rêve de l'aumônier, non comme François me l'a souhaité, en posture de soupirant, mais en tenant de la justice. Il contemple une balance où sur chaque plateau repose une tête décapitée, celle de maman et la mienne. Il n'en finit pas de les peser.

« L'ai-je vraiment trahie ? » Je supplie S. de me répondre. Comme si elle s'asseyait au coin du feu, S. me conte encore une histoire : « Dans certaines tribus africaines, les rites funèbres comportent l'intervention d'un personnage nommé la tante bavarde. Cette tante bavarde est chargée de déballer sur le mort tout le mal qu'on peut en dire. Après, le mort peut dormir en paix. »

Quand j'étais enfant, je me représentais le paradis, l'enfer et le purgatoire sous trois formes : en enfer, on entendait tout le mal qu'on disait de vous, en paradis, on en entendait tout le bien. Au purgatoire, on n'entendait rien.

Ainsi, maman dort en paix. Tout a été dit. Ses secrets l'ont rejointe. Aucun secret ne résiste au temps. Est-ce parce que je ne sais pas tricher avec le temps que je ne sais pas manier les secrets. Ces bombes à retardement, je n'en réfute pas l'utilité tactique mais je suis encore trop impatiente pour être tacticienne.

Je vide l'appartement de maman, si propre, si bien rangé. Comme cela se faisait dans les familles bourgeoises avant les départs pour les grandes vacances, elle a tout mis en ordre. Non par pressentiment mais parce que chaque jour de sa vie, maman a fait de l'ordre, a ordonné pour ne pas se laisser prendre au dépourvu.

Ses vêtements recouverts de housse, ses gants en paires pliés, ses souliers sur des embauchoirs, ses sacs alignés, un ensemble si impeccable est inamovible.

Maman se trompait. Un ensemble si impeccable se volatilise en un instant. Il ne reste bientôt plus, dans l'appartement, à jeter que l'incroyable provision de produits rajeunissants.

Vivaldi m'a quittée. Les chansons de Julien Clerc m'accompagnent. Tandis que j'entasse les paquets, je fredonne :

« Aujourd'hui, rien n'est normal,
Il pousse des ailes à mon cheval
Aujourd'hui, tout m'est égal
Je n'irai plus tout seul au bal... »

Je m'accroche. Pour un peu, je danserais. Mais une autre chanson m'envahit : « Vous êtes la tourmente de mon âme violente. » Maman disait que Julien Clerc chantait comme une chèvre. Elle préférait Johnny ou Bécaud. Ses gloires de les avoir découverts, son amour du music-hall. Ses amis de la chanson. Et elle-même, préparant son tour de chant. « Le music-hall c'est la vie, disait-elle. Bien plus marrant que l'opéra. » Comme elle avait voulu se marrer. Une photographie prise dernièrement au club Méditerranée. Elle danse déguisée en négresse. Elle ne me dégoûte plus. Je l'aime d'avoir laissé sa maison propre, d'avoir bouclé sa vie sans rien demander à personne et de partir sans même embarrasser la terre de son cadavre.

S'il lui arrivait cette chose insensée de perdre la vie, elle se fichait pas mal que l'on coupe son corps en petits morceaux dans du formol. Elle voulait toute la place ou même pas de tombe.

« Parlez-moi d'amour », chante Lucienne Boyer. « Fatigué, désabusé et sans courage », chante Jean Sablon et les voilà, Charles Trenet, Pills et Tabet, Damia, Marjane, Chevalier. Et Piaf et Mistinguett. Ils sont tous là, ceux du music-hall, à l'Olympia, à Bobino, chaque fois qu'on applaudit, je vois maman, rouge et or, qui étincelle.

Je parle de ma mère à Marguerite Duras qui m'a invitée à dîner le samedi suivant. Nous nous retrouvons souvent le samedi parce que nos maisons à Neauphle sont voisines. Elle m'a préparé le dîner vietnamien que sa mère lui préparait quand elle était enfant. Chère Margot, je l'appelle toujours ainsi, du surnom que Françoise lui donnait, Françoise qui est venue habiter à Neauphle à cause de Margot. Et moi, à cause de Françoise. Nous nous retrouvons seules désormais Margot et moi, mais Françoise reste entre nous.

Marguerite me raconte un rêve qu'elle a fait la nuit précédente : « J'entendais quelqu'un qui jouait la valse d'*Eden Cinéma*. La musique venait d'un endroit derrière un pilier. Je demandais : " C'est toi Carlos ? " (le compositeur de la musique d'*Eden Cinéma*) mais ma mère apparaissait avec une tête de mort. Je lui disais : " Mais je croyais que tu étais morte " et ma mère répondait : " Non, je faisais semblant pour te permettre d'écrire tout ça. " »

Qu'elle rêve ou pas, Marguerite, qui ne s'intéresse pas à la psychanalyse, flotte dans l'inconscient. La conversation avec elle stupéfie, se prolonge et rebondit comme les rêves.

Nous bavardons, ce soir-là, longuement.

« *India Song*, dit-elle, me fait penser à des chambres d'hôtel. » Je dis : « Le déracinement.

— Non, dit-elle, l'amour. Les chambres d'hôtel où on fait l'amour. »

172

Je dis : « Le pire est peut-être de penser que l'on n'aimera plus.
— C'est vrai, dit-elle, c'est pire que de ne pas être aimé. Ceux qui
vous aiment, parfois, vous violent. »

Je ne réponds plus. Sa phrase évasive et lapidaire a déclenché,
une fois de plus, le rêve.

La nuit suivante, je rêve que je suis assise dans la cabine d'un
camion à côté du camionneur qui veut me violer. Je me laisse
entraîner vers des caves sordides où des couples font l'amour. En
chemin, le camionneur laisse tomber quelque chose de sa poche.
C'est un stylo. Je le montre au camionneur. Il ne le ramasse pas et
moi non plus.

Ce que dit Marguerite me poursuit la nuit et au-delà, dans la vie.
J'ai ramassé le stylo. Je m'en sers aujourd'hui. Même si parfois tout
aussi lapidaire mais pas du tout évasive, Marguerite cogne sec :
« Ceux qui écrivent une histoire qu'ils connaissent déjà sont des
indigents. »

Mais qui connaît son histoire ? On la façonne à mesure qu'on
l'écrit. On s'enfonce dans le labyrinthe. Pourquoi emprunte-t-on
telle piste plutôt que telle autre ? A la fin, on découvre le parcours.
Chaque parcours constitue une autre histoire.

Je ne fais que poser des questions à mon histoire. Qu'ai-je fait des
hommes qui m'ont aimée ? M'ont-ils vraiment violée ? Ils m'obligeaient, en effet, à céder ou à refuser, à être bonne ou méchante. Ils
m'obligeaient à les aimer sinon j'étais une garce, une indifférente
glacée. Mais si l'on se moque d'être une garce, quel pouvoir ils
m'attribuaient. Et comme je jouissais de les élire ou de les éliminer.

Ce serait plus « féministe » de mépriser ces quémandeurs, de les
traiter de gêneurs mais j'aime les hommes qui m'ont aimée. Je leur
dois une heure, un mois ou deux d'escapade. Je ne leur en veux pas
de n'être que des passants. Je ne les traite pas de minables parce
qu'ils m'aiment. Au contraire, c'est ce qui les sauve. Ils ont au moins
le bon goût de m'aimer.

Je leur dois surtout un regard. Ils me disent comment ils me
voient et j'essaye, grâce à eux, de deviner qui je suis. J'entends leurs
mots : « Tu es magique. » Tiens, tiens. « Tu es rustique. » Ça alors.

« Tu es LA femme. » Bonne nouvelle. « Tu es comme un garçon. » Ah, pourquoi ? « Tu es la plus satisfaite et la plus insatisfaite. » Finaud, celui-là. « Tu es la plus exigeante et la plus caressante. » J'en entends de toutes les couleurs. Hélas, ils se contredisent et mon portrait reste flou. Ce qui me plaît par-dessus tout, c'est quand ils me disent : « Je t'ai dans la peau. » Alors, je sais enfin où je suis : je suis dans la peau d'un homme. Lacan dit cela autrement : « Ce n'est que de là où l'homme la voit, c'est-à-dire que de là où la voit l'homme, rien que de là, que la chère femme peut avoir un inconscient. »

Les féministes tressaillent. Elles aussi vont me porter aux gémonies. Je leur accorde que c'est peut-être aussi de là où la femme le voit que l'homme peut avoir un inconscient mais tout ce dont je peux témoigner, c'est de moi, aliénée ou pas.

Quand je suis mauvaise avec les hommes qui m'aiment, c'est que je suis humiliée d'avoir besoin de leur sacré pénis et je les humilie pour me venger.

S. me dit : « Ce n'est pas l'envie du pénis dont vous souffrez à l'aube. » Je parle alors du vide, de cette façon que j'ai de manger à toute allure pour que ma bouche affamée ne reste pas ouverte. N'importe quoi, vite, mais pas ce trou béant qu'il faut boucher pour ne pas se vider. « Le bouchon de sa mère » veut se boucher à son tour.

Les hommes qui m'aiment, je les bouffe. Dans la clinique où je faisais une cure de sommeil, ma mère m'apportait des éclairs. Je ne mangeais que ces gâteaux oblongs. Florence me dit : « C'était effrayant de te voir enfourner tous ces éclairs. »

Alexandra enlève les mauvaises herbes au milieu des iris qui fanent lentement. Elle se tait comme moi sur ce qui nous fait mal. Nous cuvons ensemble un abandon majeur. Nous nous surprenons souvent à dire : « Comme avant. » Comme avant que l'on nous quitte.

« Avant, tu te rappelles... » et quand le jour tombe sur le jardin et qu'elle en a fini avec les mauvaises herbes, nous nous racontons pour nous faire rire comme nous avons fait souffrir les hommes.

Avant nous étions des cascadeuses. Avant, nous étions des bourreaux.

Comme s'il y avait un « avant » et un « après » dans l'abandon, comme si nous n'étions pas déjà des victimes quand nous jouions aux bourreaux. Les hommes dont nous nous souvenons d'ailleurs le mieux sont ceux dont nous étions victimes.

Je n'aime pas les hommes qui ne m'ont pas aimée mais j'aime les attendre, les guetter, les violer. Car je viole moi aussi, je veux les obliger à m'aimer. Bien sûr, je ne réussis pas. Je les choisis pour ça, parce qu'ils vont me dire : « Je suis incapable d'aimer. » C'est le même homme que j'aime à chaque fois, le même impuissant maussade qui répète : « Si je pouvais aimer, ce serait toi. »

Entre ceux qui m'aiment et ceux qui ne m'aiment pas, je me débrouille. Les uns me consolent des autres. Je désire à tour de bras les uns et les autres. Si je désire, c'est l'amour. Je ne fais pas le détail entre le sexe et le cœur. Une nuit au chaud, c'est toujours bon à prendre. Je prends autant que je suis prise. Je n'ai pas d'amertume comme celles qui croient donner. Les hommes et moi, nous sommes quittes. Je suis une femme libre dont les réveils sont des surprises. Où suis-je ce matin ? Je cours au boulot. Je raconte à mes copines mes prouesses de la nuit. Ou mes sanglots. L'humour remplace l'amour. Le travail évite la réflexion.

Entre la rubrique « cinéma » dont je m'occupe à l'Express et mon cinéma personnel, pas d'entracte. Je vais d'un reportage à l'autre. Les autres tournent, moi, je tournoie. Je me vois dans cette valse. Comme je ne me prends pas au sérieux, je me moque du sérieux. Cela crée un ton dans mes articles, une réputation qui m'arrive sans que je m'en sois souciée. Je ne me soucie d'ailleurs à peu près de rien. Je laisse les choses m'arriver.

Je vois des quantités de gens, je danse des nuits entières. Plus je danse, plus je travaille. Je rentre chez moi, éméchée, quand passent les éboueurs ou plus tard quand François part pour l'école. Je le rencontre dans l'escalier. François qui rêve à l'école, on s'étonne. Échec scolaire. Je le conduis chez les psy. Je ferais mieux de rentrer plus tôt. Mais tout va si vite, je n'ai pas le temps d'y penser. François tournera peut-être, un jour, lui aussi, le film de ses ressentiments. François, Caroline, Nathalie qui m'ont vue tant pleurer, il faut que je leur dise : la vie est une fête. Les mères racontent si bien leurs misères. Si peu leurs extases. Non que la ronde des amants, souvent consternants, soient forcément la fête mais l'imprévu jaillit constamment. Dès qu'il faiblit, j'invente autre chose. Je ne sais pas encore que si l'imprévu se raréfie, il ne s'épuise pas. Je crains si fort la monotonie. Dès qu'une habitude s'installe, je la bouscule. Je ne sais pas encore qu'on peut attendre des années l'imprévu. Ni que l'on tient si fort à la vie.

Cette vieille dame inconnue que je dérange chez elle, par trois fois, parce que le central téléphonique déconne, me dit : « Mais non, vous ne me dérangez pas. Je suis seule et malade. Le téléphone est à côté de mon lit. Cela me distrait de vous entendre. »

Pour elle, l'imprévu de mon coup de téléphone suffit. Je me demande encore comment il est possible de se contenter de si peu.

A l'Express, je sens que l'on commence à s'assoupir, mais Jean-Jacques Servan-Schreiber et Françoise Giroud ne sont pas non plus des gens à se contenter de peu. Ils ne s'endorment pas. Puisqu'ils n'ont plus la guerre d'Algérie, que Le Pen ne vitupère plus que « la France est gouvernée par des pédérastes : Sartre, Camus et Mauriac », ils vont lancer une autre offensive, une nouvelle formule du journal.

Cette formule plus dépersonnalisée, plus accrocheuse, Jean Daniel et quelques autres journalistes dont Lafaurie et Karol, qui sont des amis, ne la soutiennent pas. Ils font dissidence et moi avec eux.

C'est la première fois que je me trouve du côté des dissidents. Ce ne sera pas la dernière. Ils fondent le Nouvel Observateur mais je ne les accompagne pas. Assez d'écrire des articles, assez du cinéma. Dix ans à l'Express, ça suffit. Tant qu'à quitter ce journal que j'aimais, je préfère me lancer dans un travail qui ressemble davantage à un commencement qu'à une continuité.

Lazareff, qui ne mégote pas, me fait payer à prix d'or par son journal France-Soir pour travailler dans l'émission-vedette de télévision « Cinq colonnes à la une » qu'il dirige avec Pierre Dumayet et Pierre Desgraupes.

Lazareff m'invite à déjeuner chez lui à Louveciennes, entre Pompidou et le Shah d'Iran. Pompidou est le deuxième homme politique qui me dit que je suis jolie. Il est vrai que Mitterrand, avant lui, m'avait dit : « Et pourtant, vous n'êtes même pas jolie. » Comment ne pas avoir la tête en fleur quand Paris vous salue ? En regardant les confrères, les consœurs qui accrochent sur leurs murs, leurs photographies en compagnie de Machin, à côté de Truc. Ils sont toujours celui, là-bas, derrière, dans l'ombre du Grand. Leur griserie me paraît duperie. Enfant aux aguets, je persévère. Ma peur enfantine d'être dupe, me sauve de ce cinéma-là.

A « Cinq colonnes », Desgraupes et Dumayet n'éprouvent pas, vis-à-vis des femmes, le même enthousiasme que Lazareff. Ils barrent mes projets. Je n'arrive à traiter qu'un sujet : le LSD. L'acide ne circule pas encore en France. Lelouch filme, une nuit, dans mon appartement, un couple de cobayes humains à qui l'on a filé une goutte de LSD sur un sucre. La femme ne cesse de hurler. Un médecin devait venir en cas de danger mais il ne vient pas. Qu'est-ce que ce journalisme-là ?

Lazareff, ennuyé, me demande si j'accepterais de collaborer à *Elle*, qui appartient au groupe de *France-Soir* et qui est dirigé par Hélène, sa femme, en attendant qu'il obtienne, ce qui ne saurait tarder, une émission dont il sera le seul producteur. J'accepte parce que Lazareff pétille. Je pars pour *Elle* suivre Brigitte Bardot à New York. On espère le triomphe de BB mais personne ne la reconnaît dans les rues. Je raconte le « flop » de Bardot à New York comme je l'aurais écrit pour *l'Express*, mais à *Elle,* cela ne convient pas. Bardot doit rester une idole. Pas question qu'elle soit déchue. On n'apprécie pas à *Elle* le regard froid. On doit sauter de joie. J'écris à *Elle* quatre articles en un an pour une somme faramineuse. Ce genre d'extravagance des patrons de presse fait déjà partie du passé. Maintenant, un ticket de métro doit se justifier sur une note de frais.

La télévision me tentait toujours comme un terrain à explorer, une technique à apprendre. Quand Frédéric Rossif vint me chercher

177

à *Elle* pour me faire partager, avec lui, la production de l'émission « Cinéma », je le suivis volontiers. Je me doutais qu'à la télévision je recevrais un choc important, mais je l'imaginais dans le domaine de la création, pas dans celui de la politique. Personne n'imaginait 68.

Pourtant, sans le savoir, je m'y préparais. Lasse des cabrioles qui m'avaient chahutée, comme si les événements extérieurs allaient m'emporter et qu'un port d'attache allait m'être plus nécessaire que mes expéditions nocturnes, j'avais élu Thésée pour compagnon, adopté ses filles, commencé à construire une maison. Comme si Thésée allait être ma base d'opération, mon fortin d'où partir à l'assaut. Sans garde aucune, aurais-je foncé si fort dans la mêlée ?

A la télévision donc, je n'avais pas peur de perdre mon travail. Thésée pouvait assurer les arrières. Je souligne ce confort économique par honnêteté. Cette possibilité de rentrer jouer les bourgeoises à la maison, on me l'a tellement envoyée dans les gencives, que je m'interroge. Aurais-je été si « gauchiste » sans Thésée ?

A la réflexion, il me semble que je suis « gauchiste » de naissance. Une cousine éloignée me raconte une anecdote de notre enfance. Ma grand-mère nous emmenait manger des gâteaux chez Rumpel Mayer le jeudi, mais je me tenais si mal que ma grand-mère finit par renoncer à ce goûter. Elle achetait les gâteaux mais nous ramenait les manger chez elle où mes bêtises passaient plus inaperçues. Il paraît qu'alors, je jetais les gâteaux par la fenêtre sur les promeneurs de l'avenue Foch. Comme le reste de la semaine i'étais en pension, je me vengeais sur cette cousine timide et sage qui, fascinée par mes audaces, m'obéissait. Sous prétexte qu'elle n'allait pas en pension et qu'une femme de chambre lui cirait ses chaussures, je l'obligeais, chaque jeudi, à cirer ses semelles.

Quand on me punissait, je me retrouvais dans mon lieu favori, à l'office avec Lucie, la cuisinière, qui bravant la punition de ma grand-mère, me faisait des croissants à la vanille et jouait avec moi à la bataille. Quand je devais partir dans les pensions de l'été, après la pension de l'hiver, Lucie m'accompagnait et dans le wagon-lit, souvenir délicieux, nous jouions à la bataille toute la nuit.

Les semelles de ma cousine et les croissants de Lucie, c'est peut-être sommaire pour expliquer que je me retrouve au comité d'action en 68 contre l'intersyndicale de l'ORTF mais j'y joue encore à la bataille, avec délice. Quand je vois les propositions de « boycott » suggérées dans les assemblées générales par la majorité des participants, étouffées par les syndicats, je devine que le PC cessera, un jour, de proclamer la dictature du prolétariat. Quand je vois que les organisations syndicales ne s'entendent que pour briser les élans, je me retrouve avec ceux qui ne veulent pas se laisser briser.

J'organise le « boycott » de l'ORTF avec quelques camarades. Je découvre le terme de camarade. Je mène jusqu'au bout ce que j'entreprends : Rostand, Beauvoir, Sartre déambulent autour de l'immeuble rond de la radio, jurent qu'on ne les entendra plus sur les ondes, qu'on ne les verra plus sur les écrans. La direction de l'ORTF cire ses semelles. J'apprends que je suis gauchiste.

Parallèlement, j'enrage de n'être plus journaliste. L'ambiance d'un journal me manque pour comprendre ce qui se passe. Je suis trop loin de l'événement, trop loin de l'information. Faire un livre me permettrait d'enquêter au plus près. Jacques Lanzmann qui vient de créer une maison d'édition, Édition spéciale, me dit que Philippe Labro, de *France-Soir*, a le même désir, que nous pourrions faire le livre ensemble. Labro et moi, nous nous mettons en piste. Nous ne dormons plus une seconde. Nous sommes partout à la fois. Au SNESsup, je rencontre Alain Geismar que je cache bientôt chez moi comme j'ai caché Francis Jeanson pendant la guerre d'Algérie. L'insouciance me guide. Je ne considère pas les risques. Je joue toujours à la bataille.

Avec Thésée, quand nous voyons débarquer, au coin de l'île Saint-Louis, les camions de Renault, hérissés de drapeaux rouges, nous partageons une émotion qui est un de nos plus forts moments d'amour en dix années de vie commune. Thésée, ce grand aryen blond, a aussi ses revanches à prendre et rien à perdre. Aventurier, il court le monde. On dit qu'il court après l'argent mais l'argent est son Graal. Il sait que le chaudron est vide. Ce savoir-là, en mai 68, suffit pour lancer des pavés.

Nous terminons, Labro et moi, notre livre en deux mois. *Ce n'est qu'un début* est un recueil de voix qui s'élèvent, à chaud, dans un moment historique. Cette spontanéité de paroles dites à un moment précis et qui ne seront jamais redites de la même manière a la valeur de l'instantané. Ce livre se lit comme un film.

Serge July, directeur de *Libération,* alors inconnu, nous sidère, Labro et moi, par son lyrisme. Alexandre Astruc veut faire un film du récit de July à Flins. On a l'impression que le génie fuse de tous les côtés mais *Ce n'est qu'un début* pourrait s'intituler maintenant : *Ce ne fut qu'un moment.*

Il n'est pas encore l'heure de s'en attrister. Nous sommes quelques-uns à vouloir faire durer le moment. Personnellement, j'accomplis un record. Je le fais durer six ans. Jusqu'au Mozambique, en 74.

Pendant ces six années, je fais six livres. Comme dans *Ce n'est qu'un début* nous n'avons pas réussi, Labro et moi, à rencontrer en privé des policiers, je décide, à la rentrée, de me lancer à leur poursuite. Ces martiens des barricades ont-ils une voix eux aussi ou bien parlent-ils martien ? Je les rencontre, un à un, difficilement. Je ne connais pas leur identité. J'ai des rendez-vous clandestins avec une armée secrète. Une armée sans grandeur de pauvres mecs engagés par mégarde qui seraient aussi bien devenus pompiers si les pompiers n'étaient pas tenus de coucher à la caserne.

Je cache les enregistrements des interviews et m'attends à être interrogée quand le livre sortira, mais dès que des extraits en sont sous presse aux rotatives de *l'Express* qui en a acheté les droits, les policiers dont les interviews sont publiées dans *Les policiers parlent,* sont repérés et sanctionnés. La nuit même, on les convoque. On me fait savoir que je n'ai pas à m'en inquiéter. Seulement la boucler. Ces policiers ne me donneront plus jamais signe de vie. Je n'ai jamais su exactement ce qui leur est arrivé.

La terrifiante efficacité de la police me démontre, pour la première fois, que la bataille n'est pas un jeu.

Après les policiers, les professeurs. Si mai 68 a changé quelque chose, ce doit être d'abord à l'Université et c'est là que j'enchaîne.

J'y vais, avec Madeleine Chapsal, dresser l'oreille. *Des professeurs, pour quoi faire ?* Nous leur demandons leur réponse. Une seule m'intéresse, celle d'une jeune professeur de philosophie qui se déclare maoïste. A la publication du livre, elle sera vidée de l'Université.

Décidément, ce que je fais n'est pas innocent. Ou je me fais vider ou je fais vider mes interlocuteurs. On est donc dangereux pour si peu. En pension, c'était pareil, j'étais toujours punie sans comprendre pourquoi. Je pensais toujours n'avoir rien fait de mal.

Je m'acharne à vouloir comprendre. Pourquoi ce discours maoïste m'a-t-il secouée ? Je sais à peine qui est Mao. Je n'ai jamais fait attention à la Chine. Je commence par vouloir rencontrer ceux qui la connaissent, Malraux, Karol, mais je m'aperçois vite que mon enquête tourne court. Les amis de la Chine ou même les sinophiles me font sur le maoïsme des cours ennuyeux. Ce sont les maoïstes français qui m'importent parce que leur idéologie se met en pratique. Je ne comprends les idées qu'à travers une pratique.

Les maoïstes veulent lancer un journal moins militant que *la Cause du peuple.* Ils font appel à des journalistes professionnels. A des démocrates, comme ils disent. Ils parcourent les salles de rédaction parisiennes et promettent aux journalistes de gauche un journal neuf en liaison avec les « masses » qui y collaboreront directement. Au *Nouvel Observateur,* que je viens de réintégrer, beaucoup de journalistes sont partants mais la prudence les laisse plus observateurs que militants. Je me retrouve bientôt seule avec cette classification inutilisable inventée par les maos : je suis une journaliste professionnelle démocrate.

L'amant de ma jeunesse qui m'envoyait des colis culturels et me faisait en 56 assister, à Saint-Germain-des-Prés, à des discussions interminables à propos de Budapest, se moque gentiment de moi : « Tu m'as dépassé sur ma gauche. Quel chemin depuis Gurdjieff. » Il se moquait déjà de moi quand nous nous étions rencontrés sur les champs de ski.

Ce sont ceux qui ne se moquent pas, les dangereux. Il y a toujours de quoi se moquer et je ne peux pas m'en empêcher. Quand à

J'accuse nous passons des nuits à composer le journal, j'ai la fièvre. Quand Sartre lit son éditorial : « La justice vient du peuple », je frémis. Quand le paysan breton occupe la terre du hobereau, je me réjouis. Quand la grève s'étend à Pennaroya ou à Faulquemont, j'espère. Mais quand avant de se rendre à Billancourt, Glucksmann, pour y présenter des mains d'ouvrier, triture le cambouis de la chaîne de son vélomoteur, je me moque. Oh, pas ouvertement. Je suis encore intimidée. Si on allait penser que je trahis le peuple. L'accusation de déviationnisme plane encore à chaque instant. On n'est jamais assez servile quand on est militant. J'accepte donc que les petits chefs, comme les grands, aient les mains sales. Tout le monde peut se tromper mais combien de fois dans une vie a-t-on le droit de se tromper ? Une fois par an. Une fois tous les dix ans. A chacun des vieux jeunes gens qui discourent à Beaubourg d'évaluer son barème.

Je ne renie pas les titres violents de *J'accuse* : « Ce qu'on veut, on l'impose », ni les citations de Mao, « L'étincelle peut mettre le feu à toute la plaine ». Je ne renie pas les enquêtes sur les conditions pénitentiaires, sur les assassinats dans les commissariats, sur les marchands d'esclaves qui fournissent aux usines les travailleurs sous-payés, sur les expulsions à l'aube, sur les suicides dans les HLM. Je ne renie pas les témoignages recueillis des ouvriers de Troyes, des mineurs de Lens, des grévistes de Sacilor. Déjà, bien avant Longwy...

Ce que la Gauche Prolétarienne dénonçait a été souvent repris par ceux qui se veulent des révoltés bien tempérés. Ce qui n'a pas été récupéré reste encore à dénoncer. Mais aujourd'hui, on se tait.

L'assassinat de Pierre Overney a fait taire la Gauche Prolétarienne qui n'en pouvait plus d'attendre sa victoire. Là encore, la patience manquait. Les petits chefs, comme les grands, ne seront jamais assez puissants pour prôner la patience, pour faire part de leur doute. En d'autres sphères, on voit ce qui est arrivé à Mendès. On appelle cela une politique d'échec. Il fallait à la Gauche Prolétarienne des actions d'éclat pour galvaniser le moral des militants qui commençaient à douter parce qu'on leur avait trop bourré le crâne. Il fallait à tout prix inventer ce qui ne s'invente pas : le mouvement des masses. Provoquer cette étincelle qui mettrait le feu à toute la plaine. Un commando attaqua les vigiles de Renault mais Billancourt ne bougea pas et ce jour-là Overney, tué par un vigile, mourut en martyr. On lui fit un enterrement grandiose. Geismar le mit en terre au Père-Lachaise, avec les illusions de 68.

Comme on avait raté la révolution, on commença à déclarer qu'elle était impossible à réussir et la droite, confortée par cet aveu de la jeunesse de gauche, placarda la bonne nouvelle. Le consensus sur la mort du marxisme, quel petit oreiller doux et chaud sous la tête de Giscard. Puisque la révolution, on avait mis longtemps à le découvrir, ne pouvait pas apporter le bonheur universel et éternel, autant s'assoupir. On en est là aujourd'hui et c'est pourquoi j'écris. Je n'ai rien d'autre à faire. C'est pourquoi des milliers de porte-plume grattent du papier dans des chambres isolées. Et pourquoi nous écrivons tous la même chose, nos traversées du désert, nos conflits avec papa-maman. Nous n'avons pas d'autres batailles à mener.

Un jour que j'allais chez S., je trouvai la porte fermée. J'attendis un moment, puis je me mis à lui écrire. Cette lettre qui n'aurait pas existé sans cette porte fermée est à l'image de tout ce qui s'écrit. On n'écrit que devant des portes fermées.

S'il n'y a pas de lendemains qui chantent, il y a des lendemains de cuite. On ne dormira pas toujours de ce sommeil d'ivrogne. Parfois les ronflements se font plus légers. L'étincelle du pétrole peut mettre le feu à toute la plaine, l'injustice dépasser les bornes.

Serai-je encore prête à tourner la poignée de la porte ou clouée à mon papier ? La réponse, je la devine encore sous les semelles de ma cousine ou du côté des croissants à la vanille de Lucie, du côté de ceux qui bravent les interdits même si ce n'est pas raisonnable, du côté de ceux qui se soulèvent.

J'ai fait le tour des illusions mais aussi celui des désillusions, le tour du désespoir, et aussi celui de l'analyse du désespoir, il reste pour moi ce que dit Michel Foucault, que « l'homme qui se lève est finalement sans explication. Il faut un arrachement qui interrompt le fil de l'histoire, et ses longues chaînes de raison, pour qu'un homme puisse " réellement " préférer le risque de la mort à la certitude d'avoir à obéir ». J'ajouterai que le chômage est une forme de mort et le risque du chômage déjà un soulèvement, que chaque homme qui se met en grève est historique.

« Pas raisonnable », c'est ce que l'on me reproche au *Nouvel Observateur* où en 71, on ménage encore la chèvre et le chou, le PC et le PS.

Pierre Overney enterrant la Gauche Prolétarienne, je n'en suis plus le dangereux suppôt mais on ne sait jamais, j'ai attrapé le virus anti-PC. Je me retrouve sans salaire, sans milieu professionnel, sans combat politique. J'essaye de fourbir encore quelque armement mais le livre sur le PC tombe à plat, en pleine période de préparation du Programme commun.

Où se bat-on encore ? Du côté des femmes. Celles qui, à Paris, tirent des plans sur la comète sont d'un sérieux sans rapport avec les comètes. Pas d'étoile filante ni de trait d'esprit dans leur débat vindicatif. Elles cherchent l'homme à abattre. Un instinct me souffle que la cible est plus complexe. Je rencontre à Gennevilliers, alors que j'enquête sur le PC, des femmes qui luttent d'abord et théorisent ensuite. Le PC veut attendre que le gouvernement ait légiféré pour laisser les ouvrières avorter mais les ouvrières de Gennevilliers n'attendent pas. Je décide avec elles de faire un livre relatant leur combat, leur prise de conscience. Elles raconteront comment la révolte vient aux femmes.

Un livre, un combat. Un livre en entraîne un autre. Un combat aussi. C'est pourquoi aussi, à une autre échelle, on ne peut honnir aucune révolution. Le sort d'une révolution est d'en entraîner une autre. Je pense a cette jeune Iranienne rencontrée à Téhéran, cet hiver, qui disait : « Nous avons combattu le Shah. Nous pouvons aussi combattre l'Ayatollah. »

A Gennevilliers, je découvre vraiment le prolétariat. Vraiment une autre vie. Je rentre de moins en moins chez moi. J'y rentre quand même parfois.

Sur le pont de Puteaux, entre les deux mondes, je m'épanouis.

Sur le pont exactement. Le pont de Puteaux est le lieu de ma prédilection. Chaque fois que j'y passe, dans un sens comme dans l'autre, j'éprouve la même griserie : c'est là ma vie, c'est là ma place. Quand je rentre à la maison, Thésée, plus que jamais, se tait. Son silence me convient. C'est ailleurs que j'aime entendre parler. Je ne prends pas garde à ce qui couve en silence : les rancœurs, les humiliations qu'il accumule et me fera payer.

A la fin du livre de Gennevilliers, bien des couples ont éclaté. Les femmes éveillées ont secoué leur joug, les maris se sont fâchés. Décidément, je sème des ruptures. Ou bien j'arrive au moment où le fruit de la discorde est mûr. Je serais affolée de provoquer chez les autres ces situations sans retour si j'en sortais moi-même indemne, mais je me mouille dans les tempêtes. Mon couple aussi fait eau de toutes parts. Thésée prend le large.

Et je m'écroule, femme libre, au bord où je fus laissée. Alors cette audace, cette libération des femmes, qu'en est-il ? Je ne veux pas reconnaître ma défaite. J'essaye encore de nager, de gagner un rivage : le Mozambique, dernier soubresaut politique mais c'est le naufrage.

A l'échec de mes combats, s'ajoute l'échec de l'amour. Je ne savais pas que l'amour comptait autant. Je vais l'apprendre longuement. Apprendre à respirer sous l'eau, sous la mer, sous la mère. Mais pour l'instant, sans combat, sans travail, sans amour, à ce trop-plein de trop-creux, je succombe.

Ce communiste argentin exilé à Cuba me disait, avec un sourire fatigué : « J'aime la vie parce que c'est tout ce que j'ai. » Mais moi, je crois que je n'ai plus de vie et je commence à vivre dans la mort. Je mets autant d'ardeur à mourir que j'en mettais à vivre. Là encore, je ne réussis pas vraiment. Je me loupe à tout moment.

Le viseur est brouillé ou plutôt deux images se superposent dans l'objectif. Celle d'une pasionaria de collège qui bombe sur les digues des plages : « Pas de vacances pour les riches » ou celle d'une convalescente, au repos chez un ami qui tient une boîte de nuit à Deauville, et qui glisse des cartons sous les pare-brise : « Allez danser chez Honoré. »

Entre la plus haute opulence et la plus basse misère, comme disait Balzac à propos de la Torpille qui s'appelait aussi Esther, je m'y perds. Ai-je misé sur trop de roulettes à la fois ? Ont-ils raison, les raisonneurs ? Peut-on aimer à la fois le bruit des balles de tennis et les refrains de *l'Internationale* ? Peut-on s'émouvoir autant des doigts d'une petite fille sur le clavier où elle pianote ses gammes que des poings levés ? Ai-je trop jonglé de l'un à l'autre ? Suis-je au fond de l'eau parce qu'il n'y a pas plus de pont ?

Il me faut quatre années pour reconstruire le pont, pour rassembler les deux folles, celle qui veut trop vivre et celle qui veut trop mourir. Ou bien accepter que le pont est illusoire, qu'il n'y a de pont pour personne.

Combien de naufragés comme moi, à défaut de pont, cherchent des radeaux. Je reçois des cartes postales d'Angola, du Yémen, du Sénégal, de Colombie. Ils écrivent tous la même phrase : « Je me demande ce que je fous ici. »

Il n'y a pas de radeau non plus : les tennis sont couverts de mousse et dans les manifs bidons, *l'Internationale* ronronne comme *le Temps des cerises.*

Pourtant, petit à petit, je découvre que lorsqu'il n'y a plus d'espoir ni du côté des tennis ni du côté de *l'Internationale,* tout devient possible, supportable et même joyeux. Je mourrais de trop d'espoir comme Françoise, Raoul, Irène, qui ne se sont pas donné le temps d'assez désespérer.

Je me souviens d'un gros type assis sur un tabouret de bar en Espagne qui me cherchait querelle ou me cherchait tout court. L'alcool aidant, nous en étions venus à la politique. Il disait : « Moi aussi, j'en ai fait de la politique. Aussi bien à gauche qu'à droite. Cela dépendait des amis que je rencontrais. Je m'engageais par sympathie, pour être avec eux. Il se trouve que je n'ai pas été nazi mais j'aurais aussi bien pu l'être. » Ce type m'avait paru immonde. Aujourd'hui, je comprends qu'il n'aurait justement pas pu être « aussi bien nazi ». Ce qui résiste à tout, l'élan, la sympathie, ne l'y portait pas.

Mes élans n'étaient pas plus stratégiques. Ils venaient de si loin qu'ils ne s'analysaient même plus et se répéteraient. En dépit de la psychanalyse qui, dit-on, démobilise, je m'élancerais encore mais je saurais que mon action est dérisoire. Ce que j'aurais dû savoir plus tôt et qui m'aurait évité les déceptions chagrines des gens de gauche qui ne cessent d'espérer un avenir meilleur.

L'avenir ne sera pas meilleur. Aujourd'hui n'est pas pire qu'hier. Pourtant, je suis de gauche. Un élan m'entraîne à tenter de corriger tous les pouvoirs dès qu'ils rendent l'air suffocant. Le mouvement du monde, comme le reste, est fallacieux. C'est un mouvement de balancier. Encore faut-il faire pencher la balance, trouver l'équilibre respirable. Ne pas se laisser étouffer. Les gens de gauche, en principe, sont nés pour ça.

Au cours de ma débâcle personnelle, je rencontre celle des autres. Je vois au cinéma : *Le fond de l'air est rouge.* Chris Marker a rassemblé et monté des documents filmés, témoignages des luttes de cet après-guerre, que Régis Debray commente sur le ton des cocus. Style : « Ah, comme nous l'avons aimée, la justice, et comme elle en aime un autre. Tant de courage, tant de sang versé et puis voilà, il ne nous reste rien. » Rien dans les mains, rien dans les poches, l'espoir socialiste est-il le grand cocuage de l'histoire ?

Le public sort de la salle de projection, navré : « Eh bien, à quoi ça sert de redresser la tête, pour se la faire trancher, si on ne gagne jamais. » Le public baisse la tête, le nez sur ses souliers. On lui a demandé de répondre à une mauvaise question.

Est-ce parce que je n'espère plus que ce film m'exalte ? J'y vois que l'homme n'est jamais plus à sa place d'homme que lorsqu'il se bat pour rien.

Sur le visage d'Allende, essayant de sauver l'Unité populaire, avant d'en mourir, ce qui nous touche, ce n'est ni sa mort prochaine, ni son échec mais l'effort quasi surhumain qu'il tente pour faire pencher la balance.

Vilar, qui venait de quitter le TNP, disait à Neauphle dans le jardin de Françoise : « Il faut savoir démissionner. » Dans le film, Vilar, bafoué, on lui crie : « Vilar-Salazar ». On le voit seul et déchu. C'est à ce moment-là qu'il me paraît beau, comme ce dissident soviétique débarquant à New York et déclarant : « Il arrive toujours un moment où un honnête homme doit aller en prison. » Sans danger, sans risque mortel, ni les combats, ni l'art ne vont au cœur.

Document encore, dans ce film, sur des pêcheurs victimes de la pollution au Japon. Je les connais ces pêcheurs. J'ai pique-niqué avec eux, le jour où ils fêtaient la victoire d'un procès qui leur accordait quelques indemnités pour leurs jambes amputées, leurs enfants malformés et leurs morts. Un pique-nique au pied d'un volcan, dont je reparlerai. Dans le film, on les voit assister à un conseil d'administration de la Chisso, l'usine qui les a empoisonnés en rejetant du mercure dans la baie de Minamata. Les pêcheurs ont inventé, pour lutter contre la Chisso, d'en devenir les actionnaires. Ainsi, ils ont pu assister à ce conseil et rencontrer en face le président qui évidemment se défile. Ils arrivent au conseil, en cagoule, masqués, agitant des sonnettes. Fantômes des enfers venant réclamer la justice. Une femme s'avance, attrape le président de la Chisso par le revers de son veston et lui crie : « Vous avez tué mon fils. Est-ce que vous avez un fils aussi ? » Le regard fou du président est alors celui de Créon ou de Lear. Sophocle ou Shakespeare n'ont rien écrit de plus fort. Le cri de cette femme est d'une absolue nécessité. Comme les cris de tous ceux qui se soulèvent, même s'ils ne gagnent pas.

Confidentiellement, je ne suis pas contre le pouvoir. Ce serait être contre la condition humaine mais je sens qu'il est tentaculaire et que mieux vaut être contre, ne serait-ce que pour le limiter. Alors, officiellement, je suis contre tous les pouvoirs, quels qu'ils soient, dès que je les vois s'étendre. Je ne vise, à long terme, aucune victoire.

Anna, militante brésilienne exilée en France, qui a la tête politique, me sourit comme on sourit aux enfants : « Tu es bien romantique », dit-elle.

Anna est stratégique. Alors, j'appelle encore à mon secours, en cette circonstance, Michel Foucault, qui n'est pas suspect de romantisme.

« Tous les désenchantements de l'histoire n'y feront rien : c'est parce qu'il y a de telles voix que le temps des hommes n'a pas la forme de l'évolution mais celle de l' " histoire " justement... Je ne dis pas que le pouvoir, par nature, est un mal. Je dis que le pouvoir par ses mécanismes est infini (ce qui ne veut pas dire qu'il est tout-puissant, bien au contraire). Pour le limiter, les règles ne sont jamais assez rigoureuses ; pour le dessaisir de toutes les occasions dont il s'empare, jamais les principes ne sont assez stricts. Au pouvoir, il faut toujours opposer des lois infranchissables et des droits sans exception. »

Foucault parle de loi et je parle d'élan. Est-ce cela la différence entre la philosophie et le romantisme, entre une tête politique et un cœur sentimental ?

L'élan donc continue de me pousser. Irraisonné ? Mille raisons enchevêtrées n'en font pas une pour expliquer pourquoi je ne résiste pas à partir pour l'Iran, cet hiver, alors que je ne m'illusionne pas sur l'effet politique que produira, là-bas, le voyage de dix-huit femmes journalistes, constituées en comité. Je me mêle à ce groupe bien que je connaisse à fond, déjà, ce que tout collectif suscite de zèle intempestif, d'exclusive et d'appétit du pouvoir.

Je m'étais promis de ne plus me brûler à ces feux de camp. Et pourtant, me voilà repartie. Est-ce parce qu'il est si difficile de conduire individuellement sa barque que l'on se précipite dans n'importe quel bateau ? Est-ce pour l'illusion de la solidarité ? Est-ce parce que je ne peux pas manquer de respirer le souffle frais d'une révolution, quelque forme qu'elle prenne ? Est-ce parce que ce métier de journaliste satisfait une inlassable curiosité et me plaît encore ?

Pourtant, comme Pierre Viansson-Ponté, je ne suis pas persuadée de l'importance du journaliste, « un peu un impuissant politique ». Mais comme Viansson le préconise, j'essaye de faire ce métier le mieux possible, à la frontière qu'il situe « entre le cynisme et la naïveté, avec une certaine dose de fraîcheur de sentiment et de jugement, une certaine dose d'enthousiasme ».

Le reportage en Iran, comme tous les reportages, s'inscrit sur deux plans : ce qu'on voit et comment on le voit. J'apprends quelque chose sur l'Iran et quelque chose sur les délégations de femmes. Le journalisme est un enseignement. Mais seuls en profitent les journalistes modestes.

Mon orgueil est ailleurs. Je suis fière de mes amitiés. Fière que des amis me soutiennent au cours de mes errements, sans attache et sans paroisse. Isolée, je n'ai que des amis isolés. Lorsque l'on me demande quel milieu je fréquente, je peux répondre aucun.

Quand je rentre d'Iran, je m'arrête au kiosque pour acheter les journaux. Halte automatique au retour des voyages. Sur la première page du *Monde,* les noms de deux amis. Un article de Robert Linhart sur le chômage à Longwy, un article de Cournot sur Marguerite Duras et son *Navire Night* au cinéma. Je me sens également sensible aux dévastations du chômage et du désir. Ces deux articles me sollicitent également. Je dis à Robert : « Je suis partagée entre mon amour du peuple et mon amour de l'art. » Robert a le rire qui monte : « Encore une fois, tu n'es pas dialectique. Il y a de l'art dans le peuple et du peuple dans l'art. »

Shakespeare à Minamata... J'avance timidement, et aussi grâce à S., sur la voie de la dialectique.

S. dit : « Vous croyez que " tout " ça existe ? »

6
A l'air libre

« Tu portes en toi l'orgueil de la jeunesse. Tu
n'es devenu jeune que sur le tard. Il te faudra
d'abord redevenir enfant mais pour redevenir
enfant, il te faudra encore triompher de ta
jeunesse. »

Nietzsche

Dans le jardin de Neauphle, les pivoines que Thésée a plantées se multiplient. Parfois, je crois qu'il bêche encore ou bien qu'il dort, qu'il va descendre s'asseoir avec nous sur la pelouse, qu'il va élaguer les lilas, redresser les glycines. Mais non, c'est ailleurs maintenant qu'il plante des pivoines. Et des roses trémières, comme à l'île de Ré où nous allions, l'été. Nous traversions la Touraine par la grosse chaleur. Les petites filles jouaient comme des chatons à l'arrière de la voiture. Nous arrivions dans la maison sur la dune, une maison transparente qui dominait l'Océan. L'eau était froide, nous courrions sur la plage. Thésée nous appelait : « Mes trois blondes. »

Je ne retournerai plus à l'île de Ré, mais dans le jardin de Neauphle, je découvre cette bizarrerie : la permanence. Enfant des hôtels et des villes, je n'ai jamais approché la nature. Je l'observe maintenant sur mille mètres carrés. Jardin de Neauphle, berceau ou cimetière, tantôt l'un, tantôt l'autre, résiste aux intempéries. J'y vois arriver les petites filles accrochées à leur mère, sanglotant de la quitter et moi, les ramassant, les embrassant, leur faisant cueillir des pâquerettes sur cette même pelouse, accrochant une balançoire aux branches du cerisier. J'y vois Irène, étalée au soleil, Irène à la chair si offerte que Thésée, puritain, lui disait : « Mais enfin, couvre-toi. » Irène riait du scandale. Elle aimait scandaliser les hommes. J'y vois des amis en cascades dans la torpeur des après-midi trop longues où l'on souhaite vaguement que quelque chose arrive. J'y vois grandir un pommier et gambader le chien Orphée.

J'y vois aussi tous les pays. Dans le jardin de Neauphle, je prolonge les voyages. Je vois les ramboutanes, ces fruits d'Asie qui ressemblent à des raisins ou les durianes qui ont un goût de camembert, je vois les singes de la Soufrière, les écureuils de Washington. Je vois la cabane en bois au bord du lac Toba où je dors sur une planche mais peinte en vert pâle. Je vois l'eau qui coule dans les baquets où je lave le « jean » de mes dérives. Je vois la barque encombrée de paniers qui traverse le lac, les pêcheurs qui chantent des mélopées lascives. Une vieille femme danse. On l'asperge quand elle s'écroule avec des branchages mouillés pour qu'elle recommence à danser.

Dans le jardin de Neauphle, j'entends le pivert, sans doute le même depuis des années, mais j'entends aussi les crapauds et Marie-Laure qui répète : « On est toqué-colonial » et les scorpions courent le long des plates-bandes. Les lits de l'hôtel Granada de Medan sont entourés de grillage. On dort dans des cages. A l'hôtel Strand de Rangoon, les murs suintent, les draps sont moisis. Du luxe britannique, il ne reste que des fauteuils de cuir déchiré dans des chambres vastes comme des salles de bal. La végétation prolifère jusque dans les baignoires où les robinets cassés tournent en vain. Par la fenêtre déglinguée, on aperçoit des beffrois victoriens.

Sur la pelouse de Neauphle surgit le bar d'Indonésie où les filles sont assises sur des banquettes d'osier. Elles sont habillées de mauve, ou bien la lumière est mauve. Elles viennent jouer sur la véranda avec les enfants, entre deux passes.

Un moustique dans le jardin de Neauphle et s'envolent des nuées de libellules moirées comme les soies birmanes ou les papillons géants de la terrasse à colonnes du Bella-Vista délabré de Macao. Brigitte à Singapour dit : « Cette ville me fait " flasher ". » Elle dit ça quand elle « plane super ». Nous « sniffons » un peu d' « héro ». Quand je sniffe, je ne fais pas de bêtises, je me laisse guider par le vent.

Dans le jardin de Neauphle, je ne découvre pas vraiment la nature. Elle m'est depuis trop longtemps étrangère mais c'est là que je reviens sur terre. C'est là que revient Alain, après la mort d'Irène. C'est là qu'il a fermé derrière lui la grille, pour aller à l'enterrement d'Irène. J'ai pensé qu'il ne reviendrait plus dans le jardin. Pendant plusieurs années il a disparu, mais un printemps le voici avec une autre amie dont le prénom commence encore par I. J'allais écrire : recommence. Alain me dit : « Je n'aurais jamais pu revenir seul, la première fois. » Maintenant, il revient seul.

Alain a perdu Irène, j'ai perdu Thésée. Nous sommes désormais tous les deux, Alain et moi, insolites dans ce jardin où nous vivions à quatre, entourés de petites filles. Camille et Leslie, nous les gardions aussi. Plus il y avait de petites filles, plus je prenais ma revanche contre les pensionnats. J'avais été élevée par des femmes qui n'étaient pas ma mère, j'élevais des filles dont je n'étais pas la mère. La boucle se rebouclait. Le jardin aussi n'arrêtait pas de boucler, de reverdir. Le jardin avait une histoire puisqu'il avait ses morts.

Alain Cavalier revit et moi aussi. De son long deuil, il émerge par un film qu'il intitule : *Ce répondeur ne prend pas de message.* Dans la tour où il s'était emmuré, Alain ne répondait plus. Il cherchait à décoder le message d'Irène, qui elle non plus ne répondait pas. Alain balbutie maintenant quelques lettres d'Irène. Comme elle ne s'aime pas, la reine de beauté, l'Antinéa des films péplum tournés à Rome. Elle resplendit pourtant dans le jardin de Neauphle, puis tout à coup, nerveuse, elle prend la voiture qu'elle fait vrombir très fort. Elle part marcher dans la forêt, hurler seule ses douleurs, se fatiguer pour déjouer les insomnies. Elle marche vite. Elle connaît bien la forêt, elle heurte une autre voiture et se tue.

Comme Irène a emprunté ma voiture et comme elle n'a pas de papiers d'identité, la gendarmerie annonce à Thésée mon décès. Thésée, au téléphone, abasourdi, ne répète qu'un mot incroyable : « Morte » et Alain s'évanouit. La mort d'Irène et la mienne pouvaient s'interchanger. Alain nous appelait souvent, en riant : « Mes petites suicidaires. »

Comme après la mort de Françoise, dans le jardin d'en face — puisque c'est elle et pas moi —, je décide de vivre pour deux. Irène a payé, je ne dois plus rien à personne.

Dans le jardin de Neauphle, on m'encourage, on guette ma guérison : « Tu as de nouveau ton visage d'avant. » On me le dit tous les mois depuis quatre ans et chaque fois je souris et chaque fois je sais que c'est faux. Je n'aurai plus jamais mon visage d'avant. Je ne sais pas de quel « avant » il s'agit. L'avant d'il y a six mois d'avant ou l'avant de ma mort loupée, l'avant de la mort d'Irène ou l'avant de la mort de Françoise, j'aurai toujours un visage d'après.

Je ne veux ni un visage d'avant, ni un visage d'après, je veux un visage dont j'accepte calmement qu'il se modifie.

Nous n'en sommes pas encore là. Thésée pénètre dans le jardin en broussailles, écarte les ronces. Nous décidons de rebâtir la maison. Le jardin se couvre de gravats. Je dis à Françoise : « Quand nous serons vieilles, ce sera agréable, nous voisinerons en faisant des confitures. » Françoise s'écrie : « Quelle horreur. » Elle n'attend pas cette horreur-là, elle déserte quelques mois plus tard.

Thésée retourne le gazon et m'offre une horloge, le premier meuble de la maison : « Pour que tu apprennes à voir passer les heures. » Ce cadeau tendre et perspicace, je n'en comprends le prix qu'aujourd'hui, je n'entendais pas sonner l'horloge.

Dix années avec Thésée. L'apparence d'un bonheur peut se résumer en quelques mots : « Voilier, cigare, avion, rose trémière, forêt, café noir, *Sunday Times,* Copenhague, mon ange, mon amour. » Thésée me défend contre les ennemis. Il est mon père, mon inconditionnel allié.

Je dis à S. : « Je donnais pour la première fois ma confiance à un homme. Pour la première fois, je m'accordais le droit de vivre avec un homme. Sans interdit. Peut-être parce que je l'aimais comme un père. »

S. dit : « Et vous trouvez qu'il n'y avait pas d'interdit. Vous ne le séduisiez pas. Vous alliez séduire ailleurs. On ne séduit pas son père. » Trop facile, cet interdit de l'inceste, ma chère S., je ne séduisais pas Thésée parce qu'il était séduit. Je l'aimais, lui, et j'avais des amants parfois pour m'assurer que j'étais une grande fille libre qui n'appartenait pas à son papa.

« Vous ne dites pas autre chose. »

Je m'entends, dans les moments d'amour, lui demander de m'appeler : « Mon bébé. » Il refuse comme il refuse d'écouter mes confidences. Je lui raconterais bien mes frasques pour me faire un peu gronder, pour faire enrager mon père mais il me fait taire, il ne veut pas être mon père. Il prend pourtant si naturellement sa place dans ce bar-restaurant des Champs-Élysées, où je le rencontre et où, comme mon père, il hèle les garçons par leur prénom et commande, avec désinvolture, des alcools d'habitués, des marques précisées : « Ce sera un " J and B ". »

Le Fouquet's est le restaurant qui jouxte *l'Express* où je travaille. Souvent invitée par des gens du cinéma, j'y déjeune et j'y rencontre mon père qui fait semblant de ne pas me voir, qui détourne le regard. Il est logique, il n'a rien à me dire.

Moi, j'ai beaucoup à lui dire, beaucoup à le questionner surtout. Je sais sur lui si peu de chose. Que son père fut pasteur à Nîmes (il me plaît d'avoir aussi un grand-père pasteur), que sa mère joue du piano sur un piano muet, pour ne pas déranger les voisins, qu'elle lit Pascal. Ce que je découvre dans une lettre : « Mme Sarrus a oublié son ouvrage de Pascal. Il faudra lui rapporter. » Mon père, ce voyou, avait donc des parents qui se préoccupaient de l'esprit. Plus que mes grands-parents juifs qui luttaient pour leur vie terrestre. Je n'ai pas connu le pasteur, à peine sa femme dont je n'ai aucun souvenir, mais ils ont dû prier pour moi.

Père inconnu mais connu. (« Et c'est pourquoi votre fille n'est pas psychotique. » Maman me disait : « Tu ne peux pas être folle puisque tu ne l'as jamais été. ») Je sais que ses intérêts furent les miens, la politique, le journalisme, le spectacle. A tout cela, il ajoutait un goût, un don que je n'ai pas : celui de manier l'argent.

Mon oncle et ma tante disaient : « Il finira en prison. » Ce qu'ils ont dit ensuite de Thésée. Pour eux, tous ceux qui n'ont pas un métier catalogué et une adresse fixe sont des gibiers de potence.

Mon père habitait à l'hôtel. Au Claridge, puis au Crillon. Dans les dernières années de sa vie, il finit par choisir un appartement. Avenue Foch, évidemment, comme mon grand-père qui, lui, avait fini sa vie au Royal-Monceau.

197

Thésée, errant, jouant avec l'argent, raccordait. Il avait à Londres le même tailleur que mon oncle, la même familiarité des palaces que mon grand-père, la même prodigalité d'un argent à l'origine incertaine que mon père.

Au Fouquet's, la ressemblance me trouble. Thésée avait pour me plaire un autre atout que j'ignorais et qui maintenant, m'apparaît fatal : il était père de petites filles. Ces hommes-là, les pères de filles, je les remarque. Il suffit qu'ils tiennent par la main, dans la rue, une enfant-fille, pour que je les trouve irrésistibles. L'énigme là-dedans, c'est que Thésée mit longtemps à me parler de ses filles. Comment les avais-je devinées ?

Mon père conservait, paraît-il, ma photographie dans son porte-feuille et la montrait à ses amis. Certains m'ont rapporté ce détail sur lequel je peux m'attendrir mais j'aurais préféré qu'il me regardât. Qu'il me décrivît ses ambitions, ses égoïsmes.

Que sais-je de mon père ? Qu'il se présenta et échoua à la députation à Biarritz, la ville où était née sa mère, où elle avait été baptisée catholique et où il fit comme si son père n'était pas protestant.

Mes ancêtres se mêlent les pinceaux dans les religions mais ils ont foi en eux. Mon père se glisse dans tous les coups. Proche de Stavisky, puis de Tixier-Vignancour, d'Alain de Serigny, de Pinay, il traficote à droite où l'on a moins de scrupules. Il dirige un journal : *l'Ordre,* avec Émile Buré, puis une feuille de ragots monnayables : *le Journal du Parlement.* Il est dans le coup du théâtre, aux « Ambassadeurs », du cinéma, au studio de la Victorine, de la guerre d'Algérie où il soutient l'OAS. Il perd donc la guerre mais il gagne ailleurs. A la roulette, justement, dans les casinos et les palaces de François André, dont il devient l'administrateur. A Cannes, à Deauville, reviennent les palaces de mon grand-père. Je peux aller gratuitement au Majestic, au Normandie. Les chefs de réception me saluent, me traitent comme une cliente de longue date, mais mon père traverse toujours quand il me voit sur la Croisette ou sur les planches. Il tient plus à ma photo qu'à moi. Quand il meurt, je n'ai pas de chagrin. Même pas celui de l'avoir seulement frôlé sur les trottoirs. Je me félicite au contraire qu'il n'ait pas pesé sur moi. Avec lui, au moins, pas de contentieux.

C'est ce que je crois mais je rencontre Thésée quelques mois après sa mort. Thésée qui me reprochera : « Tu n'as jamais su ce qu'était un couple. Tu n'as jamais su dire " notre " maison, " notre " chambre. » Oui, c'est vrai, je n'ai jamais su dire « nous ». C'est un mot aussi fou que « chez moi ». Parfois, même à Neauphle, je me sens en visite. Je ne suis jamais sûre que ce soit « chez moi », là où j'habite. Je nomme les lieux où j'habite par leur désignation géographique : « On se retrouve à Dubois, à Saint-Claude », plutôt que de dire « chez moi », ou encore moins « chez nous ».

Qui est ce « nous » ? Un étranger et moi. Un homme, ça ne peut que passer, que traverser la rue. Comment s'y attacher, s'y lier même par un pronom. L'homme partira, c'est sûr, et j'aurai ce « nous » en travers du gosier, cette idiote habitude. Autant rester « je ». Ce « je », on ne me l'enlèvera pas.

Je dis à S. : « Avec les hommes, c'est l'éphémère. » Je n'ai même plus besoin d'elle, pour traduire : « L'effet-mère », j'en ris toute seule. On provoque ce que l'on craint. Je provoque le départ de Thésée, d'autant que lui n'y semble pas prêt. Quand je lui offre un cadeau, je dis toujours : « Tu pourras l'emporter quand tu partiras. » Quand il veut déménager, je refuse : « Cet appartement, je l'habitais avant de te connaître, je l'habiterai encore si tu t'en vas. Je ne serai pas dépaysée, tu n'auras fait que passer. » Plus je commence à le croire quand il affirme qu'il ne me quittera jamais, plus je le provoque. Je lui répète un jour ce que Jane Fonda dit à Yves Montand dans un film, *Tout va bien* de Godard : « Nous faisons l'amour ensemble, nous dormons ensemble, nous mangeons ensemble mais qu'est-ce que nous faisons ensemble ? » Thésée, éduqué britannique, répond simplement : « Nous vivons ensemble. » Plus je pense que je vais vieillir avec lui, plus je le pousse dehors.

Tant et si bien qu'il s'en va, qu'il n'emporte rien, qu'il ne veut plus m'entendre. Je crie : « Papa, papa » Je crie : « Maman » aussi. Je crie n'importe quoi. Je n'ai pas voulu ça. Je conjurais le sort. Il ne fallait pas m'écouter. Et c'est maintenant qu'il ne m'écoute plus. Il fallait me gronder, mais c'est maintenant qu'il m'inflige la privation sans appel.

Mon corps déserté par Thésée, je le gomme. Pèse-t-il cent tonnes, trois grammes, je ne connais plus son poids. Ni sa forme, ni sa température. Quand le désir m'envahit, mon corps sonne encore plus creux. Je hais le désir. Je hais tout ce qui me fait sentir mon corps. Parfois, c'est le contraire. On me touche, le douanier qui me palpe, le dentiste qui met sa main dans ma bouche, je voudrais qu'ils continuent de fouiller mon corps et ma bouche. Les hommes qui me regardent me paraissent louches. Que peuvent-ils espérer de cette pleureuse efflanquée ?

Je dis à S. : « Je ne suis plus rien qu'un sac vide. »

Elle dit : « Il faut prendre le temps de savoir que vous n'êtes pas rien. »

Je gémis : « Je ne peux le savoir que dans les bras d'un homme et cela ne marche plus. »

Elle dit : « Vous pensez ne plus pouvoir plaire parce que vous ne lui plaisez plus. »

Je dis : « Vous parlez comme au café du Commerce. »

Alors, elle prend sa revanche et elle écrit : « L'enjeu de l'analyse des femmes est de lever l'équivoque entre ce manque à avoir d'où surgit le désir et ce manque à être qui précipite leur narcissisme dans l'affirmation de leur néant et les soustrait à l'érosion d'une parole qui dérange. »

Je rapporte à S. une phrase d'un roman de Jane Hyvrard que j'ai retenue : « Lancinant le souvenir des amours perdues dont je ne veux pas guérir parce que guérir, c'est la mort. » Puis je lui dis : « La perte de la vie sexuelle, c'est la mort. »

S. dit : « Vous répétez la citation. »

Je suis obligée de prendre un papier, de faire une équation pour comprendre que S. a peut-être voulu dire :

$$\text{Guérir des amours perdues} = \text{sexualité.}$$

D'ailleurs, ai-je bien compris ?

Je dis à S. : « La masturbation ne m'intéresse pas. Pour moi, il n'y a pas de plaisir, s'il est solitaire. »

Elle dit : « Vous connaissez bien la douleur solitaire. »

Elle marque des points.

Je dis : « Je n'ai pas de fantasmes. »

S. dit : « Absence de fantasme ou fantasme d'absence ? »

Nous nous affrontons ou plutôt je fantasme que nous nous affrontons.

Elle dit : « Vous n'avez pas besoin de me séduire. »

L'aller et retour entre son boudoir et le mien, entre ses phrases renversées, vaut tous les voyages.

Je voyage dans le jardin de Neauphle avec S. Je l'entends quand la solitude tourne au vertige, quand je vais tomber sur le gazon.

« Peut-être la solitude vous fait-elle horreur parce que vous ne l'avez pas choisie. »

Neauphle au printemps, comme on peut haïr les bourgeons. Neauphle en été, comme les enfants grimpaient aux arbres et comme il n'y a plus d'enfant. Neauphle en automne, comme l'été est en retard. Neauphle en hiver, des feux pâles mais des feux. Ciel neigeux. C'est l'hiver que la campagne est douce aux corps glacés.

Je vais voir Madeleine Renaud, actrice et épouse comblée jusque dans son grand âge, avec l'espoir qu'elle me livre les heureuses trouvailles de la vieillesse mais elle m'insulte presque : « Il n'y a aucune compensation à l'âge. Aucun bénéfice. L'âge n'est que restriction. Si l'on était charitable, on me parlerait d'autre chose.

— J'espérais que vous me diriez : " Il y a un âge où l'âge ne compte plus. " »

Madeleine Renaud, sans aménité, mesure ma naïveté : « Depuis l'âge de dix-huit ans, ma vie s'est déroulée sur le même rythme, avec les mêmes joies : les amours, le métier ont la même importance, procurent les mêmes inquiétudes. La seule chose qui ait changé, justement, c'est l'âge.

— Alors, les plaisirs peuvent durer... Quels ont été vos plus grands plaisirs ? »

Madeleine Renaud ricane : « Faire l'amour. Ne cherchez pas

autre part. Et naturellement réussir les rôles que l'on m'avait confiés.

— L'amour d'abord ? »

Madeleine Renaud retrouve sa gouaille : « Tu parles.

— Je pensais qu'on pouvait s'en passer. »

Madeleine Renaud ricane : « On s'en passe très bien. Je ne suis pas morte. Ah, vous pensiez : " Je vais trouver du secours auprès de Madeleine, des trucs, des recettes. " A quoi vous attendiez-vous donc ? A ce que je sourie gentiment en attendant le point final. »

Madeleine Renaud ajoute : « Ce qu'il y a de terrible, c'est que seule la carcasse vieillisse. Le fond ne vieillit pas du tout. Ce n'est pas vieillir qui est triste, c'est de ne pas vieillir. »

Pourrais-je en dire autant ? Je me suis fiée davantage à l'amitié qu'à l'amour. L'amitié se construisait, l'amour se détruisait. Vrai ou faux ? Aphorisme invérifiable. Tout est vrai et faux de ce qui s'écrit sur l'amour, Dieu et les hommes.

Je n'ai pas aimé l'amour mais faire l'amour n'est pas aimer. Ce simulacre bestial n'engageait à rien, je m'y livrais aisément, j'y mettais tout mon art, si légère enfin.

Alors il va falloir inventer une autre évasion. Écrire peut-être à la place de faire l'amour. Déplacer sa libido, sublimation que ça s'appelle. Je crache encore sur la sublimation qui ressemble trop à la résignation.

Je dis à S. : « Je suis au bord du gouffre. »

S. dit : « Tout le monde en est là. »

D'accord, mais moi c'est pire. Mon corps et ma tête se séparent, ne tiennent plus ensemble. Ma tête du côté mâle. Mon pauvre corps de femme. Je vois tout ce qui est du côté des femmes comme handicapé. Je cherche à définir si cet anathème est culturel ou ontologique. Même s'il est culturel, il vient encore de l'ordre sexuel qui a engendré cette culture. Je me débats en vain. Personne ne m'explique rien. Simone de Beauvoir a-t-elle raison quand elle écrit : « On ne naît pas femme, on le devient » ? Je crois plutôt que l'on naît femme et que l'on a beaucoup de mal à le devenir. Je rêve de ma tête que j'offre à Duras mais elle préfère l'argent. Je lui donne un ou deux francs. Combien doit-on payer pour être femme et avoir une tête? Sur le divan, je m'épuise : « Est-ce culturel, est-ce ontologique? » et je me tais prostrée. Qu'est-ce qui me fait si honte?

S. attend un moment avant de sortir sa boutade : « Ontologique ou logique de la honte? »

Je ris, je respire. Je reviens de loin. Honte, ô logique, ne cherchons pas par là mais plutôt dans les paradis du non-sens, dans les rêves où mon père enfin se pointe.

Je rêve que tous mes amants sont des costumes pendus dans la grande armoire d'une chambre d'hôtel. Je m'excuse d'être entrée, c'est la chambre de mon père, à Deauville.

Mon père me surprend dans mes rêves comme s'il réapparaissait dans ma vie. Je fais connaissance avec lui et lui avec moi. Nous nous plaisons bien. Je rêve que je cours en riant sur le campus d'une faculté. Il me dit : « Je suis content que tu fasses des études parce que je n'en ai jamais faites. » Il me donne un billet de mille francs qui porte des inscriptions russes, me propose une recommandation pour mes études. Je pense qu'il a eu une vie exaltante, que je dois faire un livre sur lui. Je le cherche, un magnétophone en bandoulière, mais je m'aperçois qu'il est mort.

Ces rêves me passionnent. Je cherche à les déchiffrer comme je cherchais son regard au Fouquet's. Pourquoi ces inscriptions russes sur le billet? Parce qu'il s'appelait : Sarrus (qui se prononce : Sarrusse). Je n'en finis pas de m'amuser avec mes rêves, avec mon père.

Je rêve que j'achète, à Londres, un portefeuille en cuir de Russie, chez un maroquinier qui s'appelle « *May Fair* ». Et je devine la voix de S. : « Fait mère » et « portefeuille » qui devient : « porte-fille ».

Je rêve que dans un film, François Périer, au bord d'une piscine, photographie sous l'eau une actrice et sa petite fille. L'actrice ouvre les cuisses de sa fille dont le sexe s'épanouit comme une fleur qui monte à la surface de l'eau.

Périer, le « Père y est », François mon fils et le Saint-Esprit, ce sexe qui s'ouvre comme une fleur. C'est trop beau, la psychanalyse m'emmène dans un nouveau bout du monde.

Dans le jardin de Neauphle, je commence à vivre au présent. Tant pis s'il n'y a plus personne pour tondre le gazon, si on a emporté les outils, bu les réserves de boisson, si le jerricane n'a plus de bouchon et s'il n'y a même plus d'essence pour la tondeuse. Le jardin, la maison, s'ils se dégradent, ne m'inquiètent plus.

En revanche, mes amis m'inquiètent à vouloir que j'écrive : « Écris donc ce scénario, écris cet article, écris, écris. » Mais je ne peux plus. Les « Aimée-Lise » me barrent la route de l'écriture ou bien papa, qui n'a pas encore donné assez de billets de mille. L'argent a son importance entre ma tête et mon corps, mais laquelle ? Si mon corps ne vaut rien, que vaudrait ma tête ? Je ne pourrais écrire que sur moi, sur ce déchet. « Écrire *sur* quelque chose, dit Roland Barthes dégoûté, c'est le périmer. » Quelle bonne raison, au contraire. Si j'écris un jour, ce sera pour périmer ce déchet. En attendant, c'est le papier qui me dégoûte. Je ne veux pas que du papier. Il me faut aussi un peu de soie. De soi. (S. m'a contaminée avec ses calembours.) Les livres et le papier sont des compagnons rêches. Il me faut aussi des caresses. J'essaye timidement parfois. Pour une parole lancée au hasard par un passant qui a visé juste : « Ce doit être drôle de vivre avec toi. » Drôle, moi, comment a-t-il décelé que j'ai pu l'être autrefois ? Pour ce mot « drôle », je lui offre mon corps mort. Joli cadeau.

J'apprends que le plaisir, lorsqu'il ne recouvre aucun désir, surgit, si incongru, qu'il dérange. Ce plaisir, d'autant plus violent, qu'il est rare, ravive seulement la douleur d'en être privé.

Comment renoncer à une jouissance éprouvée ? Comment renoncer à ce qui fut le meilleur de la vie ? Goethe dit : « On ne possède que ce à quoi on renonce. » Phrase lacano-chrétienne qui indique le chemin de l'ascèse. Je gravis le chemin cahin-caha, m'arrêtant aussi à cette phrase de Nietzsche : « Éliminer les passions, en supposant que cela nous fût possible, ne serait-ce pas châtrer l'intelligence ? » Ce qu'il y a d'agréable avec les écrivains, c'est qu'ils peuvent tout dire et le contraire, l'essentiel c'est qu'ils le disent bien.

S. est davantage ma patiente que je ne suis la sienne. Moi, je m'impatiente, je m'époumone, je m'essouffle sur le chemin cahoteux. Puis, je m'excuse puisque toujours je m'accuse.

S. dit : « Vous avez peur de me lasser. » Pour lui donner la réplique dans son registre, je dis : « Non, je veux être délassée. » Et je rêve enfin que j'aime S. et je gamberge encore. La psychanalyse ne serait-elle qu'une suggestion au long cours ? Comme au poker, je paye pour voir. Si S. me manipule, elle le fera au mieux. S. frétille au bord des gouffres comme une anguille luisante. Elle n'a pas besoin de bander pour affronter le vide. La théorie ne lui sert pas de tuteur, elle en fait de la dentelle, des pansements, une éthique au gré des douleurs.

La mienne n'en finit pas. Ma mère, que je croyais enterrée, réapparaît chez Jeanne Moreau, où je vais séjourner quelques jours. Jeanne boit comme maman de la tisane de fleurs d'orangers, fredonne comme maman *le Pays du sourire,* un couplet qu'elles sont toutes les deux seules à connaître :

> « Nous autres Chinois
> Nous ne disons rien
> Et quand nous souffrons
> Nous le cachons bien.
> Toujours sourire
> Et ne rien dire
> C'est notre loi.
> Notre sourire discret
> Garde son secret. »

Jeanne déambule en chantant dans les couloirs avec le même rire de gorge musical. Elles ont la même férule souveraine, la même nourrice dévouée : Anna ou Marie-Louise, même possessive vigilance. Elles ont les mêmes amis des vies d'artistes. Et je rêve que je noie Jeanne dans la piscine. Et mon ventre se couvre de démangeaisons. Et je me réveille, à nouveau, affolée.

Je m'avoue enfin une de mes dernières méchancetés. Maman, à la clinique, grattait avec sa main sous le drap son corps meurtri qui se

205

couvrait d'escarres. Je voyais sa main aller et venir sous le drap. Cette main, je ne pouvais la supporter. Si ma mère continuait de se gratter, j'allais avoir la nausée. Allais-je lui dire d'arrêter ce lancinant mouvement ? Ce grattement devait la soulager mais brusquement je lâchai : « On dirait que tu te masturbes. » Maman écarquilla ses yeux endormis et s'écria : « Mais tu es folle. Oui, vraiment, tu l'es. » Elle posa sa main sur le drap. Je m'affaissai. Ma vengeance m'avait anéantie. J'avais peut-être mis quarante ans à lui renvoyer son interdit.

Je dis à S. : « Si au moins d'avoir fait du mal à ma mère m'avait fait, à moi, du bien. »

S. dit : « Quel drôle de raisonnement. »

Je lui raconte encore un rêve : ma mère m'annonce qu'elle a appris par un ordinateur que j'allais être exclue de *Marie-Claire*. Je dis à S. : « Je ne comprends pas, dans ce rêve, où se trouve mon désir. »

S. dit : « Peut-être de désirer ce que votre mère désire : la programmation de votre exclusion. »

Les mères désirent-elles toutes exclure leurs filles ? Caroline et Nathalie, j'en parle. Je dis qu'elles ne sont peut-être pas comme moi, qu'elles sont contentes d'être des femmes. Je ne sais pas en dire davantage.

Je me pétrifie. Chaque fois que sur le divan s'abat le silence, un monstre se cache. S. dit : « Quel scandale d'imaginer qu'elles pourraient ne pas être pareilles à vous ? »

A moi ? Mais qui est moi ? La question n'en finit pas plus que la douleur qui l'accompagne. Celle qui veut être femme pour plaire aux hommes ou celle qui veut être homme pour combler les femmes ?

Pourquoi n'ai-je jamais aimé d'homme marié, d'homme juif ou de jeune homme ? Des explications logiques se présentent mais j'ai appris à me méfier de la logique. Ces mauvaises clés, je les entrechoque pourtant machinalement ? Pourquoi ne suis-je attirée que par des hommes qui détiennent un savoir que je ne possède pas, qui en savent plus long que moi ? Ce savoir plus long, évidemment le fameux pénis qui manque, il me fascine. Comment faire des études, passer des examens si je ne suis qu'une fille ?

Mon oncle qui m'apprenait le latin, est-ce lui que je désire à travers les hommes dont je souhaite qu'ils m'apprennent quelque chose ? Ou bien ma mère, déjà, souffrait-elle du même manque, elle qui, avant de mourir, a donné son corps à la science. Cette science qui m'attire et me rejette. « Oh toi, tu as la science infuse », dit ma tante que j'agace et qui m'effraie.

Encore maintenant, je crains ma tante. Quand le matin, parfois, elle téléphone, elle ne dit ni « Allô », ni « Bonjour ». J'entends : « Toujours endormie » ou bien : « C'était occupé » ou bien : « J'ai appelé hier, tu n'étais pas là. » Aussitôt, je suis en faute, je bredouille une excuse, je plaide encore coupable.

Ses condamnations me menacent. Comme elle m'a soupçonnée de ne pas rester longtemps auprès du lit de ma mère : « Tu lui faisais des visites de dix minutes », je me justifie. Je lui raconte que je suis entrée, par hasard, dans une église arménienne, assister au service funèbre d'un inconnu, et que là, parmi les popes aux brocarts crasseux, loin de l'aumônier parisien, j'ai pu à loisir pleurer ma mère. J'espère enfin l'attendrir. Elle rit : « Ben, comme ça, tu auras eu l'air de faire partie de la famille. »

A l'usage, on s'habitue à l'humour involontaire de ma tante. En réponse à l'impudeur étalée de ma mère, à ses amants choquants, à ses chagrins bruyants, ma tante ne confie jamais rien de personnel et révère un mari parfait. Elle retient ses émotions derrière des brusqueries farfelues. Comme elle a des migraines, ces derniers temps, je lui demande si elle en a repéré la cause. Elle dit : « Ben, c'est le choc. » De quel choc veut-elle parler ? Excédée par mon insistance, elle lance sèchement : « Ben, Aimée. »

Ma tante ne parle qu'à demi. Quand elle dit : « Laurent a téléphoné parce qu'il a une angine », il faut traduire : « Laurent a téléphoné qu'il ne peut pas venir déjeuner parce qu'il a une angine. » Dans le lambeau dérobé de la phrase, se dissimule ce qui l'affecte : Laurent ne vient pas déjeuner.

Récemment, le langage de ma tante s'est encore raréfié. Un

langage primaire, encore moins articulé que celui de ses petits-enfants avec lesquels elle regarde, à la télévision, tous les dessins animés. Quand j'essaye de lui parler, elle répond invariablement : « Ça n'a aucun intérêt. Tu veux toujours faire l'intéressante. » Le raccourci là encore, entre les deux propositions que réserve-t-il ? Il faudrait traduire ce qui fait que ma tante avale la moitié des phrases, ce qui fait qu'elle a été, elle-même, à moitié avalée.

Intéressante ? François, enfant, se rebiffe contre moi : « Intéressant, tu n'as que ce mot à la bouche. Intéressant, qu'est-ce que ça veut dire ? Avec toi, il faut que tout soit intéressant. »

Chez S., je dis encore : « Je ne peux pas écrire. Je ne suis pas intéressante. »

S. dit : « Pourquoi les autres n'auraient-ils pas aussi, à être intéressants pour vous ? »

Simple idée mais surprenante, je n'y avais jamais pensé. Comme tout se retourne, peu de gens m'intéressent. On me juge souvent boudeuse, voire même méprisante. En fait, je m'absente, je suis si peu intéressante.

Tout se retourne. Les hommes, je les humilie ou bien ils m'humilient. L'important pour moi serait-il de faire circuler l'humiliation ? Je les protège ou bien ils me protègent, je suis leur nurse ou bien ils sont la mienne, n'y aurait-il pas une autre sorte de relation ?

Je questionne encore en vain, celui-là, qui me dit : « Ton visage change quand tu baisses les paupières.

— Il change comment ?

— On y voit la maturité. »

Merci du renseignement, je me l'étais déjà donné. N'aurais-je plus besoin que les hommes me disent comme ils me voient ? N'aurais-je plus besoin de ce vieil amant retrouvé qui dit poliment : « Les années t'ont caressée », alors que je vois les sillons sur mon front.

Pourrais-je enfin tolérer que les hommes vantent mon intelligence plus que mon cul ? Ou au contraire admettre que je suis bête et que je m'en fous.

Sur mes bulletins scolaires, toujours la même appréciation :

« Douée mais distraite. » Cette distraction, quelle honte encore.
« Distraite », à quoi peut-elle penser ? A tout ce qui ne s'apprend
pas, ne se dirige pas. A tous ces mystères qu'elle approche en
trébuchant mais qui la feront danser sur les volcans. De ses
aventures dans la lune, que rapporte-t-elle ? Un autre savoir, peut-
être. Une science des cratères, des frémissements. Et si les sciences
se valaient. Et si le savoir codé, noté, n'était pas le fin du fin. Et si
les hommes n'étaient pas de gros malins. Alors, la distraction,
quelle chance. Grâce à elle, je vagabonde, je cours à tire d'aile vers
ces régions diaphanes de l'Art. Et si je veux, j'apprends aussi. Je ne
suis pas limitée d'être une femme, je peux tout, je suis : « Douée
ET distraite. »

Le psychanalyste Serge Leclaire écrit : « La femme espère
toujours que l'homme, en lui donnant son nom et en l'informant de
son image, lui témoigne d'abord reconnaissance de son idée de
femme, de sa familiarité première et dernière avec la vérité de la
castration. »

Et l'homme donc, ne dépend-il pas autant de la femme quand il
espère toujours qu'en lui donnant un enfant, elle l'informera de sa
virilité ?

Fol espoir de part et d'autre. Je n'espère rien non plus de ces
reconnaissances. Serait-ce que la vérité de la castration, je ne l'ai
pas esquivée ? Que je peux enfin écrire et même écrire sur moi ? Pas
si vite. Le stylo, comme un phallus, n'est pas une nouveauté.
Benjamin Constant, Amiel, mélancoliques geignards, je ne veux pas
faire comme eux et je ne peux pas faire mieux.

Je vais mieux cependant. Des mots s'inscrivent en moi. Je
commence à percevoir que mon existence est singulière. J'ai
l'impression d'être en gestation. Je rêve que l'on m'ordonne
d'allaiter un bébé. Le lait sort de mon sein, teinté de sang, mais le
bébé boit content. François me dit : « Je suis content que tu ailles
mieux. Cela m'aide à vivre. » Ce soir-là, il ne m'appelle plus
Michèle mais maman. Il ne craint plus que je l'entraîne dans mes
ténèbres. Il me laisse toucher tendrement ses boucles sans repousser
ma main.

Est-il possible que je devienne mère maintenant que j'ai perdu la mienne ? Caroline et Nathalie confirment : « Tu n'as jamais été aussi maternelle. » Elles prétendent que c'est agréable.

Caroline s'est adoucie. Nous échangeons des tendresses. Maintenant, c'est Nathalie qui se renfrogne. A chacune son tour d'accuser l'univers puis de s'en alléger.

Les trois enfants sous le parasol, dans le jardin où les lierres s'agrippent. François si brun, les filles si blondes. Ils me confient qu'un jour des tristes années, François a convoqué les filles, qu'il appelle ses sœurs, pour les prévenir que je pouvais mourir à tout instant. Ils se sont alors solennellement promis, si ce malheur arrivait, de ne plus se séparer. Leur serment me chavire. Et leur fraternité. J'ai donné aux filles le frère que je m'étais inventé. Aujourd'hui, ils sont unis comme s'ils avaient fait la guerre ensemble.

Je chantonne en marchant dans la rue. Un passant m'interpelle : « Vous êtes bien gaie. » Est-ce à moi qu'il s'adresse ? Moi, cette jeune fille mère. Un inconnu rencontré dans un dîner me dit : « Vous êtes tellement vivante. » Je bafouille : « Oh, les apparences. »

Sylvia, encore une précieuse amie, me dit : « Vous avez sombré mais vous en êtes sortie. » Je dis : « On n'en sort jamais. » Elle dit : « C'est vrai », et me raconte l'histoire d'un deuil infini.

Sa mère avait eu plusieurs enfants dont une fille qu'elle perdit et dont elle ne parla plus jamais. Elle avait tant imposé le silence autour de la petite disparue que Sylvia pensait qu'elle l'avait même oubliée mais lorsqu'elle mourût, voyant tous ses enfants rassemblés près d'elle, la mère constata : « Ah, vous êtes tous là », puis elle ajouta avant de rendre le dernier soupir : « Tous là. Sauf une. »

Mon deuil se terminera-t-il ? J'hésite, selon les heures, entre l'énergie et l'épuisement. J'ose aller mieux mais je n'ose pas encore le dire. On ne peut que détester quelqu'un qui va bien. Alors que maladive, je suis inoffensive. Alors que débile et sans attrait, on peut m'aimer.

Alors, je retombe en poussières. Comme ma mère dont l'agonie me poursuit. Je ne me débarrasse pas des images de sa maladie. Juste avant la fin, elle a crié : « Sauvez-moi. » Nous étions, ma tante et moi, dans la pièce voisine. Ma tante a dit : « N'y allons pas. Elle préfère les infirmières. » Ma tante a précisé : « Avec des étrangers, on ne s'attendrit pas. Ta mère n'a jamais voulu d'attendrissement. » Ma tante qui enchaîne brusquement ses phrases a ajouté : « Quand ce sera mon tour, tu t'occuperas de moi. » J'ai dit : « Peut-être ce sera mon tour avant le tien. » Elle a répondu : « Moi, je ne m'occuperai pas de toi. »

Ma tante me laisse sans voix. J'ai un tic. Je mets souvent un doigt devant ma bouche.

Les phrases de ma mère résonnent. Elle dit : « Il paraît qu'il y a des bergers qui vivent cent cinquante ans. » Elle dit : « Mon père qui était horriblement juif. » Elle dit : « J'ai toujours eu de la chance, je ne vais pas mourir encore. » Elle dit : « Le docteur m'a demandé mon âge. J'ai répondu : " Dix-huit ans. " Il a bien ri. » Elle dit : « Je n'ai jamais pensé " A quoi bon " parce que j'ai toujours adoré mon boulot. » Elle dit : « Quand je serai guérie, je déménagerai. » Elle dit : « Je vais me faire augmenter. » Et puis une fois, elle confesse : « J'ai été folle de jalousie. J'ai fait chier tout le monde avec ma jalousie. » Elle demande à la manucure si elle a un Jules, si son « zizi » est à la fête. La manucure me prend à témoin : « Votre mère n'aura pensé qu'aux hommes. » Ma mère impudique qui devient incontinente, qui affronte le pire, qui veut toujours en rire, qui dit aux infirmières : « Je suis madame Caca », qui me dit : « Je vais te faire mourir de rire. » J'entends évidemment : « Te faire mourir. » Elle appelle les filles de salle les négresses parce que deux d'entre elles sont noires mais en quittant la clinique pour aller mourir chez elle, de son brancard, elle lance à la standardiste : « Dès que je marcherai, ma première visite sera pour vous. »

Elle cache ses maux même au médecin. Je lui recommande : « Explique au docteur tout ce dont tu souffres. » Elle se fâche : « C'est moi qui décide. Veux-tu que je te rappelle mon âge ? » Je dis : « Oh, oui. » Mais elle dit : « Je n'ai pas d'âge. »

Elle avait réellement oublié sa date de naissance. Quand le personnel de la Sécurité sociale lui a signalé qu'elle avait atteint et même dépassé l'âge de la retraite, elle a fait un esclandre dans les bureaux. Elle a injurié les demoiselles des guichets. Puis, sans un mot, m'ont confié ses fidèles amis Georges et José, elle s'est saoulée toute la nuit.

Je rêve que ma mère est ressuscitée. Elle sait enfin qu'elle a un cancer mais elle a décidé de se soigner, de regarder en face la vérité. Elle va guérir cette fois, mais je suis bien encombrée. Que doit-on faire avec quelqu'un qui ressuscite ?

Au réveil, sa résurrection me menace encore. En même temps son absence m'attriste. Plus personne ne s'inquiétera pour moi. Quand je partais en voyage, elle réclamait des télégrammes annonçant que j'étais bien arrivée. Elle me donnait les adresses de ses séjours hors de Paris. Elle aurait voulu que je m'inquiétasse aussi pour elle. Je ne m'inquiétais jamais.

Sa maladie, m'a-t-on appris, a commencé par les reins. Comme pour expier, je souffre des reins. Les séances chez S. me soulagent mais se terminent toujours par la même litanie : « Je n'ai rien. Je ne possède rien. »

S. dit : « Vous parlez comme un propriétaire qui n'existe pas sans son bien. »

Je me rappelle alors des bribes de théorie : « Avoir (le phallus) fait obstacle à être. » J'invente un nouveau prédicat : « Je n'ai rien donc je suis » qui devient ma devise. Vive la psychanalyse.

Certains croient à la réincarnation, à la voyance, à l'acupuncture, à la radiesthésie. Chacun son gadget qu'il conseille au voisin. Attention à ce prosélytisme trop bon pour être honnête. Je ne conseille pas la psychanalyse. J'enrage même contre cette mode qui entraîne à la fois son galvaudage et sa sophistication. On balance désormais la psychanalyse à tout va, même le dimanche matin, sur le petit écran. A l'heure de la messe, une émission sur les maladies psychosomatiques où l'on baragouine du désir et de la castration comme autrefois on posait des ventouses. Cela va de soi, à l'heure de la plus grande écoute, que l'on attrape de l'eczéma parce que l'on a mal traversé le stade du miroir.

Je dis à S. : « Je raisonne mal. Je ne comprends rien. »

S. dit : « Si vous raisonniez mieux, vous comprendriez encore moins. »

Et je comprends peu à peu qu'il n'y a rien à comprendre. Le savoir de l'inconscient n'a rien à voir avec la compréhension. Le savoir de l'inconscient ne se contemple pas. Il apparaît et disparaît. Le savoir absolu serait l'abrutissement absolu. Voyez les personnages de Queneau dans le *Dimanche de la vie*. Ils ont fait le tour, ils sont assis, ils sont morts.

S. dit : « N'écoutez pas les analystes. Ils vous écrasent sous la théorie. »

S. m'enchante parce qu'elle sait que la pratique ébranle les concepts, que la théorie n'est qu'une ceinture de sécurité. S. se sert de la théorie comme point de départ, branche d'appui pour ses vols planés. Son « devenir analyste » est un « devenir oiseau ».

Si je cours les séminaires, les congrès, les leçons à Vincennes, c'est parce que je cours après l'illusion d'une maîtrise qui me ferait exister. Beaucoup de ceux que je rencontre dans ces endroits sont là pour les mêmes raisons. Si je cours, c'est que je n'ai pas la force de rester seule et d'écrire. Pas encore la force. Peut-être, un jour, pourrais-je choisir la solitude. Peut-être. Je décrirai la Moravie, cette province où nous nous baladons tous, cette province où justement Freud est né. J'y rencontrerai tous ces hommes passifs, aux lèvres boudeuses et minces, qui dépriment sur le thème : « Je ne peux pas aimer » et compensent dans la hiérarchie. J'y rencontrerai toutes ces femmes actives, tendues vers l'autre, qui répètent inlassablement : « On ne m'aime pas » et cherchent, sans trêve, un maître.

Mecs « obsesso », nana « hystéro », bien sûr, c'est pareil, toujours la même peur du désir de maman ou de son abandon, la même plainte hululante que l'analyse parfois transforme en symphonie.

Avec Isi, nous discutons souvent de la souffrance comparée des

213

hommes et des femmes. J'affirme que celle des femmes est abyssale, d'une nudité totale, sans aucun recours social. Tout est organisé dans notre société pour soulager les hommes. Isi prétend que je mélange tout, que la société ne change rien à l'enjeu sexuel dont hommes et femmes pâtissent également.

Pour lui, la souffrance des hommes est même plus profonde. Sans le recours de l'enfantement.

Nous discutons mollement dans le jardin de Neauphle. Marguerite taquine : « Les hommes et les femmes, c'est pareil, mais pour les femmes, c'est pire. » Nous dînons sous les lilas. Nous mangeons du brochet que Barbet a cuisiné. « Ah ce brochet, dit Marguerite, je le passe à l'agenda. » Dans un carnet ainsi, elle note parfois qu'une mouche, à cinq heures, a tourné autour de l'abat-jour ou qu'un enfant portugais a escaladé le mur qui borde l'étang. Pourquoi ce brochet-là a-t-il droit à l'agenda ? Dans un roman, dans un film le reverrons-nous ? Marguerite n'utilise pas directement sa mémoire. Le brochet deviendra-t-il requin du Pacifique ou bien glisse-t-il déjà dans le Mékong avec les milliers de poissons de son enfance ?

« L'artiste vit en parasite sur son enfance », écrit Andrei Tarkovsky.

Comment donne-t-on à ses enfants des enfances d'artiste ? En les faisant pleurer. Je me suis toujours souvenue d'un roman, lu dans mon adolescence, qui s'intitulait : *le Bord des larmes*. L'auteur, Jean-François Deniau, qui écrivait sous un pseudonyme et qui est devenu ministre, avait inventé un système éducatif dont le principe, appliqué dans un établissement scolaire, était de maintenir continuellement les enfants au bord des larmes, pour en faire des génies. Deniau, n'ayant pas été salué comme un génie littéraire, préféra abandonner la carrière des lettres pour la politique, mesurant, lui aussi, qu'il est plus facile de devenir ministre et même président de la République, qu'écrivain.

Mes enfants ont-ils assez pleuré ?

Je dis à S. : « Parfois j'ai peur de leur donner tous mes soins afin qu'ils me les rendent. Je ne me sens pas désintéressée. »

S., bonne âme rassurante, dit : « Pourquoi n'y aurait-il pas d'échange ? » Chaque fois, je m'étonne de la simplicité des choses. On se prête tant de rouerie. Et les autres y contribuent avec leur propre méfiance. La mort de ma mère, ce n'était pas comme me dit Anna « un vrai chagrin celui-là », sous-entendant que l'autre, le cirque dépressif, aurait été invention, complaisance, traficotage et compagnie.

Non, tout est plus simple, le vrai chagrin, c'est ma mort à moi. Tout le reste est plaisanterie. Même la politique. Ce qui n'empêche pas que j'y revienne, que je redescende sur le boulevard manifester au printemps.

Je frémis toujours quand des hommes et des femmes marchent unis, quand des foules s'allègent, ne serait-ce qu'un moment, en criant leur espoir. Pourquoi ne pas croire au moment ? Ramener l'espoir à sa simplicité ? Qui promet que la victoire couronne l'espoir ? Même écrasé, Spartacus avait raison. Est-ce parce que la liberté n'est pas au bout du chemin qu'il faut courber l'échine ?

Je demande aux jeunes manifestants, sur le boulevard, quel est le but de leur défilé. Ils ne savent pas. Ils suivent d'instinct, comme moi. Plus loin, j'apprends qu'il s'agit de soutenir les revendications des professeurs de gymnastique. Les jeunes se sont agglutinés, derrière les profs de gym. Ils sont joyeux d'être nombreux, de chanter au soleil. On les regarde des balcons où les fenêtres s'ouvrent. On leur sourit. Ils sourient aussi. Soudain, Paris s'éveille.

Dans le jardin de Neauphle, les cerises s'arrondissent. On déplie les chaises longues, on repeint les tables rouillées. On me dit : « Tu revis. » On me dit même : « Tu resplendis. » On ne se doute pas que je m'étiole, que j'appelle au secours, la nuit, dans mon lit. Je serais moins fatiguée si je faisais l'amour mais je suis désormais incapable de le faire sans amour.

A partir d'un certain âge — quel euphémisme pour la quarantaine, la cinquantaine — on a trop besoin d'amour pour se contenter de simulacres, trop envie d'aimer longtemps pour aimer un moment. Trop peur aussi de fraîches blessures. On n'aimera plus. On en est certain. D'ailleurs, on n'a plus le temps. Je ne parle pas du temps futur. On a encore quelques années devant soi. Je parle du temps passé. On n'a plus le temps de bâtir avec une personne nouvelle un passé commun. On n'a plus le temps d'échanger avec une personne nouvelle, de vieux souvenirs. Or, les couples ne sont émouvants que lorsqu'ils peuvent se dire : « Tu te souviens. »

Je suis désormais seule détentrice de mes souvenirs. Comme si j'avais été seule à Capri, seule au Parthénon, à Londres ou à Brasilia, mes souvenirs s'évanouissent à force de les taire. Les témoins de mes délires les ont oubliés ou si, parfois, ils se souviennent, c'est comme d'une autre vie. D'un autre temps, sans continuité aucune. A chaque amour, un autre passé. Je n'ai plus le temps de construire un nouveau passé.

Pourtant, l'amour me tente encore. L'amour ou le désir. Comment faire la différence ? Marguerite dit : « Chaque fois que j'ai désiré, j'ai aimé. » Moi, je n'aimais pas chaque fois. Mais maintenant, je ne sais plus ce que j'aime ou pas. Mes références anciennes ne servent à rien. C'était une autre vie.

Marguerite dit : « Je m'étonne que tu n'aies pas su plus tôt que la vie n'avait pas de sens. »

Je ne savais rien, mais les yeux fermés j'avançais. Maintenant que mes yeux aperçoivent le désert, je suis pétrifiée. Comment s'y prend-on avec le désert ?

Marguerite dit : « Je fais des films parce que je ne fais plus l'amour », mais Marguerite fait toujours l'amour. Quand elle reste assise seule, la nuit, aux heures obscures, dans le salon d'en bas, elle vagabonde encore dans les chambres d'hôtel. Ça se voit cette passion constante. On pourrait même dire que Marguerite fait l'amour sans arrêt, parce qu'elle n'arrête jamais de donner et de prendre.

Mes frissons me surprennent. Cette jeune fille, sur un haut tabouret du bar, qui s'offre même aux femmes, a peut-être vingt ans. Ses cheveux sont teints en jaune. Ses paupières sont maquillées en mauve, ses lèvres en orange. Palette de couleurs qui appellent, qui veulent tant séduire. Je suis troublée. Comme par ce couple à la terrasse du café, que j'imagine alangui après une sieste clandestine.

Je les imagine précisément. Même leurs odeurs. L'amour me manque.

Simone de Beauvoir, dans une interview, confie que lorsqu'elle n'aimait personne, elle n'éprouvait pas de désir sexuel. Simone de Beauvoir, bien ordonnée jusque dans sa sexualité.

Je me retrouve plus proche d'une autre romancière, l'Anglaise Jean Rhys qui écrit dans *la Prisonnière des Sargasses* : « Quand le bon temps s'en va, laisse-le s'en aller. Ça sert à rien de se cramponner. Mais elle ne pouvait pas. Comment n'aurait-elle pas cherché à revoir toutes les choses qui avaient disparu si brusquement, sans crier gare. »

Ma tête ne se cramponne pas, mais mon corps réclame et me dérange. Je revois le vieil immigré qui comparaissait en flagrant délit, un grand-père bien vêtu et si digne, qui n'en revenait pas qu'on l'accuse d'avoir exhibé son sexe, dans un parking, devant une jeune fille. Il répétait, honteux, pitoyable : « Je n'avais jamais fait ça. Je ne sais pas ce qui m'a pris. » Il a précisé qu'il avait perdu sa femme. On lui a collé six mois de prison fermes.

Et cette épouse délaissée, aux cheveux gris, ramassée sur la chaussée alors qu'elle tentait de se jeter sous un taxi et qui disait, hallucinée : « Mon corps n'est pas dégoûtant. J'aurais pourtant pu encore servir. »

La chasteté peut-elle être paisible? Naïvement, je cherche dans les livres, dans les vies de saints. Je rêve de couvent. Je pars quelques jours en retraite, près d'une abbaye cistercienne. Je joue les Liane de Pougy, les Cécile Sorel qui, sur le tard, revêtaient la robe religieuse. Ultime déguisement, manière tortueuse, avec l'Époux divin, de baiser encore un peu.

Sainte Thérèse d'Avila, plus maligne, ne se faisait pas d'illusion sur cet amant céleste. « Je ne jouissais pas de Dieu et le monde ne me contentait pas. Au milieu des contentements du monde, je me rappelais ce que je devais à Dieu. Quand j'étais avec Dieu, les affections du monde m'agitaient. »

Thérèse réforme le Carmel. Plus d'austérité pour échapper à la tentation du monde mais rien n'y fait, elle n'est jamais contente, pauvre Thérèse, percluse de maux en tout genre et vomissant chaque jour : « Je meurs de ne pas mourir. »

Elle n'en peut plus, elle non plus, première adepte du MLF, de l'interrogation sur son sexe : « Ce sont là manières de femmes et je ne voudrais pas, mes filles, que vous le soyez en quoi que ce soit, ni que vous le paraissiez, mais que vous soyez comme des hommes forts. Si vous faites ce que vous devez, le Seigneur vous rendra si viriles que les hommes en seront ébranlés. »

Thérèse confirme mon intuition que les douleurs de l'âme sont pires misères que celles du corps. Elle, qui subit les horreurs de multiples maladies, écrit : « Ce n'est rien, comparé à l'agonie de l'âme qui se déchire elle-même. »

Le professeur Léon Schwarzenberg, cancérologue, affirme aussi que les seules douleurs comparables à celles des cancéreux sont celles des schizophrènes. On a envie que ces constats se répandent tant est méprisée et niée la souffrance mentale. Alors que les maladies physiques ont droit à l'aide et à la compassion, les maladies mentales sont traitées avec une indifférence ou une dureté qui laissent le malade dans une solitude encore plus douloureuse. Mais peut-être est-ce justement cela, l'insoutenable misère de l'âme, qu'aucune aide n'y ferait rien.

Cette sacrée hystérique de Thérèse s'évertue sur les chemins de la perfection, elle essaye tout, de l'oraison au ménage : « Lorsque je balayais pendant des heures vouées naguère au plaisir et à la parure, il m'arrivait de penser que j'étais débarrassée de tout cela », mais elle conclut, désabusée : « La vie n'est qu'une nuit à passer dans une mauvaise auberge. » Thérèse ne s'est pas débrouillée mieux que moi.

Du côté de saint Jean de la Croix, est-ce plus affriolant ? Il est plus calme. Il contemple, sans s'énerver, son ignorance.

> « Je demeurai ne sachant
> Toute science dépassant »,

et il se fait son petit frichti de célibataire, s'arrangeant avec Dieu comme avec un reste de poulet :

« Ne croyez pas que l'intérieur
Qui est d'un prix beaucoup plus haut
Trouve contentement et joie
En ce qui plaît ici-bas
Mais par-delà toute beauté
De ce qui est, fut et sera
Je goûte un je ne sais quoi
Que l'on atteint d'aventure. »

Décidément, les hommes goûtent toujours un « je ne sais quoi ». Même dans la nuit des sens, ils trouvent à jouir de leur morosité, de leur masochiste détachement. Quand les femmes désirent leur ressembler, c'est peut-être pour moins souffrir.

Cette semaine de retraite m'a au moins prouvé que je pouvais me contenter des livres, de la nature, du repos. J'ai chassé tant que j'ai pu les cauchemars de la maladie de maman. Sa mort me rend toute petite mais c'est presque doux de redevenir petite, de l'avoir vue, elle aussi, redevenir petite. Si elle était morte brusquement, dans sa gloire, elle serait restée foudroyante.

J'ai profité de cette retraite pour faire comme Thérèse d'Avila, du ménage. J'ai nettoyé des cuivres, repassé des draps, épluché des fraises. Pour la première fois, j'ai plongé dans la simplicité des choses, sans un regard sur moi et sans angoisse. Comme dit S., une première fois c'est toujours intéressant.

Le retour à Paris n'en est que plus rude. Dans cette ville, tant de méandres, je n'arrive plus à me faufiler. Je me flagelle chez S. (après la lecture des mystiques, cela vient tout seul), je tends vers le néant. S. dit : « Vous êtes en pleine déréliction. » Je dis : « Et alors ? »

Je mets S. au défi d'être mon directeur de conscience. Y a-t-il des directrices ? Je dis : « Le défi est mon seul moteur. »

S. dit : « Le défi, mais aussi la colère. »

Je dis : « Défi et colère, ce n'est pas très beau. »

S. dit : « On dit qu'il y a de saintes colères. »

S. soit bénie.

Mes saintes colères sont-elles aussi hystériques que celles de la Sainte ?

Aldo Moro a été assassiné aujourd'hui. Doit-on condamner les terroristes ? Je comprends leur colère. Quand personne n'entend plus personne, seule l'explosion fait du bruit. Fascisme de gauche quand la force brute s'oppose à tout langage. Mais il n'y a de langage nulle part.

Henri Curiel vient aussi d'être assassiné. Fondateur du PC égyptien, marxiste inconditionnel, il avait soixante-quatre ans. Le fascisme de droite n'exprime que la haine et ses assassins nous menacent. Je sens une colère froide.

« Nos baisers nous suivent », écrivait Aragon. Nos colères aussi. Contre tous ceux qui s'inclinent, contre tous ceux qui commandent, la colère me gagne. Cela fait beaucoup de monde. Alors, parfois, fatiguée, je m'incline.

Ainsi pardon à Alissia dont je n'oublie pas le visage pâle. A Hasnon, village minier du Nord, je réalisais avec Ange Casta une émission de télévision pour la série « Les femmes, aussi », sur le thème : « Quatre générations de femmes sous le même toit ». Après avoir repéré des familles en Provence, dans l'espoir d'y pratiquer un tournage agréable et ensoleillé, je renonçai à la facilité de la truculence pour virer à 180° vers le Nord où j'entrevoyais la possibilité d'un ressort dramatique plus complexe.

Dans le coron de Hasnon, Alissia devait, hélas, me donner raison. Nous avions installé les caméras dans la cuisine où l'arrière-grand-mère (75 ans) bredouillait, où la grand-mère (50 ans) commandait, où Alissia la mère (30 ans) se taisait, où la fille (10 ans) jouait. Pendant trois semaines, nous saisissions des scènes quotidiennes de la vie de ces femmes. Un seul homme sous ce toit, le mari d'Alissia, un mineur qui ne ressortait de sous terre que pour dormir et manger. Comme nous les filmions au cours de son repas et lui demandions si le plat était savoureux, il répondit avec un sourire édenté : « Oh, moi, ce que je mange, c'est pour remplir. » Seul homme, ce fantôme exploité jusqu'à l'os, qui toussait entre deux bouchées avant de mourir de silicose.

Rien n'avait changé depuis *Germinal*. Quand on décrit la misère, le lecteur croit qu'on exagère. En même temps, cette exagération qui n'en est pas fait tellement cliché qu'elle est impubliable. Elle est tellement toujours pareille cette misère que les directeurs de journaux, les rédacteurs en chef qui veulent toujours du neuf, haussent les épaules. Même les journaux de gauche renâclent devant la description de cette plaie insidieuse et monotone qui ne présente aucune actualité aguichante. Acquérir et garder un vaste public se justifie puisqu'il est préférable que les idées de gauche pénètrent largement. Donc, nulle part on ne parle de la pauvreté.

Je vais le long du coron, de maison en maison. La même cafetière sur le coin de la gazinière. Quatorze maisons : cent trois enfants, presque dix par femme. L'une d'elles accouche tous les ans, en été. Elle dit : « L'hôpital, c'est bien. Ça me fait des vacances. » Alissia, toujours, se tait. Elle n'a que quatre enfants. Son mari a dû lui faire l'amour quatre fois. Je fais la lessive avec Alissia, je ne la quitte pas. Un jour, elle se décide à parler. J'entends le mot prison, le mot solitude, le mot amour aussi. Elle parle d'un ouvrier, d'un jeune homme avec une bicyclette qui passe chaque soir vers dix-sept heures, qui fait tinter son grelot au bout du coron. Alors Alissia change ses chaussons pour des talons hauts et va se promener le long des autres corons avec le jeune homme qui tient son vélo à la main. Alissia vit pour, à cause, grâce à cette promenade. Le samedi et le dimanche, l'équipe de tournage rentre à Paris. Nous habitons pendant la semaine à Saint-Amand-les-Eaux, dans un hôtel thermal où viennent se soigner les handicapés moteurs. La salle à manger de l'hôtel, le soir, après la journée dans le coron, donne le vertige. Le week-end apparaît comme une évasion.

Le lundi, quand nous rentrons, je ne revois plus Alissia. Pendant ce week-end où elle ne s'est pas évadée comme nous, Alissia a tenté de se suicider. D'avoir formulé sa détresse, elle ne l'a pas supportée. Elle résistait en se taisant. Ma responsabilité est engagée.

Comme journaliste, je fais parler les gens. Je les emmène au plus près d'eux-mêmes, je leur fais voir souvent ce qu'ils se cachent. Ce en quoi on dit que je suis une bonne journaliste. Mais après, les

gens, je les abandonne. Je passe à d'autres. Je fais une consomma-
tion immense de gens. Je les épuise, je les prends, je les laisse. Je
manipule en toute bonne conscience puisque je ne mens pas. Je ne
leur fais pas dire autre chose, je ne leur fais pas dire ce qu'ils ne
veulent pas dire mais je suis assez fine pour qu'ils veulent bien le
dire. Ma rouerie est extrême et simple. Je leur parle de moi. Je les
entraîne sur le terrain des confidences puisque je leur en fais moi-
même. Au début, ce n'était pas calculé. J'étais gênée que les gens
me donnent tant d'eux-mêmes sans leur rendre quelque chose. Je
voulais me présenter autrement que les journalistes violeurs et
insolents qui se croient tout permis. Même avec les gens célèbres, je
n'y allais pas carrément. Je mettais plus longtemps que mes
confrères mais je parvenais toujours à l'intimité. Une interview, j'en
faisais toujours le début d'une amitié. Je croyais que je m'en tirais
ainsi, que je n'étais pas cette prédatrice patentée, porteuse de la
carte n° 14 954.

Et voilà qu'Alissia me montre que mon manège est gravissime,
qu'il n'y a pas moyen de s'en tirer proprement quand on pénètre
dans la vie des gens. Que tout rapport est pipé dès qu'on le
rapporte.

Je veux arrêter de filmer, cesser ce massacre. A la télévision, on
ne comprend pas pourquoi on arrêterait le tournage alors qu'il est
presque terminé et qu'il a déjà coûté tant d'argent. La production
s'adresse à la grand-mère, chef de famille, qui a déjà signé
l'autorisation de tourner. La grand-mère, que notre présence
distrait, assure qu'Alissia va très bien, qu'elle sera sur pied pour
continuer dans deux jours.

C'est là que je m'incline. Là que moi aussi je suis prise dans
l'engrenage, que je deviens journaliste comme les autres, que je n'ai
plus qu'à la boucler. Si je ne la boucle pas, je vais au chômage et je
manque de crever. Cela m'est arrivé. Aujourd'hui, je m'incline à
nouveau pour bouffer. C'est le troisième type de colère : la colère
rentrée.

Pour finir le tournage, nous avons loué un mini-autocar et nous
avons emmené Alissia et ses enfants à la mer. Cela avait l'air

sympathique de leur offrir un pique-nique sur la plage. Personne dans le coron n'avait vu la mer qui était à une cinquantaine de kilomètres. Personne ne sortait du coron.

Seulement nous avions aussi emmené des caméras et nous ne l'avons pas ratée, Alissia, quand en apercevant la mer, elle a fondu en larmes. Nous avons pu la filmer, toute la journée, quand ses enfants jouaient à l'enterrer dans le sable. Nous avons même ainsi pu gagner un prix dans un festival de télé. Nous avions de si chouettes images. Discrètes avec ça. Nous ne voulions pas envenimer les relations d'Alissia avec ses voisines, les mères de familles nombreuses, qui la traitaient de pute parce qu'elle n'avait que quatre enfants, alors nous ne filmions que la paire de chaussures à talons pour évoquer ses rendez-vous galants. Nous étions épatants.

Paradoxe final, nous étions félicités de la montrer cette immontrable misère, d'avoir eu le courage, l'audace, etc., d'aller là où les autres n'allaient pas. Le talent d'avoir forcé Alissia.

Avec les femmes de Gennevilliers, j'ai aussi traqué les confidences, mais nous poursuivions ensemble un but commun, défini à l'avance. Dans cette lutte pour la liberté de l'avortement, mes interlocutrices avaient pris aussi leur responsabilité. Nous étions également partie prenante. Les femmes qui racontaient leur histoire avaient surmonté des réticences mais quand le livre fut publié, elles allèrent le vendre sur les marchés, dans les autobus, aux sorties des usines. Elles donnaient leur histoire en exemple de ce qui ne devait plus exister. Entre Alissia et les femmes de Gennevilliers, une différence capitale : les femmes de Gennevilliers découvraient la colère.

Comme elle est vitale, la colère. Elle m'anime encore même si aujourd'hui, on vante parfois ma sérénité. J'ai l'air d'être arrivée au port, revenue de tous les voyages mais je suis prête à repartir. Il suffirait que la colère déborde. Je la contiens encore mais je la sens captive. Je la sens sous l'aménité, sous l'indifférence et il me plaît de la sentir comme signe d'un rebondissement possible. Je tâte ma colère, je la caresse. D'une colère fauve, la psychanalyse a fait une colère domestiquée. Au lieu d'être guidée par elle je la guide, mais elle demeure, essentielle.

Les gens ont si peu de colère, disait Aragon, encore lui, qui savait si bien gérer les siennes. En Inde, je trépigne. Chaque fois que j'y vais, j'en repars aussitôt. Les résignés squelettiques qui prient le long des chemins ne proposent pas pour moi, comme l'affirme à la télévision cette Indienne distinguée, des « réponses rafraîchissantes ». Au contraire. Quand je perds la tête, au pire de mes dérélictions, c'est aux Indiens du Gange que je me compare. Ce sont les goulags de Calcutta que je rejoins. Plus navrants encore que ceux de Sibérie qui produisent au moins des dissidents. On s'insurge contre la barbarie, mais on contemple, médusé, le lavage de cerveau de tout le peuple indien. La religion excuse les mouroirs dans la rue, le lent génocide à l'air libre. Staline, au moins, cache ses camps.

En Inde, le peuple le veut bien, dit-on, il en tire même des extases. Mais que peut vouloir un peuple sans colère, un peuple décervelé depuis la nuit des temps ? A Delhi, sous la mousson, je donne mon paquet de roupies à un enfant décharné qui dort nu dans la boue et je m'enfuis. Et je remercie Mao si la Chine ne ressemble plus à l'Inde affamée. Domestiqués peut-être, les cyclistes en pyjama bleu mais encore capables d'afficher des « dazibaos ». Encore vivants.

Au Japon discipliné, je ne rencontre aussi que des morts. Dans ce pays qui se targue d'être la troisième puissance économique mondiale, et qui célèbre ce titre de gloire chaque matin par le lever des couleurs, je vais faire un reportage sur la pollution. Je vois là un autre peuple sans colère que l'on empoisonne au nom de l'économie. Un peuple comme tout chef d'État en souhaiterait, qui ne bronche pas quand on l'asphyxie, qui porte des masques pour se déplacer sur l'île d'ordures, Yume No Shima, terre de déchets qui obstrue la baie de Tokyo où la mer elle-même a reculé. Je ne visite ni les monastères, ni les jardins. Mon folklore japonais ne comprend aucune geisha, aucun nô. Du Japon, je ne connais que les cheminées d'usines puantes, les hôpitaux, les décharges. Je ne médite pas devant un caillou, je marche dans des fourmilières, dans des rues surpeuplées de Japonais pressés, dans des métros bondés.

J'aperçois l'abrutissement absolu du mimétisme chez le jeune Japonais qui m'a gentiment offert l'hospitalité. Le matin, il sort son club de golf, le fait tournoyer deux ou trois fois dans sa cuisine en guise d'entraînement pour le dimanche où il ira, sur du gazon synthétique, taper une balle, l'envoyer dans un filet, tandis qu'à côté de lui, à l'étage au-dessous et à l'étage au-dessus, d'autres Japonais, habillés en golfeurs, viseront le même filet, se prenant, eux aussi, pour des Américains.

Si les Japonais se mettaient en colère, c'est qu'on le leur aurait commandé. Uniformité si terrifiante, obéissance si contraignante que nous attrapons, la photographe Marie-Laure de Decker et moi, des fous rires de collégiennes brimées.

A Minamata, près des pêcheurs estropiés, victimes de la pollution au mercure, qui se soûlent pour fêter leurs indemnités et essayent de nous pincer les fesses avec leurs moignons, nous pouffons de rire. Nous n'en pouvons plus de rire, pendant ce banquet aux enfers, au pied d'un volcan en éruption.

Un grand reporter photographe américain, Eugene Smith, qui avait « couvert » pour *Life* la guerre de Corée, fasciné par les atrocités de Minamata, s'était fixé là. Pendant trois années, il n'a photographié que ces monstres, incroyable vision d'une apocalypse consentie. Les pêcheurs s'étaient révoltés, mais leur révolte n'aboutissait qu'à cette soûlerie pathétique.

Nous cherchons la résistance. On nous signale dans la province du Kyushu, une ville où des consommateurs, empoisonnés par une huile de table dégueulasse, campent depuis un an aux portes de l'usine pour en empêcher la production. On nous précise que Kita-Kyushu est à dix-huit stations de train de Tokyo et qu'un Japonais nous attendra à la sortie de la gare devant une statue de chien. Nous comptons anxieusement les arrêts du train. Si nous nous trompons, nous sommes perdues. Nous arrivons dans une gare où il y a deux sorties. Personne ne comprend l'anglais, encore moins le français. Les indications sur les panneaux sont calligraphiées en lettres japonaises. Nous aboyons pour indiquer que nous cherchons une statue de chien. Nous finissons par dégoter le Japonais, le seul de haute taille aperçu en six mois, qui va nous emmener dans les faubourgs de cette ville engloutie sous des fumées opaques.

Nous circulons à travers les taudis jusqu'à un campement où des familles défigurées par des chancres et des boutons purulents dorment par terre. Les femmes sont affables. Les hommes et les enfants aussi. Ils nous embrassent. Les boutons sont-ils contagieux ? Mise à l'épreuve de notre solidarité. Les femmes nous offrent des boulettes au goût de saumure qu'elles cuisent sur des réchauds bricolés. Elles nous proposent de nous asseoir près d'elles sur des nattes mais nous ne pouvons échanger aucune parole. Le grand Japonais a disparu. Nous sommes introuvables, à mille lieues de la civilisation, au sein de la troisième puissance économique mondiale.

On nous offre sans cesse les immondes boulettes. Le temps passe. Le temps de réfléchir à ce métier que nous aimons aussi parce qu'il nous conduit dans des endroits si bizarres. Le temps de quelques rires fous, pour se défendre contre cette bizarrerie même.

Un pasteur hollandais débarque après quelques heures. Il se déclare missionnaire anti-pollution, une nouvelle spécialité, et nous enjoint, en anglais, de rester là jusqu'au matin. Nous verrons, dit-il, le sommet de la lutte.

Nous attendons le lever du jour. Les malades se rassemblent devant les grilles de l'usine quand les ouvriers s'y présentent. Les ouvriers écartent les malades qui veulent les empêcher d'entrer. Les ouvriers se rangent dans la cour de l'usine et tandis que le drapeau japonais est hissé, ils commencent à sautiller en musique. A travers les grilles, les malades exhortent les ouvriers, les prient de ne plus fabriquer l'huile empoisonneuse. Les malades hurlent dans des mégaphones, mais les ouvriers continuent de sautiller. Des deux côtés de la grille, le peuple est broyé.

Peu à peu, les malades regagnent leurs nattes. Demain matin, ils recommenceront. Jusqu'à ce que le pasteur se lasse de les soutenir.

Nous retournons à Tokyo, où la terre tremble. Nous logeons au seizième étage. A chaque secousse, nous pensons que la tour va tomber. Nous nous aplatissons sur le sol. Est-ce Dieu qui tremble de colère contre ce pays qui n'a plus ni arbre ni prairie ? Le Japon préfigure-t-il l'avenir de l'Occident : les fumées de Kyushu, les pétroliers géants de Yokohama, presque aussi larges que les Champs-Élysées, me hantent. Sans être écologiste, on peut se demander si la course au développement économique ne va pas partout détruire les arbres. Mais Dieu veille au grain. La crise du pétrole va peut-être sauver la campagne. Un autre danger remplacera celui-là. Dieu n'est jamais à court de nouveaux dangers. A chaque époque ses catastrophes et ses remèdes. Pourquoi s'inquiéter. Comme si les unes n'allaient pas sans les autres. Il n'y a pas d'apocalypse finale, il y en a une tous les jours.

En ce moment, en France, on s'attendrit sur les réfugiés du Vietnam. Un peu moins sur ceux du Cambodge. Sans doute parce qu'il est plus spectaculaire de mourir noyé que de mourir de faim. La famine sévit sur la moitié de l'humanité, on est un peu blasé, tandis que des noyés... On fait l'union de la gauche et de la droite pour envoyer des bateaux là-bas, ramener des Vietnamiens ici. On entraîne à l'Élysée Jean-Paul Sartre à demi aveugle, alors que lorsqu'il y voyait, c'est-à-dire pendant toute sa vie, il a toujours refusé les démarches ou les distinctions officielles. On fait n'importe quoi en France ces temps-ci, plutôt que de s'occuper de ce qui s'y passe. On veut ramener les Vietnamiens mais on laisse expulser les travailleurs immigrés. On laisse voter, contre eux, des lois iniques.

Le camp de Garges-lès-Gonesse, où sont parqués les expulsés de Sonacotra, est à nos portes. On préfère s'occuper de celui de Poulo-Bidong en Malaisie. Toujours l'exotisme des longs voyages. « Notre envoyé spécial à Garges-lès-Gonesse » peut aller se rhabiller. Mais c'est toujours la même question. A partir de combien de prisonniers, de réfugiés, de victimes, la répression vaut-elle qu'on y porte attention ?

Pour combien d'immigrés pourchassés, pour combien de chômeurs, bougera-t-on le petit doigt ? Je compte dans mon coin. Maintenant, je sais ménager mes colères. Au lieu de m'ériger contre

227

l'absurde, j'en fais mon compagnon. Puisque rien n'a de sens, rien ne presse.

Nous traînassons, mes enfants et moi, dans les jardins de Neauphle. Nous portons des chapeaux de paille. Les grappes blanches de l'acacia ressemblent à du lilas. Le plombier qui vient de réparer une fuite nous fait un brin de conversation, puis nous salue. « Bonnes vacances. Si vous pouvez... » Malicieux plombier qui connaît le péril de ces journées vacantes au plaisir obligé. Avant, coûte que coûte, je m'amusais, je voyageais. Maintenant, pour passer de bonnes vacances, j'ai inventé de travailler. Il y a un âge où l'on ne peut plus que travailler.

S. dit : « A mardi. Si vous pouvez... » Elle me désarçonne par la liberté qu'elle m'accorde. Où sont les règlements, les punitions des pensionnats ? Où sont les gifles de ma mère, les « pinçons » de ma tante ? Pour un baiser, je les réclamerais : « Si, si, je viendrai mardi puisque c'est mon jour. » Mais S. se moque que je vienne ou pas. Elle n'est pas intransigeante sur les rendez-vous.

Je voudrais qu'elle m'ordonne, qu'elle m'attende. J'ose une plaisanterie. Elle me désarçonne parce qu'elle n'est pas à cheval ? Et surgit ma tante la cavalière qui fait de son fils un cavalier, et Caroline que je mets à cheval pour séduire ma tante.

Me revoilà entortillée. Ma tante a pris le relais de ma mère. Elle tire sur les brides à sa guise.

Je retourne chez elle, dans sa maison au fond de l'impasse au genre anglais. Quand je fais remarquer à ma tante que j'habite toujours dans des impasses, elle dit : « Quel hasard. »

La maison de ma tante, c'est mon terroir. Là que j'ai six ans, que je m'ennuie le dimanche, quand elle écoute, avec mon oncle, les concerts Lamoureux à la TSF. Tous les deux, au concert Lamoureux, c'est trop beau. Bien sûr, je hais la musique qui nous sépare.

C'est là que j'ai quinze ans, que mes cousins prennent la place, que je ne sais plus où me mettre. Je me marie pour disparaître.

La maison de ma tante, c'est la bohème aussi. On y arrive sans prévenir. On repart cinq minutes ou cinq heures plus tard. On ne s'embrasse pas. On ne s'interroge pas. On passe. Sur les murs, des tableaux dignes des musées — mon oncle est collectionneur — mais aussi des fils électriques qui pendent. Des meubles signés mais des tissus qui s'effilochent. Toujours le détail qui cloche. L'argenterie est massive mais la vaisselle en pyrex. Les vieux journaux par terre pour les pisses des chiens voisinent avec les jouets épars des enfants. Récemment, ma tante a transformé sa maison en crèche, sa chambre en nursery. Elle dort au milieu de trois lits à barreaux.

Sa maison lui ressemble et me plaît. Elle échappe à la convention. J'entends dire de ma tante : « C'est une originale. »

Dans l'impasse, les enfants courent comme dans la zone autrefois. Poulbots vêtus de bleu marine et se lavant les mains avant de goûter. De mon temps — oui, ça y est, je dis : de mon temps —, les nurses empêchaient les enfants de courir. Maintenant seule ma tante se glisse parfois dans un coin du « bow-window » pour « jeter un œil », comme on dit chez les Mortimer.

Ma tante accueille tous les enfants de l'impasse. Elle leur donne à goûter. Elle jubile quand il y a des enfants plein la maison. Il n'y en aura jamais assez pour effacer la mort de Nini, la petite sœur bien-aimée.

Comme je félicite ma tante de son bonheur d'être grand-mère, elle me cingle : « Tu es stupide. » J'ai encore fait une bêtise, une remarque trop personnelle. Elle ajoute : « La vieillesse est un âge affreux. Les enfants n'aiment pas les vieux. » Parfois, elle laisse échapper qu'elle est ennuyée d'avoir à mourir parce que cela fera du chagrin aux enfants.

Son bonheur se gâche à cette idée. Elle a raison : je suis stupide. Je sais pourtant que l'on vit mal quand la mort obsède, de même l'on dort mal quand on doit se réveiller tôt.

Ma tante détient des secrets qui m'ouvriraient des clairières. Je voudrais les lui arracher mais elle ne répond pas. Un jour, cependant, elle confie : « C'était quand même méchant de t'enlever.

— De m'enlever ?

— Tu vivais avec ton oncle et moi. Nous t'aimions comme notre enfant.

— Et alors ?

— Ta mère t'a reprise pour te mettre en pension, ça m'a fait de la peine. »

Son regard devient vague. Peut-être des enfants font la ronde. Des petites filles, Lili, Nini et moi, autant d'arrachements. J'attends que ma tante s'épanche, mais elle coupe aussitôt le silence où pourrait revenir la peine. Elle en déplace la raison : « Tu avais sept ans, c'était quand même petit. »

Je voudrais qu'elle poursuive : « Et après ? »

Son ton s'est raidi : « Après ? Ben rien. »

Une autre fois, elle lâche un gros morceau : « Ta mère et moi, nous n'avions pas le même père. »

Comment se fait-il que je ne l'aie pas su ? Pourquoi a-t-elle attendu que ma mère soit morte pour me révéler cette énormité ?

Mon ancêtre américain, aux yeux bleus comme les miens, le seul homme que j'aime, ne serait pas mon grand-père ?

« Non, c'était un boche, un gros lard, l'amant de notre mère.

— Mais j'ai les yeux bleus de grand-père.

— Le boche aussi avait les yeux bleus. Il m'avait donné une poupée. Ma mère m'obligeait à jouer avec sa poupée.

— Tu savais que l'Allemand était son amant ?

— Ma mère me faisait ses confidences. C'est honteux, on ne devrait pas parler aux enfants. Les gens qui parlent sont dégoûtants.

— Et ma mère, le savait-elle ?

— J'ai oublié », dit ma tante.

Souvent elle dit qu'elle a oublié pour interrompre net une conversation qui la gêne.

Je n'en saurai jamais davantage. Ma tante s'est murée. A-t-elle fantasmé ? Ma mère est-elle vraiment née de l'adultère de ma grand-mère ? Ma mère qui disait : « Lise et moi, nous sommes tellement différentes. Nous ne devons pas être nées du même père. » Ma mère qui m'avait raconté que lorsque ma grand-mère était morte, elles étaient allées, toutes les deux ensemble, acheter des vêtements de deuil. Dans la cabine d'essayage ma tante s'était effondrée. Ma mère précisait : « C'est le seul moment où j'ai vu Lise pleurer. Elle s'accusait de ne pas avoir aimé notre mère. C'est curieux, moi qui l'aimais tant. »

Ma tante, par sa révélation, n'a rien éclairé du tout. Le mystère de mes origines s'épaissit. On pourrait écrire, à la Eugène Sue, le feuilleton d'une psychanalyse. Rien de plus sanglant et rebondissant qu'une névrose. Ce sont chaque fois des pugilats, des chantages, des assassinats. Cette naissance inavouable après les mères meurtrières, les sœurs ennemies, les pères en cavale, tout cet attirail fantasmatique traité pour de vrai, quel roman populaire, mais je manque encore trop d'humour pour blaguer avec mon faux grand-père.

A S., je dis que je m'en fous, que je continuerai à faire comme si mon grand-père Mortimer était le vrai, mais je me sens encore plus dépouillée et je m'accable encore, et je répète encore et je cherche encore : « Entre ma mère-célibataire qui aimait sa mère et ma tante-épouse qui aimait son père, peut-on trouver une explication à leurs tourments ? Au mien ? Je suis tantôt l'une, tantôt l'autre. Je ne suis rien. »

S. en a marre. Elle ne répond rien. Je fais mon numéro : « Que l'on m'écrabouille, que l'on me piétine, que l'on me tire une balle dans le cœur. »

Je me lasse moi-même. Je commence à ne plus croire ce que j'affirme, à en rire comme d'une farce.

Pavese dit qu'une histoire revient deux fois : « D'abord pour de bon. Ensuite comme une farce. »

Mon histoire, je l'aurais rabâchée bien plus de deux fois, dans le cabinet de Grenelle, mais j'approche de la farce.

« Vous voyez bien que vous savez quelque chose, dit S. après que j'eus beaucoup parlé.

— Je ne sais pas ce que je dis.

— Mais vous le dites. »

On remarque mes progrès : « Tu te déprécies encore mais tu parles davantage de toi. » Avant, je réunissais des gens à table afin qu'ils parlent et que je puisse me taire. J'aimais être absente au milieu des autres. Cela continue. J'aime le soleil dehors pour aller à l'ombre. J'aime me retirer seule dans une chambre lorsque la maison est habitée.

Beaucoup de gens réagissent souvent de la même manière. Comment puis-je m'attarder à des particularités si peu originales ? Comment puis-je passer des heures à tenter de démonter des mécanismes si répandus ? Parce qu'ils me concernent et que je commence à me trouver, moi, originale. Unique même. Je suis un spécimen unique. Cette révélation-là me paraît capitale. De celles qui autorisent les psychanalysés à raconter leur histoire. Je ne vais pas y couper. Le papier blanc commence à m'attirer comme les plages de sable, autrefois.

Je cherche des maisons habitées pour pouvoir écrire. Si la maison est vide, je fuis la chambre solitaire. Je commence à écrire, non plus pour me rassembler, mais avec la prétention extrême d'intéresser les autres. A me trouver, en somme, terriblement intéressante.

« Terriblement », le mot n'est pas trop fort, je me fais peur. « Enfant terrible », je dois soutenir ma réputation, être terrible à tout moment. Si je fléchis, je reçois ma claque.

S. parle dans un congrès où son savoir et sa sensibilité sont admirés. Je jouis de son succès mais je l'envie. Jamais je ne lui arriverai à la cheville. D'ailleurs la sienne est fine, la mienne est lourde. Jamais je ne serai comme elle, à l'aise, homme et femme à la fois. Est-ce par honte de l'envier que je me dissimule derrière les portes, que je détourne le regard ? Est-ce pour rejouer l'enfant voyeuse qui ne veut pas être vue que je fais comme si je ne la voyais pas ? Je me sens fautive d'assister à ce congrès, de me faufiler parmi les grandes personnes qui savent alors que je ne sais rien.

Le congrès se termine par un bal. J'aperçois S. qui valse. Sa grâce me confond. Sa légèreté me paralyse. Elle a l'air d'avoir vingt ans. Tant de charme m'éblouit. Jamais je n'oserais danser à côté d'elle. Je me renfrogne. Je fais tapisserie. J'ai cent ans.

Puis je ris. Quelle farce de se retrouver encore rivale.

La nuit je rêve que je dis à S. : « Vous avez été formidable » et qu'elle pleure. Et je comprends qu'elle pleure. Et nous sommes semblables. Pour elle, pour moi, pour tous, être formidable, comme être terrible, comme être guéri, c'est renoncer à être un petit enfant, c'est perdre les câlineries, les chagrins, tant de choses qui ressemblent à l'amour. Être formidable, terrible, guéri, c'est devenir plus puissant que ses faibles parents. Ce changement de camp ne se pratique pas impunément. Il semble que de passer à l'offensive soit comme de passer à l'ennemi, que ça doive se payer. D'où les tristesses soudaines des guérisons. D'où les larmes de S.

Au récit de mon rêve, S. dit : « Je vous remercie de ce rêve » avec un accent qui sort de la neutralité. Je la sens contente que je ne l'aie pas rêvée toute-puissante.

Je lui raconte ensuite comme je me suis dérobée à ses yeux pendant le congrès.

« Vous seule savez à quel point je ne sais rien. A quel point je n'ai rien à faire dans ces congrès. A quel point je suis faussaire.

— Je sais seulement, dit S., ce que votre tante vous a révélé la semaine dernière. »

Dans le jardin de Neauphle j'éloigne les mensonges, mais ils rappliquent en foule. Ceux de mes aïeux et ceux de mes contemporains. Les miens aussi. Même si j'ai appris qu'il n'y a pas de vérité, je fouillerai au-dessous, au-delà, je n'écrirai jamais avec assez de sincérité. Je dirai mes compromis, mes ambiguïtés. Non pour les effacer mais pour reconnaître que je mens aussi. Je dirai comment ce matin-là je militais à Belleville près d'immigrés yougoslaves que la police expulsait. Les flics lançaient par la fenêtre leurs hardes et leurs matelas que nous ramassions en bas pour les porter dans d'autres lieux affreux. Les flics prenaient un visible plaisir à jeter ce qu'ils appelaient « ce merdier » par les fenêtres. Ils criaient, avec entrain : « Bon débarras. Sacs à puces, Allez, la merde. » Un curé militant tenta de s'interposer. Un flic lui cracha à la figure. Je vis le crachat s'écraser sur la joue du curé. Le flic était si excité qu'on le sentait prêt à tuer. Le curé essuya sa joue. Il parla de cynisme, de cruauté. Il était en dessous de la vérité. Il aurait pu parler de bestialité, de carnage, de chasse à l'homme.

Le soir même, et c'est là que ma dualité me porte à faux, j'étais invité à la « première » sur les Champs-Élysées du film de Stanley

Kubrick *Orange mécanique.* Me retrouver dans cette salle emplumée, après ce que j'avais fait le matin, supporter ces deux mondes, quel mensonge. Au prix de combien de mensonges à soi-même, trouve-t-on la vie exquise ? Les lumières de la salle s'éteignirent Pour les faussaires, le noir est une couleur favorable. Je respirai mieux dans l'obscurité. Je commençais même à regarder le film quand des remous, autour de moi, firent diversion. Certaines personnes s'en allaient, déclarant à haute voix que c'était une honte de montrer une telle violence. J'eus envie que la lumière s'allumât pour leur crier : « Mais c'est du cinéma. Vous êtes bien délicats. La violence, la vraie, c'était ce matin. Qu'auriez-vous fait ce matin ? »

Ils auraient fait la même chose que moi. Ils auraient été le soir au cinéma.

Le monde était ainsi, lâche sauf par à-coups. On ne pouvait avoir que des à-coups de colère, que des à-coups de vérité.

Si au festival de Cannes, on couronnait *Norma Rae,* film américain où l'héroïne est une syndicaliste luttant pour la grève et qu'en même temps les sidérurgistes de la Solmer qui manifestaient à Cannes n'avaient pas le droit de défiler sur la Croisette, devant le palais du Festival, il ne fallait plus que je me mette en colère mais que je me demande ce que je faisais pour dénoncer le mensonge.

Si je ne faisais rien, j'étais au spectacle comme les autres, lâche comme les autres. La colère, c'était aussi la bonne conscience.

S. n'a jamais mauvaise conscience. Je lui dis : « Vous étiez si belle quand vous valsiez que je me suis interdit de danser. »

Elle dit : « Quel dommage. Cela faisait des années que je n'avais pas dansé. »

S. ne s'appesantit pas. Elle tournoie. Ou bien, c'est moi qui tourne autour d'elle. Est-elle la main du potier qui tourne autour de la glaise pour former le pot ? Mais non, c'est le pot qui tourne sur lui-même et nous tournons ensemble, elle et moi, sur le pivot du transfert.

Je rêve que je m'assois dans son fauteuil, que je prends sa place, que je lui adresse une grimace.

S. sourit : « Vous n'êtes pas dupe, vous faites la grimace. »

Je voudrais être sa seule patiente ou la plus intelligente ou la pl
malade. Être « la plus » quelque chose. Être la « plus » ou avoir
quelque chose en plus ? La lancinante interrogation reparaît. Quel
est mon sexe ? Je voudrais être unique parce que ce n'est ni féminin
ni masculin. Je n'ai pas le droit de m'habiller en femme, je dois
garder mes chaussettes de petite fille et pour faire plaisir à ma mère,
qui ne veut pas que je l'appelle maman, je n'ai ni sein, ni règles.
Hélas, je n'ai pas non plus de pénis.

Toutes ces jeunes femmes qui ont trente ans ces jours-ci et qui
sont mes amies, je les regarde se débattre. Elles ne sont pas mieux
loties. Le désarroi ne vient pas de l'âge.

J'écoute aussi les actrices qui se confessent abondamment. La
gloire n'a pas tardé à les saluer, mais elles écrivent toutes la même
absence, le même harassant désir.

Liv Ullman : « On dirait que seul ce que possèdent les autres est
réel. » Isabelle Adjani : « J'ai l'impression parfois que ma température descend en dessous de 37°. Je me sens si mal dans ma peau que
je prends une douche comme pour me laver de mes blessures, de
mes salissures intérieures. »

Dominique Sanda : « Parfois, je me prends à dire : Je hais les
hommes. C'est très bête mais je m'y heurte continuellement. » Bibi
Anderson : « Quand un homme ne me regarde pas, je ne peux pas
regarder le monde. »

On pourrait citer mille actrices. Elles se font écho, d'un plateau
l'autre. Sylvie Vartan : « Autant dans ma vie privée je ne sais pas où
j'en suis, autant dans ma vie professionnelle, je sais ce que je veux.
Mais alors, je fais peur aux hommes. Et alors, rien ne va plus. Sans
un homme, c'est le néant. »

Derrière chacun de mes pas aussi, un homme m'a soutenue. Un
homme pour la littérature, un pour le cinéma, un pour la politique
et même un pour la psychanalyse, ce cher Isi qui m'aidait parce qu'il
me faisait tellement confiance.

Certaines féministes déclaraient ne vouloir accoucher que de filles
tant elles craignaient de se laisser embobiner par les hommes (ou de
les désirer), fussent-ils leurs fils. Elles avaient tort de s'inquiéter

les fils s'éloignent. Je n'ai pas connu d'homme, sauf homosexuel, qui ne fuie sa mère. D'ailleurs, les féministes ont vite renoncé à ce vœu qui n'était qu'une utopie, mais révélateur comme toutes les utopies.

S. dit : « Ce n'est pas simple d'être une femme. »

Je répète ce que dit Isi : « Pas simple d'être un homme, non plus. » Et j'ajoute : « C'est votre truc de femme qui vous fait parler ainsi. »

S. sourit : « Mon truc grâce auquel j'entends vos trucs. La fille est prise dans la mère.

— Le fils aussi.

— Le fils ne devient pas mère.

— Mais c'est justement ce dont il souffre. »

S. interrompt : « Nous sortons de l'analyse, ma chère. » Quelle aisance mondaine, ma chère. Aucun mot de S. ne tombe par hasard. Ni les informations à son propos, qu'elle distille parfois : « Cela fait des années que je n'ai pas dansé », « Je travaillerai aussi pendant les vacances ». Je l'imagine monacale. Elle réussit tout mieux que moi. Mais non, elle est analyste et moi, je serai écrivain. A Neauphle, je ne lis plus Freud ni Lacan, je sors mon papier blanc.

Je dis à Florence : « Ce que j'écris ne peut plaire à personne. Trop individualiste pour les marxistes (Robert), trop subjectif pour les historiens à la Foucault (Daniel), trop analytique pour les désirants à la Deleuze (Jacques), trop sommaire pour les lacaniens (Judith et Jacques-Alain), aucun de mes amis ne dépassera la troisième page. Je serai trop anecdotique pour S., trop bavarde pour Thésée, trop naïve pour les intellectuels, trop sophistiquée pour le grand public. »

Florence dit : « Va jusqu'au bout, après on verra. » Et j'y vais bravement, me moquant, au fond, du jugement.

On me dit : « Tu vas encore te faire des ennemis. » Je mesure les risques mais il n'y en a pas. Les ennemis sont déjà là, prévus d'avance, postés, depuis que je suis née. A chaque berceau ses bonnes fées et ses mauvais génies. Je connais ceux qui ne me veulent pas de bien. Quoi que j'écrive, ils sont prêts à tirer. Je les retrouve à chaque détour, derrière les mêmes murets. Et les mêmes que moi reçoivent les mêmes flèches, pour les mêmes paroles. C'est ainsi, répertorié, et c'est dommage, on aimerait plus de surprise. Aucun risque ne me paraît plus vraiment grave sinon mourir qui viendra à son heure, je ne suis plus pressée.

Sans psychanalyse, le Hadrien de Yourcenar est parvenu à la même conclusion : « L'heure de l'impatience est passée. Au point où j'en suis, le désespoir serait d'aussi mauvais goût que l'espérance. J'ai renoncé à brusquer ma mort. »

Serais-je parvenue à cette heure, sans psychanalyse ? Trop de faiblesse encore me prouve le contraire.

Il suffit qu'une amie de pension retrouvée me demande : « Qu'es-tu devenue ? » pour que les larmes surgissent. Il suffit que j'évoque le plumier en bois avec le porte-plume couleur de sucre d'orge, que je reçus à l'école communale d'une compagne oubliée, pour que je retourne au trou.

Dans le jardin de Neauphle, je me dédouble encore. Je la regarde partir pour l'Asie, cette vieille hippie. Vers midi, son visage rosit. Elle porte son sac sur le dos. A son âge, c'est ridicule. Mais tout n'est-il pas ridicule quand on vieillit ? Si l'on s'enthousiasme, c'est que l'on court après sa jeunesse. Si l'on prend du recul, c'est que l'on court après la sagesse.

Elle se baigne dans l'eau trop chaude des plages indiennes. Elle s'abîme dans ce climat amolissant. Elle marche, hagarde sur le sable. Elle devient folle. Elle hurle. Personne ne l'entend. Elle se cogne encore contre les planches de bois des cabanes. Elle regrette l'Océan qui fouette le sang, le vent coupant, le sémaphore de l'île de Ré. Et les dunes, surtout les dunes où elle cueillait de l'ail sauvage. Du haut de la dune, le chien Orphée surveillait les bateaux.

Elle traîne à Sumatra. Elle fume de la *ganga*. Elle voit passer les enterrements avec les objets en papier qui suivent le corbillard, les voitures, les bicyclettes, les maisons de papier, ce sont des cadeaux pour le mort, tout ce qu'il a souhaité pendant sa vie.

Elle s'arrête au coin des rues, à des étals minables, pour manger une tranche d'ananas sale. Elle ne se nourrit pas. Elle boit du « Theobank », du thé glacé.

Dans le jardin de Neauphle, le théâtre varie. Parfois, c'est Thésée qui reparaît encore, qui laisse tomber au bas de sa chaise longue le manuscrit qu'elle a rapporté, pour lui, du Mozambique. Thésée qui se fout désormais de ce qu'elle écrit. Thésée qui part sans rien emporter, pas même un rasoir, pas même un souvenir ou un livre préféré. François lui demande de reprendre ses vêtements, mais il ne vient pas les chercher. Il part comme on meurt d'un accident, tout en vrac derrière soi.

Elle a parfois envie de téléphoner à sa mère. Un moment lui est nécessaire pour se rappeler que sa mère n'existe plus, non plus. Le jardin, alors, se vide. Un fantôme court après un autre fantôme. Irène reparaît, qui apporte des fromages, des haricots frais. Irène qui rend la terre aimable parce qu'elle appelle tous les sens à s'épanouir. Irène qui veut devenir... Devenir quoi ? Oh, simplement une autre, mieux pourvue.

Je ne connais d'amis qu'en « devenir ». S'ils sont riches, ils deviennent pauvres. S'ils sont inconnus, ils deviennent célèbres. Aucun ami qui ne s'aventure. C'est pourquoi tant d'accidents, de vies brisées autour de moi.

Je regarde à la télévision une émission d'« Apostrophes » sur le thème : « L'écrivain et l'histoire ». Ces témoins-là sont à l'abri de l'aventure. Transfuge de Mai 68, Le Dantec s'est rangé. Il a grossi et pérore sur la crêpe bretonne — tarte à la crème régionaliste de la « nouvelle droite » — comme un grand-père gâteux. Comme l'autre invité de l'émission, également breton, Queffélec qui se compare à un pigeon posé sur le filet d'un court de tennis tandis que les balles s'échangent.

Mes amis ne mènent pas des vies de pigeon. Quitte à faire match nul, ils prennent des raquettes. Ils lancent des balles et des délires. « Tout délire, dit David Cooper, est une affirmation politique. Tout fou est un dissident politique. »

Est-il possible que je ne subisse plus les douleurs de la folie et que je reste dissidente ? Est-il possible de renaître ni tout à fait la même, ni tout à fait une autre ?

Le jardin, comme un berceau. La lumière du soleil caresse les roses et les acanthes. Comme ce serait reposant de savoir faire pousser les plantes.

Quel avenir s'annonce, maintenant que j'en ai encore un ? Sans conviction, je vais consulter une voyante en banlieue. J'entraîne Michel Drach, que naguère j'entraînais à la Goutte d'Or et dans d'autres banlieues pour des courses moins frivoles. Michel est toujours partant dès qu'il y a du racisme et de l'injustice dans l'air. Aujourd'hui, sur la route, il plaisante : « Tu as bien changé si tu en es à la boule de cristal. » Nous rions de partager aussi cet avatar, comme un lien de plus dans notre longue amitié.

La voyante examine les lignes de ma main et semble entrer en communication avec une instance supérieure. Au bout d'un moment, perplexe, elle m'annonce : « Je n'entends rien. »

Je m'étonne : « Cela vous arrive souvent ?

— Parfois.

— Comment se fait-il ?

— Il y a l'autre entre vous et moi.

— Quel autre ?

— L'autre. »

Visiblement gênée, elle me congédie. Je m'amuse. L'autre, n'est-ce pas S. ? S. qui me protège même des voix de l'au-delà car je sens l'effet de la cure analytique comme une protection. Comme un coussinet d'air ou une légère cotte de mailles entre le monde et moi. Je n'ai pas changé mais les secousses m'atteignent moins directement. Seulement par ricochet. Amorties. J'ai le temps de parer aux coups, de m'en défendre. Ou même parfois, de ne plus les sentir comme s'ils s'adressaient à quelqu'un d'autre, à quelqu'un que j'aurais connu dans le temps. Je n'ai rien appris, ni découvert sinon cet espace, ce temps justement qui pourrait bien s'appeler le présent. Je ne possède rien de plus sinon ce pare-avant magique qui protège aussi du passé, ce moment sans remords.

J'ai dit l'autre jour : « Maman était comme une morsure. »

Ces jeux de mots me distraient et m'agacent. Ils se présentent sans qu'on les sollicite ni qu'on les commande. Ils s'échappent sans qu'on puisse les retenir. Ils sont crétins et impertinents. Comme des enfants mal élevés que l'on veut dresser et que l'on gronde parce qu'ils disent des vérités.

Les feuilles des arbres s'amoncellent sur le gazon. J'ai passé l'été à me chercher des racines. A les dessiner sur le papier en forme de lettres et de mots. C'est une recherche qui se généralise. Dans les lycées de Brooklyn, on envoie les élèves enquêter sur leurs familles. C'est un devoir scolaire d'interroger ses grands-parents. Quand l'avenir est précaire et qu'il n'y a rien à faire, on fouille le passé. On s'assure ses amarres.

Je retourne chez S. comme on retourne à l'école, en octobre. Elle fixe nos rendez-vous hebdomadaires pour l'année : « Eh bien, le mardi et le jeudi, à quatorze heures, cela vous convient-il ? »

Quatorze heures. J'avais choisi ce moment au début de la cure, quand je ne pouvais rien avaler. Les séances me tenaient lieu de déjeuner.

Quatre fois par semaine, à l'heure où les autres se mettaient à table, je faisais le trajet. Au moins, ces jours-là, j'étais occupée, je n'avais pas besoin de me forcer à manger.

Maintenant, c'est un plaisir de déjeuner, d'aller à la cantine, de faire partie d'une entreprise. Quand on a été au chômage, c'est même presque un bonheur.

Je dis : « Quatorze heures trente serait préférable. »

S. feuillette son calendrier : « C'est possible. Alors, entendu ainsi. »

Je dis : « Mais cela ne fait que deux fois par semaine. »

S. ne semble pas remarquer mon intonation inquiète. Elle dit : « Restons-en là. Si une troisième fois vous est nécessaire, nous aviserons. Cela n'est pas définitif. »

Je descends l'escalier lentement, à regret. Suis-je passée dans la classe supérieure ou me fait-on rétrograder ? Le rythme parcimonieux de deux séances convient à mon déséquilibre financier. S. en a-t-elle tenu compte ? Mais n'est-ce pas aussi la voie de garage ? S.

a-t-elle soupé de mes rengaines ? A-t-elle conclu que j'étais trop sotte pour aller plus loin ? Et si je voulais encore devenir analyste ? Ce serait bien le signe qu'elle ne m'en croit pas capable. Elle me barre le chemin. Elle n'avait pas à décider sans me consulter. Je suis assez grande pour savoir si je peux payer deux ou trois séances. Elle me chasse donc, me renvoie à la solitude. Non, c'est impossible, elle n'est pas méchante. Alors, elle veut m'éprouver, voir si je vais résister avec deux séances seulement ou bien lui résister, à elle.

Je fais l'un et l'autre pendant des mois. Je reproche : « Vous n'aviez pas à décider sans moi. C'est d'un commun accord que ces décisions-là se prennent. » Je boude, je me tais. Des séances s'écoulent en silence. Je ne réclame pas précisément une troisième séance. Par économie mais aussi pour voir ce qui se manigance. Cela aussi s'analyse. Je dis qu'en deux séances, on ne peut que s'écarteler. Je dis : « Deux séances, c'est idiot, il en fallait une ou bien trois. » Je dis : « Deux fois, c'est inutile, on s'oublie de l'une à l'autre séance. Celle du jeudi est meilleure parce qu'elle est proche de celle du mardi. Mais du jeudi au mardi, on attend trop longtemps. » S. ne répond jamais.

Un jour cependant, elle dit : « C'est curieux qu'une seule hypothèse ne vous soit pas venue. Celle que le résultat d'un travail ne dépend pas du nombre d'heures de présence. Il ne dépend pas de la présence du journaliste à la salle de rédaction pour que son article soit bon. »

L'habileté de S. me confond encore et me convainc. Je lui fais, à nouveau, confiance. Les séances se déroulent à nouveau, comme avant, sans reproche et sans arrière-pensée. Mais les vieux ressentiments ne décrochent pas. Ils reviennent à la charge. Peu à peu, je recommence à parler de ces « deux fois », de ce chiffre deux, le plus mauvais qui soit. Du chiffre « un », nettement plus avantageux, ou du chiffre « trois », tellement plus divertissant.

« Deux », quel trouble. Lequel des deux est-on ? Lequel des deux parents ? Lequel du couple ? Lequel du parent ou de l'enfant ? Deux, c'est deux camps, toujours la guerre. Ou bien, c'est le vide, le fameux entre-deux. Non, je ne veux pas de « deux ».

S. dit. Non, elle ne dit pas. Elle suggère, elle insinue, elle susurre, elle souffle. J'écris « S. dit » parce que « dire » est le verbe qui passe le plus inaperçu, un verbe passe-partout qui ne dit rien justement, qui se glisse dans la proposition pour annoncer la suite. Si on veut que « dire » ait un autre sens que l'énoncé qui va suivre, on doit lui coller un adverbe, un adjectif, un « avec ». « S. dit » n'a pas d'épaisseur si l'on ne dit pas quoi. Ce qui compte, ce n'est pas S. ni « dit », c'est quoi. S. n'a pas plus d'existence que « dit ».

S. dit : « Et si ces " deux fois par semaine " correspondaient à vos deux sorties hebdomadaires du pensionnat ? »

A ces paroles, je fonds en larmes. Un chagrin irrépressible d'enfant avec de grosses larmes salées qui coulent sur les joues, sur ma chemise bientôt mouillée et je ris à travers les larmes de la surprise de pleurer, de ce surgissement de l'inconscient.

J'aurais pourtant déjà pu découvrir, à sept ans, la tristesse de ces jeudis et dimanches au pensionnat. Ma mère venait ou ne venait pas. Parfois, c'était ma grand-mère ou ma tante que je voyais repartir après la visite à la pâtisserie où je choisissais toujours, déjà, des éclairs. Ou bien, personne ne venait et j'attendais la dernière, espérant encore que quelqu'un arrivât. Je voyais les autres filles s'en aller une à une avec leurs parents. Est-ce pour ces jeudis que je déteste attendre les amis dans les gares ? Une panique me saisit à l'arrivée des trains : je ne vais pas les voir débarquer.

Ou bien j'étais privée de sortie et je passais le dimanche dans le parc abandonné, à étaler des fleurs de tilleul sur un drap.

Tout cela, je le savais. Les sentiments d'injustice, de solitude, de rejet que ces journées avaient suscités, je les connaissais. Alors pourquoi ces larmes aujourd'hui ? Pourquoi tant d'années après, et après tant de drames plus graves ? Ce chagrin-là avait-il tant besoin d'être reconnu ? Ne me l'étais-je jamais accordé ? Un chagrin de petite fille si gâtée, si bien habillée. La plus élégante de la pension avec des robes en tissu « liberty ». Un chagrin pas raisonnable, disent les maîtresses, alors que les petits enfants asiatiques meurent de faim (déjà !) et que l'on confectionne même pour eux des boules de papier d'argent.

Les larmes avaient jailli brusquement chez S., comme dans cette réunion, où un étranger gentil m'avait dit : « J'ai appris que vous avez été gravement malade. » Sa sollicitude conférait, tout à coup, à ma détresse passée une réalité intenable. C'était donc vrai que j'avais été gravement malade. Jusque-là, j'en doutais. Thésée disait : « Tu fais semblant pour me faire chier. » Quand je pleurais au dortoir, les maîtresses disaient : « Quelle comédienne. » Je jouais peut-être encore la comédie.

Mais S. authentifiait les larmes du dortoir. Pas celles que les maîtresses voyaient couler mais celles, ravageuses, qui avaient été contestées, remisées au loin, derrière les fanfaronnades et les pirouettes et qu'elle libérait enfin.

Ma mère disait : « C'est une enfant insupportable. »

Ma tante disait : « Elle a une tête de cochon », ou bien : « Quel phénomène. » J'étais un phénomène, une enfant à montrer dans les foires ou à cacher dans les placards : ni femme ni garçon, avec une tête de cochon. Et je rêve que mon sexe, un sexe d'homme, est une tête de cochon que je dois enfoncer dans la terre pour jouir.

Encore beaucoup de travail chez S. pour me débarrasser de cette tête au masculin, qu'il faut mettre en « taire » pour jouir, de ce phallus encombrant qui m'empêche d'avoir des seins.

Jusqu'à mon mariage, je m'interdis de prononcer le mot « sein » que je remplace par le mot « poitrine », comme si le sein, rien que le mot, déclenchait des dangers fracassants.

Hier encore, un lapsus, je parle d'écriture phénomène au lieu d'écriture féminine et je me demande si chaque écriture de femme ne sort pas de la terre, d'un silence immémorial, d'une tête de cochon à laquelle elle s'efforce de donner les traits d'une fille.

Effacer le corps pour avoir une tête. Effacer la tête pour avoir un corps. Elles sont des milliers de femmes en morceaux, en miettes, en exil, à se débattre dans les mêmes rets et à écrire fébrilement pour dénoncer l'oukase.

Je ne fais pas autre chose mais je reçois en rêve un chèque de ma mère. Un chèque de 9 999 999 francs, et je me demande, toujours dans mon rêve, si ce chèque ne représente pas le prix de ma tête, le prix à payer pour avoir une tête. Cette tête que j'ai déjà vendue à Marguerite Duras, dans un autre rêve, pour un franc.

Le voilà, ce franc, ce prix de ma tête, qui manque au chèque pour faire un compte rond.

Je remarque en rêvant qu'avec ma mère, il manque toujours un sou pour faire un franc. Un petit quelque chose pour aller jusqu'au bout. Ce petit bout qui manque, je vais m'en faire une raison.

Pour la première fois, ma tête et mon corps se rassemblent. Je ne suis plus sans queue ni tête, je ne coupe pas le monde en deux : les hommes par-ci, les femmes par-là. Aux hommes aussi, il manque un petit quelque chose : un sein peut-être que je ne crains plus de leur donner. J'avance à visage découvert avec une tête de femme, un corps de femme. Je peux donner parce que je ne possède rien. Tiens voici mon sein. Ta queue est la mienne. On peut échanger nos jouets. Quelle nouveauté.

9 999 999 francs. Tant de neuf et tant de francs pas faux, le monde est renversé.

Même si la schizophrénie est générale, si Cohn-Bendit se retrouve sous la tour Eiffel manifestant sa solidarité aux Vietnamiens damnés aux côtés des fascistes qui l'ont agressé un mois plus tôt, même si le mot « communiste » n'a plus pour personne le même contenu, même s'il faut attendre pour réhabiliter ce qui fut porté aux nues puis piétiné, et savoir qu'on le repiétinera, j'ai un point d'appui. Un piton individuel certes, mais qui n'est ni un homme, ni un parti, moi simplement, ma propre rampe de lancement. Je peux retourner au silence maintenant que j'en suis sortie, je peux me battre maintenant que je n'ai plus rien à gagner. Je peux aussi revoir Thésée.

Après trois années de cauchemar, d'insomnie où j'ai tremblé d'effroi, je n'ai plus peur de sa vengeance, je ne suis plus vengeresse.

A son tour, il me fuit mais nous parvenons à nous retrouver enfin, un soir, dans un bar. Le bar d'un palace pour les anciens sortilèges. Dans la porte à tambour du Plaza, je croise même Françoise Sagan, comme si les années n'avaient pas filé depuis que nous fréquentions parfois, la nuit, les mêmes hommes inconsistants et les mêmes lieux vaporeux.

Quand on a derrière soi beaucoup d'années, tout fait coïncidence. Comme pour ces grands voyageurs auxquels un paysage en rappelle toujours un autre. Thésée est assis au bar comme lorsque je l'ai connu au Fouquet's, quinze ans plus tôt. Il ressemble à un acteur de cinéma. Moi aussi d'ailleurs, si détendue après tant de douleur. Comédienne encore une fois. Elle salue avec tant de charme cet homme qui fut son amour et son bourreau. Elle lui fait un tel numéro. Elle lui dit, bien sûr : « Tu n'as pas changé. »

Ils se jouent tous les deux des comédies. Il répond : « Toi non plus. » Ils ne savent pas très bien comment s'engager dans leurs nouveaux emplois. Ils ne sont plus amants, plus ennemis. Quel est le ton à prendre ? Ils essayent la banalité. Ils parlent du travail. Elle dit qu'elle est contente de ne plus pointer au chômage, qu'elle en a beaucoup souffert. Elle pense qu'elle est adroite ainsi, qu'elle l'innocente en précisant qu'elle a souffert du chômage et pas de lui. Mais au mot « souffert », tout de suite, il réagit : « C'est toi qui l'as voulu, ce chômage. Tu aurais bien pu accepter n'importe quoi. » Elle explique patiemment les démarches qu'elle a faites, les portes fermées, le premier travail qui s'est proposé et sur lequel elle s'est jetée, bien qu'il soit rebutant.

Il dit qu'elle n'est jamais contente, que *TVB* est un excellent journal. Il attaque même plus sec. Il dit qu'elle n'écrit que des conneries. Cette nouvelle, par exemple, où elle relatait sa déconvenue après leur rupture, sa déception de voir qu'elle n'était pas une femme libérée. Il dit : « C'est vraiment dégueulasse de raconter sa vie. J'espère que tu ne te mets pas, toi aussi, à écrire ton autobiographie. » Elle avale un grand verre de « J & B », le whisky qu'il commande, comme avant. Elle avale des olives. Il insiste, sévère : « Pas d'autobiographie. »

Encore un qui veut la faire taire. Elle sourit : « Pour avoir connu des écrivains, je me suis retrouvée aussi dans des livres. On ne côtoie pas quelqu'un qui écrit sans courir ce risque. »

Il dit : « Écris autre chose. Cela ne manque pas, sur la planète, les sujets intéressants. »

Elle sourit : « Eh oui, il y en a plein, évidemment. » Elle esquive la bagarre. Elle sourit sans arrêt. Elle sent qu'il cherche à lui assener ce qu'il répète depuis qu'il l'a quittée : « Toi, qui sais tout. Toi, qui as toujours raison. » Alors, elle lui donne raison. Elle cède tout terrain.

Elle dit : « Et toi, ton travail ? »

Il dit : « Tu n'as jamais cru en moi. Tu ne croyais pas que je réussirais de gros coups. Eh bien, j'en ai fait deux ou trois. »

Elle dit : « Je suis heureuse pour toi. » Elle dit que justement elle voudrait bien de l'argent pour l'aider à acheter un appartement pour elle et ses filles. Elle pense qu'elle exagère de parler si tôt d'argent mais qu'après tout pour aborder ce sujet-là, ce n'est jamais le moment et que l'argent, c'est moins explosif que les sentiments. Il dit qu'il lui donnerait bien volontiers, que ce n'est pas une somme considérable mais qu'il ne l'a pas et il sort de sa poche un billet américain. « Si je n'avais pas trouvé ces dollars aujourd'hui, je n'aurais même pas pu payer le dîner. »

Elle sait qu'il ne ment pas, qu'il lui donnerait là des millions s'il les tirait de sa poche. L'argent, pour lui, sort toujours des hauts-de-forme, comme des colombes. Un jour, il est Crésus, le lendemain, il est Job, mais il domine le monde puisqu'il peut être l'un et l'autre. L'argent, c'est sa grande illusion. Parfois, il s'affaisse : « Je finirai clochard sur un banc », mais il ferme les yeux et il revoit des colombes.

Dommage qu'aujourd'hui... mais il promet pour demain. Elle s'attendrirait volontiers. Elle s'est toujours attendrie qu'il ne possédât rien, qu'il claquât l'argent à tous vents alors que chacun thésaurise, qu'il courût le monde alors que chacun s'immobilise.

« Si nous allions dîner », propose-t-il.

Ils se lèvent. Ils marchent d'un pas hésitant. Depuis trois ans, ils n'ont pas marché côte à côte, mais ils ont, d'avant, une longue habitude. Ils ne comprennent pas, à se revoir ensemble, ce qui leur est arrivé. Ils s'examinent furtivement comme si l'un détenait le secret de l'autre. Ils se félicitent encore : « Non vraiment, tu n'as pas changé », mais ils mentent. Ils rient de sortir leurs lunettes pour regarder le menu. « Ça te va bien », dit-elle et elle pense ce qu'elle dit.

Elle demande : « Comment est ta vie ? »

Il lui montre la photo d'une grande maison où il atterrit entre deux avions. Il lui parle d'une vache qui a vêlé devant lui, des fermiers qui sont venus le chercher, de la campagne où il se prend pour un paysan.

Tandis qu'il parle, elle entend ses mots du passé : « Tu es mon refuge, mon port d'attache. Ma capitale du monde. »

Elle s'aperçoit qu'il boit énormément, qu'il commence à se contredire. Tantôt, il se plaint de ne pas avoir d'amis. Tantôt, il affirme connaître enfin des amitiés solides. Elle voit ses yeux rougir et s'embuer de larmes. Elle demande :

— Pourquoi pleures-tu ?

Il dit : « Oh, je pleure tout le temps. »

Ses filles ont rapporté, en effet, que souvent, au cours des dîners, il pleurait. Elle pense que c'est l'abus de l'alcool.

Comme il se tait, elle enchaîne : « Enfin, tu as réussi ce que tu voulais. »

Il dit : « Oui » et puis après il dit : « Non, il y a cet échec. »

Elle demande : « Quel échec ? »

Il dit : « Nous deux. » Elle croit avoir mal entendu. Elle croyait qu'il avait tout gommé, qu'il était reparti à zéro. Et même pour lui, le passé comptait.

Elle insiste : « Nous deux ? »

Il fait signe que oui. Elle s'entend le consoler : « Ce n'est pas un échec mais une péripétie comme il y en a dans toutes les vies. »

Elle le voit pleurer et s'étonne de ne pas en faire autant. Il dit : « Je suis plus seul que tu ne l'imagines. »

Elle dit : « Neauphle, c'est dur sans toi » et elle ne pleure toujours pas. C'est la première fois qu'elle ne pleure pas. Peut-être parce que c'est enfin lui qui pleure. Elle pense que les larmes, c'est comme le sang, que dans les couples, il n'y en a pas pour deux.

Elle voudrait ne rien oublier de ce moment, qu'elle juge

Elle voudrait ne rien oublier de ce moment, qu'elle juge historique, de son histoire. Elle sait déjà qu'elle écrira tout ça. Peut-être elle ne pleure plus parce qu'elle écrira.

Le maître d'hôtel rôde autour d'eux. Il leur demande s'ils désirent un dessert, s'ils n'ont besoin de rien. Thésée réclame un café. Le dîner a assez duré. Ils n'osent plus se parler d'eux. Alors ils parlent des enfants mais là encore, elle triche. Elle voudrait lui dire qu'il ne les comprend pas mais elle sait qu'il va lui dire encore : « Toi, tu sais tout », alors elle brode des compliments. Elle plaisante : « Ils sont, tous les trois, merveilleux. Après ce qu'on leur a fait. »

Mais Thésée ne rit pas, il dit : « On ne leur a rien fait. »

Elle glisse. Elle dit seulement : « Enfin, cela dépend de toi qu'ils t'aiment. »

Il dit : « Tu les montes contre moi. » Mais il est maintenant sans virulence, comme épuisé. Il règle l'addition avec ses dollars et elle s'émeut encore à la vue du billet. C'est là, dans cette course à l'argent, où il veut éprouver sa force, qu'elle n'avait pas écouté sa faiblesse.

Il la raccompagne à sa voiture en la tenant par le bras. Il lui dit tendrement : « Fais bien attention en rentrant. »

Il s'empêchait de pleurer davantage mais elle pensait à ces nombreuses années où il lui avait prodigué la même recommandation. Il s'inquiétait chaque fois qu'elle prenait la route, puis il ne l'avait plus aimée et elle pouvait, soudain, heurter tous les platanes, capoter dans tous les fleuves.

Tant d'inquiétude, puis tant d'indifférence, risibles amours. Je me mis à rire seule dans la voiture, de ce ricanement noir que mes enfants condamnent. J'étais soulagée d'avoir pu regarder le désastre de loin mais mon rire, de plus en plus saccadé, tourna bientôt aux larmes. Tant de gâchis. Je pleurai longuement, sans rage et sans haine, en accord avec ma nostalgie. C'était amer et infini.

Le lendemain, je racontai à S. notre dîner, les larmes de Thésée puis les miennes.

« On prétend, dis-je, que la consolation est inéluctable, mais mon deuil n'aura pas de fin. Thésée figurait l'éternité. Je ne me consolerai jamais de sa perte. »

Je poursuivai, pour moi-même, sans espoir de réponse, comme on interroge le ciel : « Ne suis-je douée que pour la nostalgie ? »

Après un long silence, S. cependant répondit : « Les larmes sont nécessaires à l'écriture et l'écriture aux larmes. »

La nuit suivante, je remerciai S. de son talent par un rêve étonnant. Elle me montrait un tableau qui représentait une presqu'île (presque il ?). La presqu'île portait le nom d'une plage que j'avais réellement connue, où j'étais récemment revenue : Saint-Pair-sur-mer. S. me disait : « Vous étiez sur la mer. Maintenant, vous voilà sur la terre. Vous n'êtes plus exposée de la même manière. » Je disais : « Je n'oublierai jamais ce tableau. Vous voyez, l'art est plus fort que la métaphore. » Elle répondait : « Mais, c'est pareil. » Nous gravissions ensemble un chemin de montagne. Je désirais devenir son amie mais quelque chose en moi ne le souhaitait pas et préférait qu'elle gardât son mystère. Qu'elle restât une poétesse.

Je me réveillai à l'aube, inspirée. J'allais écrire un roman d'amour. L'intrigue se nouait à Venise. Déjà, les mots venaient portés par la brise. Ils s'élevaient de Torcello, de l'isola del Deserto. On devinait l'impalpable.

Je dis à S. : « Ce sera un roman sans psychanalyse. »

« L'inconscient réserve tant de surprises », dit S.

Je dis à Robert : « Ce sera un roman sans politique. »

« Qu'en sais-tu ? » dit Robert.

Qu'en savais-je, en effet. De cela, comme du reste, à peu près rien. Mais j'avais le temps.

Je m'installai pour écrire dans le fauteuil de ma grand-mère. Un fauteuil au dossier de bois sculpté d'un bouquet de fleurs. Alice, l'oiseau du Rhin, s'asseyait là, devant l'abattant de son secrétaire, pour disposer les cartes brillantes, peuplées de rois, de reines et de marquis, de ses jeux de patience.

Je n'entendais plus que vaguement le bruit des gammes. Les quatre mains de Rose et d'Aimée, sa mère et la mienne, virevoltaient sur le clavier tandis que Jeanne Sarrus, mon autre grand-mère, continuait d'effleurer les touches de son piano muet.

Depuis toujours les hommes se taisaient. J'allais tendre enfin l'oreille. Peut-être les aimer.

Table

IMP. SEPC A SAINT-AMAND (4-80)
D.L. 1er TRIM. 1980. N° 5432-5 (379).